P9-AEX-175

Purge

LA COSMOPOLITE

Sofi Oksanen

Purge

roman

Traduit du finnois
par Sébastien Cagnoli

Stock

TITRE ORIGINAL :
Puhdistus

Cartes : © Anne Le Fur – AFDEC, 2010.

ISBN 978-2-234-06240-5

CARTE

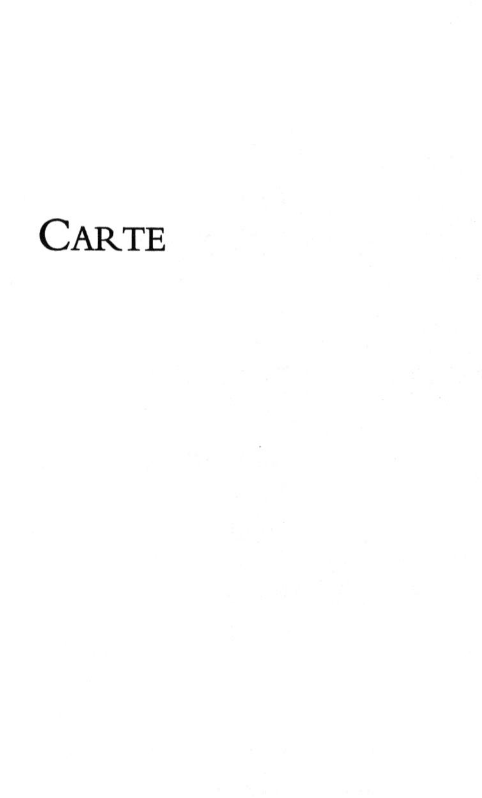

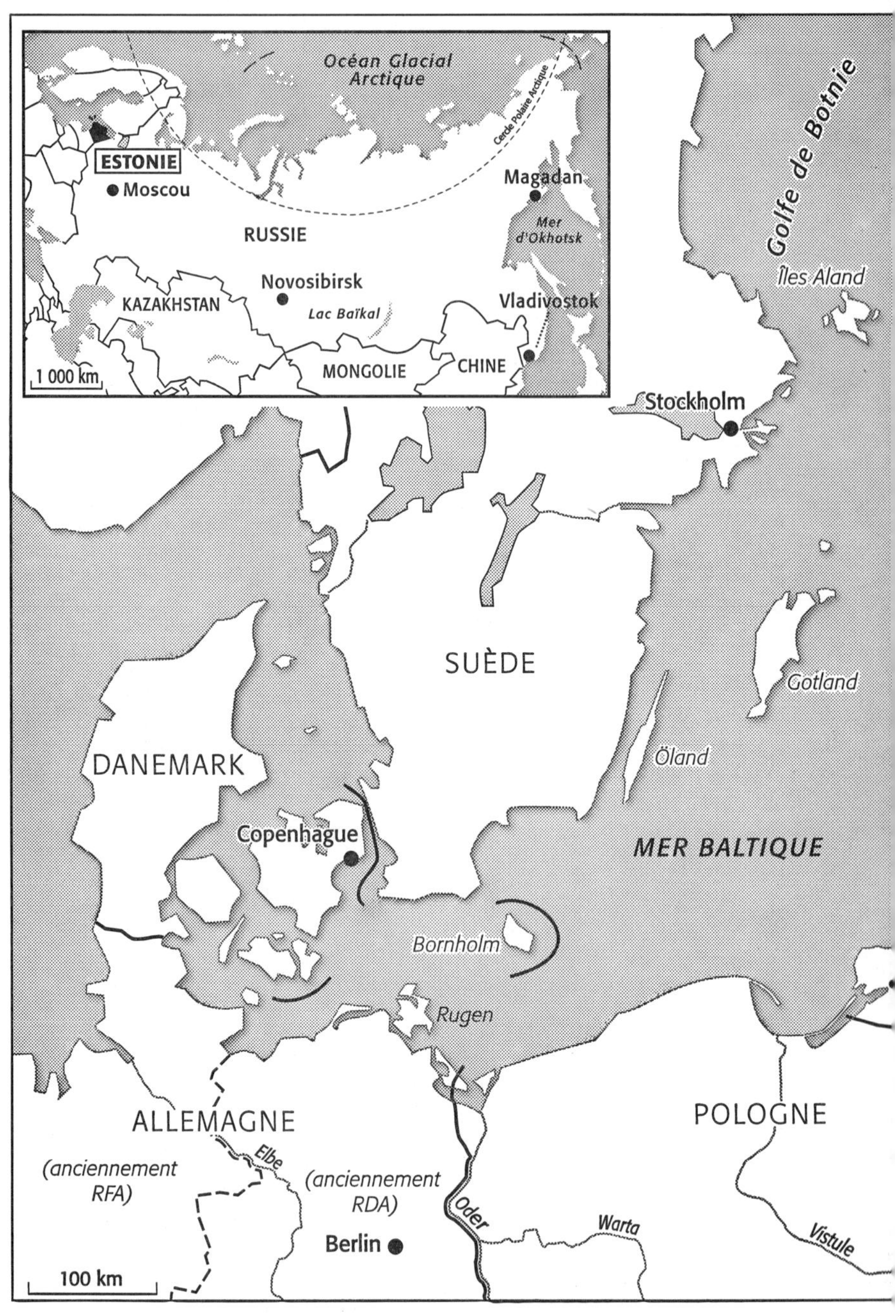
Océan Glacial Arctique
Cercle Polaire Arctique
ESTONIE
Moscou
Magadan
Mer d'Okhotsk
RUSSIE
Novosibirsk
KAZAKHSTAN
Lac Baïkal
Vladivostok
MONGOLIE
CHINE
1 000 km
Golfe de Botnie
Îles Aland
Stockholm
SUÈDE
Gotland
Öland
DANEMARK
Copenhague
MER BALTIQUE
Bornholm
Rugen
ALLEMAGNE
(anciennement RFA)
Elbe
(anciennement RDA)
Berlin
Oder
Warta
POLOGNE
Vistule
100 km

L'Estonie dans l'Europe du Nord depuis 1991

les murs ont des oreilles,
et les oreilles ont de jolies boucles d'oreilles

Paul-Eerik Rummo

Première partie

Tout est réponse, si seulement on connaissait la question

Paul-Eerik Rummo

mai 1949

Pour une Estonie libre !

Il faut que j'essaye d'écrire quelques mots, pour ne pas perdre la raison, pour garder l'esprit d'aplomb. Je cache mon cahier ici, sous le sol du cagibi. Afin que personne ne le trouve, quand bien même on me trouverait, moi. Ce n'est pas une vie. L'être humain a besoin de ses semblables et de quelqu'un à qui parler. Je m'efforce de faire beaucoup de pompes, d'entretenir mes muscles, mais je ne suis plus un homme, je suis un mort. Un homme fait les travaux de sa ferme, mais dans ma ferme c'est une femme, et c'est la honte de l'homme.

Liide essaye tout le temps de s'approcher. Pourquoi ne me laisse-t-elle pas tranquille ? Elle pue l'oignon.

Qu'est-ce qui les retarde, les Anglais ? Où est l'Amérique ? Tout ne tient qu'à un fil, rien n'est sûr.

Où sont ma fille Linda et Ingel ? L'ennui est plus grand qu'on ne peut le supporter.

Hans fils d'Eerik Pekk, paysan estonien

1992, Estonie occidentale

C'est toujours la mouche qui gagne

Aliide Truu fixait une mouche du regard et la mouche la fixait aussi. Elle avait des yeux globuleux et Aliide en avait la nausée. Une mouche à viande. Exceptionnellement grosse, bruyante, et qui ne demandait qu'à pondre. Elle guettait pour aller dans la cuisine et se frottait les ailes et les pattes, sur le rideau de la chambre, comme si elle s'apprêtait à passer à table. Elle était en quête de viande, de viande et rien d'autre. Les confitures et autres conserves ne craignaient rien, mais la viande… La porte de la cuisine était fermée. La mouche attendait. Elle attendait qu'Aliide se lasse de la traquer dans la chambre et qu'elle sorte, qu'elle ouvre la porte de la cuisine. La tapette fouetta le rideau de la chambre. Le rideau ondula, chiffonnant les fleurs de dentelle et dévoilant furtivement les œillets d'hiver derrière la fenêtre, mais la mouche se déroba et alla déambuler sur la vitre à une bonne distance au-dessus de la tête d'Aliide. Du calme ! Elle en avait besoin, maintenant, pour garder la main ferme.

La mouche avait réveillé Aliide ce matin-là en se promenant tranquillement sur ses rides comme sur une route nationale, l'asticotant avec impertinence. Aliide avait arraché sa couverture et s'était empressée de fermer la porte de la cuisine avant que la mouche ne parvienne à s'y glisser. Qu'est-ce qu'elle était bête. Bête et méchante.

La main d'Aliide agrippa le manche de bois de la tapette lustré par l'usure, et elle frappa de nouveau. Le cuir craquelé de la tapette heurta la vitre, la vitre vibra, les anneaux cliquetèrent et la corde de coton servant de tringle fléchit derrière le cache-tringle, mais la mouche narquoise prit encore la tangente. Bien qu'Aliide tentât depuis une bonne heure de lui régler son compte, la mouche était sortie victorieuse de chaque round, et elle voletait maintenant au ras du plafond en bourdonnant grassement. Une mouche à viande dégueulasse, élevée dans une fosse à ordures. Elle finirait quand même par l'avoir. Elle allait se reposer un peu, la liquider, et puis se consacrer à écouter la radio et faire des conserves. Les framboises l'attendaient, et les tomates, les tomates mûres et juteuses. Cette année, la récolte avait été particulièrement bonne.

Aliide rajusta les rideaux. La cour pluvieuse dégoulinait de gris, les branches mouillées des bouleaux frémissaient, les feuilles ratatinées par la pluie, les herbes oscillaient et de leurs pointes suintaient des gouttelettes. Et dessous, il y avait quelque chose. Un ballot. Aliide s'abrita derrière le rideau. Elle jeta un œil à l'extérieur, tira le rideau de dentelle devant elle pour qu'on ne la voie pas de la cour, et retint son souffle. Ses yeux passèrent outre les pâtés de mouches sur la vitre et se concentrèrent sur le gazon au pied du bouleau fendu par la foudre.

Le ballot ne bougeait pas et il n'avait rien de spécial à part sa taille. L'été dernier, sur ce même bouleau, la voisine Aino avait été témoin d'un phénomène lumineux tandis qu'elle se rendait chez Aliide, du coup elle n'avait pas osé aller jusqu'au bout, elle avait rebroussé chemin et téléphoné à Aliide pour lui demander si tout allait bien chez elle, s'il n'y avait pas un ovni dans sa cour. Aliide n'avait rien remarqué d'anormal, mais Aino était certaine qu'il y avait des ovnis devant la maison d'Aliide, exactement comme chez Meelis. Depuis, Meelis ne parlait plus que d'ovnis. Le ballot avait quand même l'air d'être de ce monde, assombri par la pluie, il se fondait dans le terrain, il était de taille humaine. Peut-être un des poivrots du village s'était-il endormi dans sa cour. Mais Aliide n'aurait-elle pas entendu, si on avait fait du vacarme sous sa fenêtre ? Elle avait l'ouïe fine, Aliide. Elle sentait l'odeur de la vinasse à travers les murs. Récemment, une bande de poivrots du voisinage était passée devant chez elle avec un tracteur et de l'essence volée, et ce bruit n'avait pas pu passer inaperçu. À plusieurs reprises, ils avaient traversé le fossé et quasiment arraché la clôture d'Aliide. Ici, il n'y avait plus que des ovnis, des vieux et une horde de voyous mal dégrossis. Plus d'une fois, la voisine Aino avait débarqué chez elle au milieu de la nuit, quand les garçons devenaient violents. Aino savait qu'Aliide n'avait pas peur des garçons et qu'elle leur tiendrait tête en cas de besoin.

Aliide posa sur la table la tapette à mouches fabriquée par son père et avança vers la porte de la cuisine, la main sur la poignée, mais elle se rappela la mouche. Celle-ci se tenait coite. Elle attendait qu'Aliide ouvre la porte. Aliide retourna à la fenêtre. Le ballot était toujours dans la cour, dans la même position. Il avait l'air humain, avec des cheveux blonds qui se détachaient sur l'herbe. Était-il en vie, au moins ? La poitrine d'Aliide s'était tendue, son cœur palpitait. Faudrait-il qu'elle aille dans la cour ? Ou bien serait-ce une ânerie, une imprudence ? Le ballot était-il un piège tendu par des voleurs ? Non, c'était impossible. Elle n'avait pas été attirée à la fenêtre, personne n'avait frappé à la porte d'entrée. N'eût été la mouche, elle n'aurait même pas remarqué le ballot avant de sortir. Et pourtant. La mouche se tenait coite. Aliide se faufila dans la cuisine en refermant prestement derrière elle. Elle tendit l'oreille. Le bourdonnement bruyant du frigo atténuait le silence de l'étable qui s'infiltrait dans la cuisine à travers le garde-manger. Le vrombissement n'était pas perceptible, peut-être la mouche était-elle restée dans la chambre. Aliide fit un feu dans le poêle, remplit la bouilloire et alluma la radio. On y parlait de l'élection présidentielle, et bientôt viendrait le plus important : la météo. Aliide voulait prendre en main sa journée, mais le ballot, par la fenêtre de la cuisine, persistait dans son champ de vision. Il avait le même aspect que depuis la chambre, une forme humaine, et il n'avait pas l'air de s'en aller. Aliide éteignit la radio et retourna à la fenêtre. C'était calme, comme pouvait être calme un jour de fin d'été dans un village estonien dépeuplé, le coq des voisins chantait, rien d'autre. Cette année, le calme était prodigieux, à la fois le calme avant et après la tempête. À l'instar du foin d'Aliide arrivé à maturité, collé à la fenêtre. C'était humide et muet, serein.

Aliide gratta sa dent en or, elle avait quelque chose de coincé entre les dents. Elle gratta les interstices avec les ongles tout en tendant l'oreille, mais elle n'entendait que le raclement de son ongle contre l'os, et soudain elle eut froid dans le dos. Elle cessa de se curer les dents et se concentra sur le ballot. Les taches sur la vitre la gênaient. Elle les essuya avec un chiffon de gaze, jeta le chiffon dans la cuve à vaisselle, prit une veste sur le portemanteau et l'enfila, pensa à son sac à main sur la table et l'attrapa, regarda autour d'elle à la recherche d'une cachette et le fourra dans le buffet. Sur le meuble, il y avait un flacon de déodorant finlandais. Elle le cacha au même endroit, et remit le couvercle sur le sucrier pour cacher le savon Imperial Leather qui se trouvait à l'intérieur. C'est alors qu'elle tourna doucement la clef dans la serrure de la porte intérieure, qu'elle poussa. Elle s'arrêta dans le vestibule, empoigna un manche de fourche en genévrier en guise de canne, mais le reposa au profit d'une canne de ville de fabrication industrielle, à laquelle elle renonça aussi pour prendre une faux parmi les outils du couloir. Elle l'appuya encore au mur un instant, arrangea sa coiffure, attacha mieux son épingle à cheveux, partagea les cheveux du front avec précision derrière les oreilles, reprit la faux, retira la barre de la porte extérieure, ouvrit le verrou et sortit dans la cour.

Le ballot gisait au même endroit sous les bouleaux. Aliide s'approcha sans le quitter des yeux, en alerte. Le ballot était une fille. Boueuse, loqueteuse et malpropre, mais une fille quand même. Une fille inconnue. Un être humain de chair et de sang, et non quelque présage tombé du ciel. Ses ongles cassés portaient des lambeaux de vernis rouge. Ses joues étaient striées de rimmel et de boucles de cheveux à moitié défrisées, la laque y formait des boulettes et quelques feuilles de saule pleureur s'y étaient collées. À leur racine, les cheveux grossièrement décolorés repoussaient gras et sombres. Sous la crasse, la peau diaphane de la joue blanche ressemblait pourtant à celle d'un fruit trop mûr, de la lèvre inférieure desséchée se détachaient des peaux déchiquetées, entre lesquelles la lèvre tuméfiée, rouge tomate, était anormalement brillante et sanguine et faisait ressembler la crasse à une pellicule qu'il faudrait essuyer comme la surface vitreuse d'une pomme dans le froid. Une teinte violette s'était accumulée dans les plis des paupières, et les bas noirs translucides étaient troués. Ils n'étaient pas détendus aux genoux, les mailles étaient serrées et de bonne facture. De l'Ouest, évidemment. Le tissu chatoyait malgré la boue. L'une des chaussures était tombée par terre. C'était une pantoufle, dont la doublure de flanelle grise boulochait et avait éclaté du côté du talon. Sur la bordure était fixée une languette recourbée : du similicuir bordé de zigzags avec quelques agrafes nickelées. Aliide en avait eu de semblables. Quand elles étaient encore neuves, la languette était marron clair et douce, et la doublure était tendre et rose comme le flanc d'un cochon de lait. Cette pantoufle était de fabrication soviétique. La robe ? Occidentale. Le tissu était trop bon pour être de chez eux. Et des ceintures pareilles, ça ne se trouvait qu'à l'Ouest. La dernière fois que Talvi était venue de Finlande, elle en avait une comme ça, une ceinture élastique. Elle avait dit que c'était la mode, et que les trucs à la mode, ça la connaissait. Aino en avait reçu une du même genre à l'église, dans un colis d'aide humanitaire, bien qu'elle n'en eût pas l'usage, mais comme c'était gratuit... Les Finlandais avaient les moyens de jeter des vêtements neufs pour les collectes. Le paquet contenait en plus un coupe-vent et des tee-shirts, il faudrait bientôt en chercher d'autres. Il faut dire que la robe de la fille était trop belle pour sortir d'un colis d'aide humanitaire. Et la fille n'était pas d'ici.

À côté de la tête, il y avait une lampe de poche. Et une carte boueuse.

La bouche de la fille était entrouverte ; en se penchant plus près, Aliide vit ses dents. Elles étaient trop blanches. Au milieu des dents blanches, il y avait une longue rangée de plombages gris.

Sous les paupières, les yeux tressautaient, comme saisis de tics.

Aliide tapota la fille avec le manche de la faux, mais cela ne produisit aucun mouvement. Ce n'est pas non plus en l'appelant qu'elle réussit à faire bouger ses paupières, ni en la pinçant. Aliide puisa de l'eau de pluie dans la bassine pour les pieds et en aspergea la tête de la fille. La fille se recroquevilla en position de fœtus en levant les mains pour se couvrir le visage. Sa bouche s'ouvrit pour crier, mais il n'en sortit qu'un murmure :

« Non. Pas d'eau. Assez. »

Après ce murmure, les yeux de la fille s'écarquillèrent et elle s'assit d'un bond. Aliide recula prudemment. La fille restait bouche bée. Il n'en sortait pas de voix. La fille regardait fixement vers Aliide, mais son regard effaré ne se posait pas sur elle. Il ne se posait nulle part. Aliide répétait qu'il n'y avait aucun danger, avec la voix apaisante qu'elle aurait utilisée pour un animal domestique apeuré. Le regard de la fille ne traduisait pas la moindre compréhension, mais sa bouche grande ouverte avait quelque chose de familier. Ce n'était pas tant la fille elle-même que la manière dont elle se comportait, dont sa peau cireuse couvrait des impressions frémissantes qui ne remontaient pas jusqu'à la surface, et dont son corps était aux aguets malgré son regard vide. Cette fille avait manifestement besoin d'un médecin. Aliide ne voulait pas soigner seule une inconnue, d'apparence si louche, aussi entreprit-elle d'appeler le médecin sur-le-champ.

« Non ! »

La voix avait une certaine assurance, bien que le regard restât hagard. Ce cri aigu fut suivi d'une pause et, soudain, de mots entassés les uns sur les autres, comme quoi elle n'avait rien fait, qu'elle n'avait besoin d'appeler personne. Les mots se bousculaient, débuts et fins de mots s'entremêlaient, elle avait l'accent russe.

La fille était russe, une Russe qui parlait estonien.

Aliide recula davantage.

Aliide devrait prendre un nouveau chien. Voire deux.

La lame fraîchement aiguisée de la faux brillait avec éclat, malgré la lumière grise émoussée par la pluie.

La lèvre supérieure d'Aliide se couvrit de sueur.

Le regard de la fille commença à se poser, d'abord sur la terre, sur une feuille de grand plantain, puis sur une autre, doucement, plus loin, sur une pierre bordant le parterre de fleurs, sur la pompe à eau, sur la bassine sous la pompe. Son regard revint sur son ventre, passa sur ses mains, s'y arrêta, glissa sur le pied de la faux d'Aliide, mais sans aller plus haut, et retourna à ses propres paumes, aux égratignures au dos de ses mains, à ses ongles inégaux. La fille passait en revue les membres de son corps, peut-être qu'elle les comptait, le bras, le poignet et la paume, tous les doigts à leur place, l'autre main subit le même examen, puis les orteils du pied sans pantoufle, le pied lui-même, la cheville, la jambe, le genou, la cuisse. Le regard ne monta pas jusqu'à la hanche mais passa soudain à l'autre pied et à sa pantoufle. La fille tendit le bras vers celle-ci, la prit lentement et poussa le pied. La pantoufle fit gicler la boue. La fille amena à elle le pied avec la pantoufle et se palpa lentement la cheville, non pas comme quelqu'un qui penserait se l'être foulée, mais comme quelqu'un qui aurait oublié la forme d'une cheville, ou comme un aveugle qui palpe un inconnu. Finalement, elle parvint à se lever, mais sans regarder Aliide en face ; une fois debout, elle toucha ses cheveux et les ramena vers son visage, bien qu'ils fussent humides et d'aspect visqueux, tirant ses cheveux devant elle comme les rideaux en loques d'une maison abandonnée qui n'a pourtant rien à cacher.

Aliide serra la faux. Peut-être la fille était-elle folle. Peut-être échappée de quelque part. Qui sait ? Peut-être qu'elle était seulement secouée, peut-être qu'il s'était passé quelque chose qui expliquait qu'elle fût dans cet état. À moins qu'il ne s'agît bel et bien d'un piège tendu par un gang de voleurs russes.

La fille se traîna pour s'asseoir sur le banc, sous les bouleaux de la cour. Le vent agitait les branches contre sa tête, mais elle ne les esquivait pas, bien que les feuilles qui lui battaient le visage la fissent sursauter.

« Éloigne-toi de ces branches. »

La surprise effleura les joues de la fille. Une surprise à laquelle se mêlait un autre élément – elle avait l'air de se rappeler quelque chose. Que les coups portés au visage pouvaient être esquivés ? Aliide cligna des yeux. Une folle.

La fille s'écarta des branches. Ses doigts s'agrippaient aux bords du banc comme pour s'empêcher de tomber. À côté de sa main se trouvait la meule. Il fallait espérer que la fille n'était pas du genre à se mettre en colère facilement et à lancer des cailloux et des pierres de meule. Peut-être qu'il ne fallait pas l'énerver. Il valait mieux faire attention.

« Euh… d'où que tu viens donc par ici ? »

La fille ouvrit la bouche plusieurs fois avant qu'il en sortît des paroles, des phrases hésitantes sur Tallinn et une voiture. Les mots s'entrechoquaient, comme précédemment, se recroquevillaient aux mauvais endroits, se rejoignaient à contretemps, commençaient à chatouiller bizarrement les oreilles d'Aliide. Cela ne venait pas tant des mots de la fille ni de son accent russe, l'estonien de la fille avait autre chose de bizarre. Alors que cette fille, avec sa jeune crasse, était ancrée dans le présent, ses phrases rigides sortaient d'un monde de papiers jaunis et d'albums mités remplis de photos. Aliide attrapa l'épingle à cheveux sur sa tête et se la fourra dans l'oreille, la fit tourner, la retira et la remit en place dans ses cheveux. La démangeaison persistait. Aliide eut une idée : la fille n'était pas des environs, peut-être même pas du pays. Mais qui donc, venu d'ailleurs, saurait parler la langue d'une telle province ? Le pasteur adjoint du village était un Finlandais qui parlait estonien. Il avait appris la langue en venant ici comme pasteur, et il la maîtrisait bien, il écrivait tous ses sermons et oraisons en estonien, et l'on ne pensait même plus à déplorer la pénurie de pasteurs estoniens. Mais l'estonien de la fille était d'une autre teinte, plus ancien, piqué et jauni. Il avait même, curieusement, des relents de mort.

Ses phrases traînantes révélèrent qu'elle était venue de Tallinn en voiture, le soir, avec quelqu'un, qu'elle s'était disputée avec ce quelqu'un, que ce quelqu'un l'avait frappée et qu'elle s'était échappée.

« Qui ça, *nous* ? » demanda enfin Aliide.

La fille remua les lèvres un instant avant de bégayer qu'elle voyageait avec son mari.

Son mari ? La fille avait donc un époux ? Ou était-elle bel et bien un piège tendu par des voleurs ? Pour un appât, la fille se comportait avec une drôle d'incohérence. À moins que ce ne fût volontaire, pour inspirer de la sympathie ? Parce que personne n'oserait mettre à la porte une gamine dans cet état ? Les voleurs convoitaient-ils ses affaires ou sa forêt ? Tout le bois passait à l'Ouest, et le procès pour la restitution des terres d'Aliide n'était pas près de se terminer, bien que cela n'eût dû poser aucun problème. Le vieux Mihkel du village s'était retrouvé au tribunal parce qu'il avait tiré sur des hommes venus abattre ses arbres. Mihkel n'en avait pas eu pour trop cher, le tribunal avait compris le message. Tandis que son procès pour récupérer ses terres était en cours, des machines forestières finlandaises étaient apparues pour débiter son bois. La police ne s'était pas mêlée de l'affaire – d'ailleurs, comment aurait-elle pu défendre la forêt d'un particulier, a fortiori la nuit, alors que celui-ci n'en était même pas encore officiellement propriétaire ? La forêt avait juste été entamée et Mihkel avait fini par tirer sur quelques voleurs. Dans ce pays et à cette époque, tout était possible, mais dans la forêt de Mihkel, on n'abattrait plus d'arbres sans permission.

Les chiens du village aboyèrent, la fille sursauta, essaya de voir la route à travers le grillage, mais elle ne lorgnait pas la forêt.

« Qui ça, *nous* ? » répéta Aliide.

La fille se lécha les lèvres, le regard fuyant entre Aliide et le grillage, et elle commença à se retrousser les manches maladroitement, ce qu'elle fit avec une certaine souplesse, compte tenu de son état et de son élocution. Sous les manches apparurent ses bras, et elle les tendit vers Aliide comme pour prouver ses dires, tout en détournant la tête vers la clôture.

Aliide eut des frissons. La fille essayait vraiment d'attirer sa pitié, peut-être qu'elle voulait entrer dans la maison et voir si elle y trouverait quelque chose à voler. Les ecchymoses étaient authentiques, quand même. Pourtant, Aliide dit :

« Ils ont l'air vieux. Tes bleus. »

Ces marques récentes et sanguines avaient fait revenir la sueur sur la lèvre supérieure d'Aliide. Les bleus, on les cache, et on se tait. C'est ce qu'on a toujours fait. Peut-être que la fille remarqua l'embarras d'Aliide, car elle tira le tissu par à-coups pour recouvrir ses contusions comme si elle venait de prendre honte de s'être dénudée, et elle dit violemment, la tête tournée vers la clôture, qu'il faisait sombre et qu'elle ne savait pas où elle était, qu'elle n'avait fait que courir sans cesse. Au bout de ces phrases saccadées, la fille affirma qu'elle allait déjà repartir. Elle ne dérangerait pas Aliide plus longtemps.

« Attends. Je t'apporte de la valériane et de l'eau », dit Aliide, et elle partit vers la maison, se retournant sur le pas de la porte pour voir la fille toujours accroupie, immobile, sur le banc. Cette fille avait vraiment peur. Elle sentait la peur à plein nez. Aliide se surprit à respirer par la bouche. Si la fille était un appât, elle avait peur de la personne qui l'avait envoyée ici. Peut-être qu'il y avait de quoi, peut-être qu'elle aussi devrait avoir peur, peut-être qu'elle devrait interpréter les bras tremblants de la fille comme un signe lui intimant de verrouiller sa porte et de rester à l'intérieur, de laisser la fille dehors, qu'ils aillent où ils veulent, pourvu qu'ils partent et qu'ils la laissent en paix, la vieille dame qu'elle était. Pourvu qu'on ne répande pas ici la répugnante odeur familière de la peur. Peut-être tout un gang était-il à l'œuvre, prêt à saccager toute la maison ? Peut-être qu'elle devrait téléphoner pour se renseigner ? Ou bien la fille était-elle venue exprès dans sa ferme ? Quelqu'un avait-il entendu que sa Talvi allait rentrer de Finlande ? Mais à présent, il n'y avait plus de quoi en faire toute une histoire.

À la cuisine, Aliide puisa de l'eau dans une chope et y fit tomber des gouttes de Palderjan. La fille était visible par la fenêtre, elle ne bougeait pas du tout. En plus de la valériane, Aliide prit une cuillerée de son médicament pour le cœur, bien que ce ne fût pas l'heure du repas, retourna dans la cour et tendit la chope. La fille la saisit, la renifla attentivement, la posa par terre, la renversa, et observa le contenu s'écouler. Aliide s'impatienta. « L'eau n'est pas bonne ? »

Au contraire, affirma la fille, mais elle voulait savoir ce qu'Aliide y avait mis.

« Seulement de la valériane. »

La fille ne dit rien.

« Pourquoi je mentirais ? »

La fille jeta un coup d'œil à Aliide. Sa mine avait quelque chose de sournois. Aliide était agacée, mais elle alla chercher quand même dans la cuisine une chope d'eau pleine et le flacon de Palderjan, les apporta à la fille, qui, après avoir senti l'eau, admit que ce n'était que de l'eau, eut l'air de reconnaître aussi le flacon de Palderjan et en versa quelques gouttes dans l'eau. Aliide s'impatientait. Est-ce que la fille la taquinait ? Peut-être qu'elle était folle, tout simplement. Échappée de l'asile. Aliide se rappela qu'une femme s'était échappée de Koluvere, qui portait une robe du soir trouvée dans un colis d'aide humanitaire et titubait sans chaussures au village en crachant sur les inconnus qu'elle croisait.

« L'eau est bonne, là ? »

Le liquide coulait le long du menton de la fille.

« Tout à l'heure j'ai essayé de te réveiller mais tu criais seulement : “Pas d'eau.” »

Manifestement, la fille ne s'en souvenait pas, mais le cri en question résonnait encore dans la tête d'Aliide, rebondissant d'un côté à l'autre du crâne, aller-retour, et évoquait en elle quelque chose de beaucoup plus ancien. De l'être humain émane une voix aussi déconcertante lorsqu'on lui plonge la tête sous l'eau avec assez d'insistance. La voix de la fille avait ce ton familier. On y entendait des éclaboussures, sans fin et sans espoir. Aliide avait mal à la main. Cette douleur provenait de l'envie qu'elle avait de gifler la fille. Tais-toi. Disparais. Va-t'en. Ou peut-être qu'Aliide se trompait. Peut-être que la fille avait seulement failli se noyer un jour en allant se baigner, peut-être qu'elle avait peur de l'eau pour cette raison. Peut-être que la tête d'Aliide lui jouait des tours, associant des choses quand il n'y avait rien à associer. C'était peut-être la langue de la fille, jaunie et rongée par le temps, qui avait donné libre cours à son imagination.

« Faim ? Tu as faim ? »

Apparemment, la fille n'avait pas compris la question, ou alors on ne lui en avait jamais posé de pareille.

« Attends ici », ordonna Aliide, et elle retourna à l'intérieur en fermant la porte derrière elle. Elle revint bientôt avec du pain noir et une assiette de beurre. Pour le beurre, elle avait hésité, mais elle avait fini par apporter l'assiette. On ne manquait quand même pas de beurre au point de ne pas pouvoir en sacrifier une petite noix pour la fille. Il faut un bon appât, vraiment, pour faire de l'effet sur son semblable le plus blasé avec une telle facilité. La douleur à la main d'Aliide gagna le bras jusqu'à l'épaule. Elle avait serré l'assiette de beurre un peu fort afin de maîtriser son envie de gifler.

La carte tachée de boue n'était plus dans l'herbe. La fille l'avait sans doute fourrée dans sa poche.

La première tranche de pain disparut dans la bouche de la fille. Ce n'est que pour la troisième qu'elle prit le temps d'étaler du beurre, et encore, elle le fit hâtivement, en flanquant un tas au milieu de la tranche et en repliant l'autre moitié du pain par-dessus ; elle écrasa les deux épaisseurs ensemble pour que le beurre se répande au milieu et elle mordit. Une corneille croassait au portail, les chiens aboyaient au village, mais la fille était tellement concentrée sur le pain que les bruits ne la faisaient pas tressaillir comme tout à l'heure. Aliide remarqua que ses chaussures en caoutchouc brillaient comme des bottes cirées. L'humidité de l'herbe remontait sur ses jambes.

« Et maintenant ? Ton mari, là. Il est à tes trousses ? » demanda Aliide en regardant manger la fille. Sa faim était authentique. Mais cette peur… N'avait-elle peur que de son mari ?

« Oui, à mes trousses. Mon mari.

– Et si j'appelais ta mère, pour qu'elle vienne te chercher ? À moins qu'elle sache où t'es. »

La fille secoua la tête.

« Bon, des amis, alors. Ou quelqu'un de ta famille. »

La fille secoua encore la tête, avec plus de véhémence.

« Alors quelqu'un qui ne dira pas à ton mari où t'es. »

Nouveaux hochements de tête. Les cheveux sales flottèrent autour du visage. La fille les rabattit devant, et elle semblait plus surmenée que folle, malgré ses tressaillements incessants. Il manquait à ses yeux l'éclat de la folie, même si elle regardait tout le temps par en dessous et en biais.

« Moi je peux t'amener nulle part. Ici y a pas d'essence, quand bien même y aurait une voiture. Y a peut-être un bus qui part du village une fois par jour, mais c'est pas sûr. »

La fille affirma qu'elle allait repartir tout de suite.

« Et repartir où ? Chez ton mari ?

– Mais non !

– Alors où ? »

Avec sa pantoufle, la fille donnait de petits coups à une pierre du parterre de fleurs qui se trouvait devant le banc, son menton touchait presque sa poitrine.

« Zara. »

Aliide fut surprise. C'était une présentation en bonne et due forme.

« Aliide Truu. »

La fille cessa de tapoter la pierre. Ses mains, après manger, s'étaient remises à s'agripper au bord du banc ; puis elles lâchèrent prise. Sa tête se redressa un peu.

« Enchantée. »

1992, ESTONIE OCCIDENTALE

Zara cherche une histoire qui convienne

Aliide. Aliide Truu. Les mains de Zara se détachèrent du banc. Aliide Truu était en vie, debout devant elle. Aliide Truu habitait cette maison. La situation était tout aussi étrange que la langue dans la bouche de Zara. Celle-ci se rappelait vaguement comment elle avait repéré la bonne route et les saules pleureurs de la bonne route, mais pas si elle avait vraiment compris qu'elle avait fini par trouver la bonne maison, si elle avait débarqué de nuit à la porte sans savoir que faire, si elle avait pensé attendre le matin, pour épargner aux habitants la peur d'un visiteur nocturne, si elle avait tenté d'aller dormir dans l'écurie, si elle avait glissé un œil dans la cuisine sans oser frapper à la porte, si elle avait même envisagé de frapper à la porte, si elle avait envisagé quoi que ce soit. Quand Zara essayait de se rappeler, il lui venait à la tête une douleur lancinante, si bien qu'elle s'était concentrée sur l'instant présent. Elle n'était pas prête à spéculer sur l'attitude à adopter une fois arrivée, et encore moins dans l'hypothèse où, dans la cour même de la maison, elle rencontrerait Aliide Truu. Elle n'avait pas eu le temps de pousser la réflexion aussi loin. À présent, elle devrait se débrouiller pour avancer, dompter la panique – même si elle n'attendait que l'occasion d'attaquer –, ne pas penser tout de suite à Pacha et Lavrenti, assumer l'instant présent et aller à la rencontre d'Aliide Truu. Il fallait se ressaisir. Être courageuse. Se rappeler comment on se comporte avec les gens, trouver la bonne attitude à l'égard de la femme assise face à elle. Ce visage avait de petites rides et des os délicats, mais il était inexpressif. Ses oreilles étaient allongées, des pierres s'y balançaient à des crochets, serties d'or. Ça faisait des reflets rouges. Ses iris semblaient gris ou bleu-gris, au coin des yeux il devait y avoir de la chassie mouillée. Zara n'osait pas la regarder au-dessus du nez. Aliide était plus petite qu'elle ne se l'était imaginé, carrément maigre.

Le temps était compté. Pacha et Lavrenti la retrouveraient, cela ne faisait aucun doute. Mais Aliide Truu était là, et la maison aussi. La femme accepterait-elle de l'aider ? Il fallait qu'elle comprenne la situation rapidement, mais Zara ne savait que dire. Sa tête tournait à vide, même si le pain l'avait clarifiée. Le rimmel lui piquait les yeux, ses bas étaient en loques, elle puait. Montrer ses bleus avait été une idiotie, maintenant la femme la traitait comme une fille qui s'attire des ennuis ou cherche des coups. Comme quelqu'un qui a fait quelque chose de mal. Et si cette femme était du même genre que la babouchka dont Katia lui avait parlé ? celle qui était un peu du même genre qu'Oksanka, qui travaillait pour les hommes comme Pacha, qui envoyait des filles en ville chez des hommes tels que Pacha ? Comment savoir ? Quelque part dans son crâne résonnait un rire moqueur, qui avait la voix de Pacha, et il lui rappelait qu'une fille aussi sotte ne s'en sort pas toute seule. Une fille aussi sotte mérite d'être battue pour son bégaiement, pour sa confusion, pour sa mauvaise odeur, une fille aussi sotte mérite même d'être noyée dans le lavabo, tellement elle était désespérément sotte et désespérément laide.

Aliide Truu regardait dans sa direction avec embarras, appuyée sur sa faux, et jacassait sur la fin des kolkhozes, comme si Zara était une vieille connaissance et qu'elle était venue discuter de cela.

« Y a plus beaucoup de visiteurs qui viennent par ici », dit Aliide, avant d'énumérer les fermes que les jeunes avaient quittées : « Ceux des Koka sont partis pour construire des maisons aux Finlandais, et chez les Roosna, les enfants sont allés faire du business à Tallinn. Le fils Voorel s'est piqué de politique, il a disparu à Tallinn. Faudrait l'appeler et lui dire de passer des lois pour pas qu'on puisse partir comme ça de la campagne. Comment on pourrait même faire réparer son toit, ici, maintenant qu'y a plus d'ouvriers ? Et c'est pas étonnant que les hommes ne restent pas, puisqu'y a pas de femmes. Et y a pas de femmes, ici, parce qu'y a pas d'hommes d'affaires. Et comme toutes les femmes veulent des hommes d'affaires et des étrangers, alors qui voudrait être un bon ouvrier ? Tiens, le kolkhoze de pêche de Lääne Kalur, il a emmené son groupe de variétés en tournée en Finlande, dans la ville jumelée de Hanko, et le voyage a été un succès, les Finlandais ont fait la queue pour les billets. Quand le groupe est rentré, le directeur de la troupe de variétés, dans le journal, il a invité noir sur blanc toutes les jeunes et jolies filles à danser le cancan pour les Finlandais. Le cancan ! »

Zara hochait la tête, elle était absolument du même avis, tout en grattant le vernis de ses ongles. Oui, tout le monde courait après les dollars et les marks finlandais, et oui, avant tout le monde avait du travail, et oui, aujourd'hui c'étaient tous des voleurs, les soi-disant hommes d'affaires. Zara commença à avoir froid, la rigidité se répandait sur ses joues et jusqu'à la langue, ce qui gênait son élocution déjà lente et hésitante. Ses vêtements trempés la faisaient grelotter. Elle n'osait pas regarder Aliide en face, jetait seulement des coups d'œil à la dérobée. Qu'est-ce qu'elle avait derrière la tête ? Elles discutaient comme si la situation était tout à fait banale. Sa tête ne tournait plus aussi violemment. Zara repoussa ses cheveux derrière les oreilles comme pour mieux entendre, releva le menton, sa peau était gluante, sa voix engourdie, son nez frissonnait, la crasse poissait sous ses aisselles et à l'aine, mais elle réussit quand même à émettre un petit rire. Elle essaya d'imiter la voix qu'elle avait prise parfois, il y avait des lustres, quand elle tombait sur une vieille connaissance dans une boutique ou dans la rue. Cette voix semblait lointaine et étrangère, inadaptée au corps dont elle émanait. Elle rappelait un monde auquel Zara n'appartenait plus, et un domicile où elle ne pouvait plus retourner.

Aliide agitait la faux vers le nord en râlant contre les voleurs de tuiles. Jour et nuit, elle devait être aux aguets, pour garder au moins son toit sur sa maison. Le manoir s'était même fait voler son escalier, ses rails de chemin de fer ; le bois était le seul matériau de réparation utilisable, parce que tout le reste serait emporté. Et la hausse des prix ! Selon Kersti Lillemäe, des prix pareils étaient un signe de la fin du monde.

Au milieu du bavardage tomba une question surprenante. « Et toi, tu travailles ? C'est dans quel genre de métier qu'on porte des vêtements comme ça, là ? »

Zara s'affola à nouveau. Elle comprit qu'elle devait s'expliquer sur son aspect loqueteux, mais quoi ? Pourquoi ne s'était-elle pas préparée à cela ? Les pensées s'enfuyaient en trottinant, sans qu'elle puisse les retenir ; les vérités aux longues oreilles, les mensonges à la queue courte la laissaient dans l'embarras, lui vidaient la tête, lui obscurcissaient la vue et l'ouïe. Elle se débattit désespérément pour faire une phrase de quelques mots, comme quoi elle avait été serveuse, et en regardant ses jambes elle se rappela ses habits occidentaux et ajouta qu'elle était serveuse au Canada. Aliide haussa les sourcils.

« C'est rudement loin, ça. Et tu gagnais bien ? »

Zara hocha la tête, essaya d'inventer davantage à raconter. Tandis qu'elle hochait la tête, ses mâchoires se mirent à claquer comme un piège. Sa bouche ne contenait que du mucus et des dents sales, pas un seul mot pertinent. La femme devrait arrêter de poser des questions. Mais elle voulait savoir ce que Zara faisait ici.

Zara souffla qu'elle était venue avec son mari en vacances à Tallinn. La phrase sonnait bien. Elle suivait le même rythme que la parole d'Aliide. Elle commença à s'y agripper. Mais l'histoire, alors, quelle serait l'histoire qui conviendrait ? L'amorce d'histoire qu'elle avait inventée tout à l'heure se débattait pour s'échapper et Zara la retint en tapant sur ses pattes fugitives. Reste ici. Aide-moi. De proche en proche, de mot en mot, donne-moi une histoire. Donne-moi une bonne histoire. Donne-moi une histoire qui permette à Zara de rester ici. Qu'Aliide n'appelle personne pour venir la chercher.

« Ton mari, il était aussi au Canada ?

– Oui.

– Et vous êtes venus ici en vacances ?

– Voilà.

– Et où tu comptes aller ensuite ? »

Zara inspira à pleins poumons et parvint à dire d'un seul souffle qu'elle ne savait pas. Et que, sans argent, la chose était d'autant plus délicate. Elle n'aurait pas dû dire cela. Maintenant Aliide allait sûrement s'imaginer qu'elle en avait après son porte-monnaie. Le piège s'ouvrit avec un clic. L'histoire s'échappait. Le bon début dérapait. Aliide ne la laisserait jamais entrer et il n'adviendrait rien de rien. Zara essayait d'inventer quelque chose, mais chacune de ses idées, à peine née, s'éloignait à toute allure. Il fallait raconter quelque chose – si ce n'était une histoire, alors autre chose, n'importe quoi. Elle chercha quelque chose à dire sur les taupinières alignées à côté de la maison, sur les toits de ruches en carton bitumé qu'on apercevait entre les lourds pommiers, chercha comment lancer la discussion sur la meule à côté du portail et sur le plantain à ses pieds, chercha des mots comme un animal affamé en train de chasser, mais ses crocs émoussés n'avaient pas prise. Aliide ne tarderait pas à remarquer son affolement, et à ce moment-là elle se dirait que cette fille, quoi qu'il en soit, ne soutenait pas une juste cause, et puis ce serait le départ, tout serait foutu, Zara était aussi sotte que Pacha l'avait dit, elle gâchait toujours tout, une fille sotte, une éternelle idiote.

Zara leva le regard vers Aliide, malgré l'absence du rideau de cheveux devant ses yeux. Aliide toisait tout son corps. La crasse et la boue foisonnaient sur la peau de Zara. Elle avait besoin de savon.

1992, Estonie occidentale

Aliide fait couler un bain

Aliide fit asseoir la fille sur la chaise à bascule de la cuisine. La fille obéit, son regard vagabonda et se fixa sur le pot de sel resté depuis l'hiver précédent entre les vitres de la double fenêtre, comme si c'était quelque chose d'extraordinaire.

« Le sel absorbe l'humidité. Avec le froid, ça fait moins de buée. »

Aliide parlait lentement. Elle n'était pas sûre que la tête de la fille marchât à plein régime. Même si la fille, dehors, était revenue à elle, sa pantoufle était entrée très prudemment, comme si le sol était de la glace à la résistance incertaine, et une fois arrivée à la chaise, la fille s'y était recroquevillée encore plus que dans la cour. L'instinct d'Aliide lui avait bien dit de ne pas laisser entrer la fille, mais celle-ci paraissait dans un si piteux état qu'Aliide ne pouvait pas faire autrement. Maintenant la fille tressaillait encore : elle s'était balancée en arrière et le rideau de la cuisine avait frôlé son bras nu. Effrayée, elle se pencha en avant, si bien que la chaise bascula et que la fille agita les bras pour retrouver l'équilibre. La pantoufle traînait par terre en chuintant. Quand la chaise se stabilisa, la jambe cessa de battre et la fille retint la chaise contre le sol. Elle tourna les pieds vers l'intérieur, puis enveloppa des bras ses flancs et ses épaules tombantes.

« Attends, je vais chercher quelque chose de sec à te mettre, là. »

Aliide laissa ouverte la porte de la chambre de devant et fouilla parmi les blouses et jupons de la penderie. La fille ne bougeait pas, toujours accroupie, se mordant la lèvre inférieure. Elle avait repris la mine qu'elle avait au début. Aliide sentit le clapotis de l'aversion. La fille pourrait bientôt partir, une fois qu'on aurait clarifié où elle partirait et une fois qu'on l'aurait un peu soignée. Il ne fallait pas croire qu'Aliide accueillerait aussi le mari de la fille. Ou qui que ce soit qui était à ses trousses. Si la fille n'était pas un piège tendu par des voleurs, alors par qui ? Les garçons du village ? Est-ce qu'ils feraient quelque chose d'aussi tordu, et pourquoi ? Juste pour l'embêter, ou bien avaient-ils d'autres motivations ? En fait, les garçons du village n'utiliseraient pas une fille russe, jamais de la vie.

Quand Aliide revint dans la cuisine, la fille releva les épaules et la tête, tourna le visage dans sa direction. Ses yeux regardaient de côté. La fille n'accepta pas les vêtements, elle dit qu'elle voulait juste un pantalon.

« Un pantalon ? Mais j'ai rien de tel à part un pantalon molletonné, et il a sûrement besoin de nettoyage.

– Ça fait rien.

– Il sert pour les travaux d'extérieur.

– Ça fait rien.

– D'accord ! »

Aliide partit chercher le pantalon Marat au portemanteau de devant et rajusta en même temps ses propres culottes.

Elle en portait deux paires, comme d'habitude, comme chaque jour depuis la nuit à la mairie. Elle avait essayé une fois aussi le pantalon d'officier de son mari. Elle s'était sentie tout de suite plus en sécurité. Plus protégée. Mais dans le temps, les femmes ne portaient pas de pantalons longs. Plus tard, des femmes en tailleurs-pantalons étaient apparues aussi au village, mais elle s'était déjà tellement habituée à ses doubles culottes qu'elle ne courait plus après les pantalons longs. Pourquoi une fille en robe occidentale voulait-elle un pantalon Marat ?

« Il a quand même été acheté quand Marat avait déjà fait l'acquisition de machines à fabriquer les tricots japonais », rit Aliide une fois revenue dans la cuisine. La fille éclata de rire avec elle, avec un petit temps de retard. C'était un éclat de rire très court, que la fille ravala aussitôt, à la façon des gens qui ne comprennent pas une blague mais qui, n'osant pas ou ne voulant pas l'avouer, se sentent obligés de rire quand même. À moins que ce ne fût pas une blague. Peut-être que la fille était si jeune qu'elle ne se rappelait pas comment étaient les tricots Marat avant les nouvelles machines. Ou peut-être qu'Aliide avait raison de penser que la fille ne venait pas du tout d'Estonie.

« On va la laver et la raccommoder, ta robe.

– Non !

– Pourquoi ? Une robe chère. »

La fille arracha le pantalon à Aliide, retira les bas de ses jambes, enfila le Marat, ôta sa robe, se glissa dans la blouse, et avant qu'Aliide ait eu le temps de la retenir elle avait jeté la robe et les bas dans le poêle. La carte tomba sourdement sur le tapis. La fille la ramassa et la jeta au feu avec les habits.

« Zara, pas de panique. »

La fille se tenait devant le poêle comme pour s'assurer que les vêtements n'en ressortiraient pas. La blouse était mal boutonnée.

« Que dirais-tu d'un bain ? Je vais faire chauffer de l'eau pour un bain, dit Aliide. Pas de panique. »

Aliide s'approcha lentement du fourneau. La fille ne bougeait pas. Ses yeux emballés clignotaient. Aliide remplit la bouilloire, saisit la fille par la main et la fit asseoir, posa une tasse de thé chaud sur la table devant la fille et revint près du fourneau. La fille se tourna pour la regarder s'affairer.

« Eh bien, qu'ils brûlent », dit Aliide.

Les sourcils de la fille n'avaient plus de secousses, elle commençait à se gratter le vernis des ongles en se concentrant sur une chose à la fois. Est-ce que cela la calmerait ? Aliide alla chercher la cuve de tomates dans le garde-manger et la posa sur la table, vérifia la souricière tendue à côté du tas de potirons et examina son livret de recettes et les pots de salade composée préparés la veille, qui étaient restés à refroidir sur le buffet.

« Il va bientôt falloir mettre les tomates en conserve. Et les framboises d'hier. Voyons voir ce qu'il y a à la radio. »

La fille prit le journal et le déploya bruyamment sur la toile cirée. Le verre de thé se renversa sur le journal, la fille sursauta, s'écarta de la table, fixa en alternance le verre et Aliide, et se mit à se répandre en excuses pour les dégâts, s'emmêla dans ses mots, s'énerva et essaya de nettoyer, chercha un chiffon, essuya le sol, le verre et les pieds de la table et tamponna le tapis déjà boueux.

« Pas de panique. »

L'effroi de la fille ne diminuait pas et Aliide dut de nouveau la calmer, pas de panique, tout va s'arranger, tout ça pour un verre de thé, laisse tomber, et si la fille allait plutôt chercher la baignoire dans la chambre de derrière, il y aurait bientôt assez d'eau chaude. La fille s'exécuta à la hâte, toujours à grand renfort de gestes d'excuses, transbahuta la baignoire galvanisée dans la cuisine et fit des allées et venues entre le fourneau et la cuve, versant de l'eau bouillante puis de l'eau froide par-dessus. Elle gardait les yeux baissés, ses joues étaient rouges, ses mouvements précipités par l'excitation. Aliide suivait des yeux les gestes de la fille. Une fille remarquablement bien éduquée. Une si bonne éducation ne s'acquiert qu'au prix d'une bonne dose de crainte. Aliide s'apitoya et, en donnant à la fille une serviette de lin ornée de motifs de Lihula, elle retint un instant la main de celle-ci dans la sienne. La fille sursauta de nouveau, ses doigts se crispèrent, elle voulut retirer sa main, mais Aliide ne la lâcha pas. Elle avait envie de démêler les cheveux de la fille, mais celle-ci semblait tellement redouter le contact qu'Aliide se contenta de répéter qu'il n'y avait rien à craindre. Maintenant, Zara allait prendre son bain tranquillement, après quoi elle enfilerait des vêtements secs et boirait quelque chose. Peut-être un verre d'eau sucrée, froide et bien forte. Et si Aliide le préparait tout de suite ?

Les doigts de la fille se détendirent. La peur reflua, son corps se calma. Aliide détacha prudemment sa main de celle de la fille et prépara l'eau sucrée aux vertus apaisantes. La fille but, le verre tremblait, les cristaux de sucre tourbillonnaient. Aliide l'invita à prendre le bain, mais la fille ne bougea pas avant qu'Aliide ait dit qu'elle l'attendrait dans la chambre de devant. Elle laissa la porte entrebâillée et entendit un plouf dans l'eau, accompagné de soupirs enfantins.

La fille ne savait pas lire l'estonien. Elle le parlait mais ne le lisait pas. Voilà pourquoi elle avait feuilleté le journal nerveusement et avait renversé son verre de thé, peut-être exprès pour échapper à l'aveu de son illettrisme.

Aliide jeta un œil par l'entrebâillement de la porte. La fille au corps meurtri se prélassait dans la baignoire. Une touffe de cheveux sur la tempe dépassait comme une troisième oreille, aux aguets.

1991, Vladivostok

Zara admire les bas qui brillent et goûte au gin

Un jour, Oksanka se rendit chez Zara en Volga noire. Zara se tenait sur les marches quand la voiture s'arrêta devant la maison, la portière de la Volga s'ouvrit, et une jambe en sortit, gainée d'un bas scintillant. D'abord Zara eut peur – pourquoi une Volga noire venait-elle devant chez eux ? –, mais la frayeur disparut quand le soleil toucha la cuisse d'Oksanka. Les babouchkas s'étaient tues, assises sur le banc contre le mur de la maison, et elles observaient la voiture à la carrosserie brillante et la jambe au galbe flamboyant. Zara n'en avait jamais vu de pareille, le bas était de couleur chair et n'avait pas du tout l'air d'un bas, peut-être même n'en était-ce pas un. Mais la lumière luisait tellement à la surface de la jambe qu'il devait bien y avoir quelque chose, ce n'était pas une jambe nue. On aurait dit que la jambe avait une aura, à l'instar de la Vierge Marie Mère de Dieu, la lumière l'auréolait. La jambe se terminait par une cheville et une chaussure à talon, et quelle chaussure ! Le talon était plus mince au milieu, un peu comme un fin sablier. Elle en avait vu du même genre à

Mme de Pompadour dans de vieux livres d'histoire de l'art, mais celle qui sortait de la voiture était plus haute et plus gracieuse, sa pointe était un peu fuselée. Quand la chaussure se posa sur la route poussiéreuse et que le talon toucha le gravier, elle entendit son crissement jusqu'à l escalier. Puis de la voiture sortit la femme, Oksanka.

Des portières avant de la voiture sortirent deux hommes vêtus de blousons noirs, au col desquels scintillaient de lourdes chaînes en or. Ils ne disaient rien, restaient seulement debout à côté de la voiture et regardaient Oksanka. Et il y avait de quoi regarder. Elle était belle. Zara n'avait pas vu son amie depuis longtemps, depuis que celle-ci était partie à Moscou pour ses études. De là-bas, Oksanka avait envoyé quelques cartes postales, puis une lettre où elle avait annoncé qu'elle allait travailler en Allemagne. Après, elle n'avait plus donné de nouvelles, plus jusqu'à cet instant. La métamorphose était déconcertante. Les lèvres d'Oksanka brillaient comme le papier d'un magazine occidental et elle portait une fourrure de renard teinte en brun clair, non pas tant couleur renard que café au lait, à moins qu'il n'y ait quelque part des renards de cette couleur.

Oksanka s'approcha de la porte d'entrée et en voyant Zara elle s'arrêta pour lui faire signe. Ou plutôt, on aurait dit qu'elle raclait l'air avec ses ongles rouges. Les doigts d'Oksanka étaient un peu crochus, comme prêts à griffer. Les babouchkas se tournèrent pour observer Zara. L'une d'elles resserra son foulard sur sa tête. Une autre ramena sa canne entre ses jambes. La troisième saisit sa canne à deux mains.

La Volga noire klaxonna.

Oksanka s'approcha de Zara. Elle gravit les marches en souriant, le soleil jouait sur ses dents immaculées et elle tendit ses mains aux ongles longs pour une embrassade. Le renard frôla la joue de Zara. Ses yeux de verre la fixaient et elle les fixait en retour. Ce regard semblait familier. Elle réfléchit un instant, jusqu'à ce qu'elle se rende compte que c'étaient les yeux de sa grand-mère qui étaient parfois similaires.

« Tu m'as tellement manqué », chuchota Oksanka. Un éclat poisseux miroitait sur ses lèvres, et l'ouverture des lèvres semblait difficile, comme si elle devait arracher de la colle chaque fois qu'elle ouvrait la bouche.

Le vent plaqua une boucle de cheveux sur les lèvres d'Oksanka, elle l'écarta en l'effleurant, la boucle balaya la joue et y laissa une trace rouge. Il y en avait de semblables dans le cou. On aurait dit des coups de fouet. Ou des griffures. Tandis qu'Oksanka serrait la main de Zara, celle-ci sentit les petites piqûres des ongles d'Oksanka dans sa chair.

« Tu devrais aller chez le coiffeur, ma chérie, se moqua Oksanka en secouant les cheveux de Zara. Une nouvelle couleur et une coiffure comme il faut ! »

Zara ne dit rien.

« Beurk, oui, je me rappelle comment sont les coiffeurs, ici. Peut-être qu'il vaut mieux que tu ne les laisses pas toucher à tes cheveux, rit encore Oksanka. Allons boire du thé. »

Zara fit entrer Oksanka. La cuisine du logement communautaire se tut quand elles la traversèrent. Le sol grinçait – les femmes étaient venues à la porte de la cuisine pour regarder. Les pantoufles élimées de Zara crissaient sur le sable et les coques de graines de tournesol, les yeux des femmes lui piquaient le dos.

Zara fit entrer Oksanka dans sa pièce et ferma la porte. Oksanka brillait comme une comète dans la pénombre de la pièce. Les boucles d'oreilles jetaient des reflets comme des yeux de chat. Zara tira les manches de sa robe de chambre sur ses doigts pour y abriter ses jointures rougies.

La tête de la grand-mère ne bougeait pas. Elle était assise à sa place habituelle et regardait par la fenêtre. Sa tête paraissait noire contre la lumière de l'extérieur. La grand-mère ne bougeait pas du tout de sa chaise, elle regardait seulement dehors sans parler, nuit et jour. Tout le monde avait un peu peur de la grand-mère, y compris Dima, le père de Zara, même s'il était soûl en permanence. Il avait fini par tomber ivre mort, et la mère avait réemménagé avec Zara chez la grand-mère. La grand-mère n'avait jamais aimé Dima et elle l'avait toujours traité de « ruskov ». Mais Oksanka était accoutumée à la grand-mère, aussi trotta-t-elle tout de suite vers elle pour la saluer, la prit par la main et discuta de choses agréables. La grand-mère eut même un petit rire. Tandis que Zara commençait à mettre la table, Oksanka fouilla dans son sac et offrit à la grand-mère une boîte de chocolats, qui n'étincelait pas moins qu'Oksanka elle-même. Zara mit le thermoplongeur dans la bouilloire. Oksanka s'approcha d'elle et lui tendit un sac en plastique.

« Ce sont des petites bricoles. »

Zara fit des manières. Le sac avait l'air lourd.

« Allez, prends-le. Tiens, tu vas voir, fit Oksanka en tirant du sac une bouteille. C'est du gin. Est-ce que ta grand-mère a déjà bu une chose pareille ? Ça va être une découverte. »

Oksanka prit des verres à schnaps sur une étagère, les remplit, et en apporta un à la grand-mère. Celle-ci renifla la boisson, fit la moue, puis elle rit et but d'un trait. Zara l'imita. Une brûlure amère se répandit dans sa gorge.

« Avec du gin, on peut faire des boissons comme du gin tonic. J'en fais vachement à nos clients. *Would you like to have something else, Sir ? Another gin tonic, Sir ? Noch einen ?* » Oksanka fit mine de poser des boissons sur la table tout en portant un plateau avec adresse. L'impétuosité d'Oksanka s'empara de Zara, qui fit mine de lui donner un pourboire, fit des signes de tête approbateurs à la boisson servie par Oksanka et partit d'un rire aigu, exactement comme autrefois.

« Je te faisais rigoler, hein, fit Oksanka en s'asseyant à bout de souffle à force de tournoyer. On rigolait beaucoup, tu te rappelles ? »

Zara acquiesça. Dans la bouilloire, autour de la résistance en spirale, des bulles se formaient. Zara attendit l'ébullition, sortit le thermoplongeur de l'eau, prit la boîte de thé sur l'étagère, versa l'eau sur les feuilles de thé dans la théière et apporta les tasses sur la table. Oksanka aurait pu annoncer sa visite. Envoyer ne serait-ce qu'une carte. Zara aurait eu le temps de préparer quelque chose à offrir, de quoi charmer Oksanka, et elle aurait pu la recevoir dans une autre tenue qu'en robe de chambre et vieilles pantoufles.

Oksanka s'installa à la table et arrangea son renard sur le dos d'une chaise de telle sorte que la tête du renard resta posée sur son épaule, la queue du renard enroulée autour de l'accoudoir.

« Ce sont des vrais, dit-elle en frappant de l'ongle ses boucles d'oreilles. De vrais diamants. Tu vois, Zara, voilà comme on gagne bien à l'Ouest. Et tu as remarqué mes dents ? » Oksanka fit un large sourire.

C'est alors que Zara se rendit compte que les plombages des incisives étaient invisibles.

Zara se souvenait de ces Volga, qui roulaient toujours si vite et s'élançaient tous feux éteints. À présent, Oksanka en avait une pareille. Et son propre chauffeur. Et des gardes du corps. Et des boucles d'oreilles en or avec de gros diamants. Des dents blanches.

Enfants, Oksanka et Zara avaient failli se faire écraser par une Volga. Elles rentraient chez elles à pied après le cinéma, la route était déserte. Zara tripotait dans sa poche une gomme bleuâtre durcie, dont le motif en relief s'était érodé depuis belle lurette. Puis elle était arrivée. Elles avaient entendu un bruit, mais n'avaient pas vu la voiture quand celle-ci avait tourné au coin droit devant, et puis elle avait déjà disparu. Il s'en était fallu d'un cheveu. De retour chez elle, Zara en avait été quitte pour se limer l'ongle de l'index. Il s'était cassé quand elle l'avait planté dans la gomme au moment où la voiture arrivait, et un autre ongle s'était retourné et détaché de la chair. Ça avait saigné.

Dans le même logement communautaire vivait une famille dont la fille avait été écrasée par une Volga noire. La milice avait levé les bras en l'air et répondu sèchement qu'on ne pouvait rien faire. Que c'est comme ça. Les voitures du gouvernement, qu'est-ce qu'on y peut. Avec ça, la famille s'était fait engueuler et puis on les avait renvoyés chez eux.

Zara n'avait pas eu l'intention d'en parler à sa mère, mais celle-ci avait remarqué l'ongle retourné et le bout du doigt ensanglanté et elle n'avait pas cru l'explication, elle avait bien vu que c'était un mensonge. Quand Zara avait dit qu'elles avaient failli se faire écraser par une Volga noire, sa mère l'avait giflée. Puis elle avait voulu savoir si on les avait vues, depuis la voiture.

« Je ne crois pas. Elle allait si vite.

– Ils ne se sont pas arrêtés ?

– Pas du tout.

– Ne va jamais, jamais, près d'une voiture pareille. Tu t'enfuis, si tu en vois une. N'importe où. Tu rentres à la maison en courant. »

Zara était étonnée. Tant de mots de la bouche de sa mère d'un seul coup. Ça n'arrivait pas souvent. La gifle n'avait pas tant d'importance, mais cet éclair dans les yeux de la mère. Il avait étincelé. Le visage de la mère avait eu une expression nette, le visage de la mère n'avait pas été totalement inexpressif.

Cette nuit-là, la mère était restée éveillée toute la nuit à la table de la cuisine, regardant dans le vide. Et après ce soir-là, elle avait épié le soir entre les rideaux comme si elle attendait qu'une Volga noire fût aux aguets devant la maison, le moteur au ralenti. Par la suite, elle se réveillait parfois la nuit, surveillait Zara qui faisait semblant de dormir, et elle allait à la fenêtre, regardait dehors, retournait se coucher rigidement dans son lit, jusqu'à ce qu'elle se rendorme, si elle se rendormait. Parfois, elle restait plantée derrière les rideaux jusqu'au matin.

Une fois, Zara s'était levée de son lit et était allée derrière sa mère, la tirant par la manche de sa chemise de nuit.

« Y a personne qui viendra, là. »

La mère n'avait pas répondu, elle avait seulement détaché sa main du tissu.

« Maman, Lénine nous protège, nous n'avons pas à nous inquiéter. »

La mère était restée silencieuse, elle s'était tournée et avait regardé longuement vers Zara, un peu dans le vague, comme à son habitude. Comme si dans le dos de Zara il y avait eu une autre Zara, vers laquelle la mère eût dirigé son regard. L'obscurité traînait, l'horloge faisait tic-tac, les plantes de pieds s'étaient adaptées à l'usure du sol, avaient été aspirées par ses dépressions, la peau s'y était engluée, et la glu avait cédé au moment où la mère l'avait remise sous la couverture. Et elle n'avait pas dit un mot.

Zara entendait aussi des histoires sur Beria. Et sur des voitures noires qui allaient chercher des jeunes filles, qui tournaient dans les rues la nuit et les suivaient, jusqu'à ce qu'elles s'arrêtent à côté des filles. On n'entendait plus jamais parler de ces filles, après cela. Une voiture noire du gouvernement était toujours une voiture noire du gouvernement.

Et à présent, Oksanka – une star du cinéma venue de loin – faisait signe à Zara de ses longs ongles rouges tout propres en sortant d'une Volga noire, raclait l'air et souriait avec une bienveillance condescendante, comme un sang bleu débarquant d'un transatlantique.

« La Volga est à toi ? demanda Zara.

– Ma voiture à moi est en Allemagne, rit Okanska.

– Alors tu as une voiture à toi ?

– Bien sûr ! À l'Ouest, tout le monde a sa voiture. »

Oksanka croisa les jambes gracieusement. Zara mit ses pieds sous la chaise. La doublure de flanelle de ses pantoufles était humide, comme d'habitude, tout à fait comme la doublure des pantoufles de la couleur du papier buvard rose d'Oksanka, lorsqu'elle les portait, exactement les mêmes, et qu'elles remplissaient ensemble leur cahier d'exercices à cette table avec des taches d'encre sur les doigts.

« Je ne m'intéresse pas aux voitures, dit Zara.

– Mais avec, on peut aller n'importe où ! Tu te rends compte ! »

Zara se rendait compte que sa mère ne tarderait pas à rentrer et qu'elle verrait la Volga noire devant la maison.

La grand-mère n'avait pas vu la voiture, parce qu'elle était assise à sa place et que de sa fenêtre elle ne pouvait pas voir la rue. Au demeurant, contrairement aux babouchkas d'à côté, la vie de la rue ne l'intéressait pas. Le ciel lui suffisait.

Comme Zara raccompagnait Oksanka à sa Volga, celle-ci raconta que le toit de la maison de ses parents ne fuyait plus. Elle l'avait fait réparer.

« C'est toi qui as payé ?

– En dollars. »

Avant de remonter dans la voiture, Oksanka remit à Zara un fascicule oblong.

« C'est l'hôtel, là, celui où je travaille. »

Zara tripota le fascicule. Le papier épais brillait, et on y voyait une femme souriante dont les dents scintillaient d'une blancheur surnaturelle.

« C'est un prospectus.

– Un prospectus ?

– Il y en a tellement, des hôtels, qu'on a besoin de ça. En voici d'autres. Je n'ai pas été dans ceux-là, mais ils aiment bien y prendre des Russes. Je peux t'obtenir un passeport, si tu veux. »

Les hommes qui l'attendaient firent démarrer la voiture et Oksanka grimpa sur la banquette arrière.

« Dans le sac en plastique, là, il y a des bas, comme les miens, cria Oksanka en montrant ses jambes et en en passant une par la portière. Touche. »

Zara tendit la main et caressa la surface de la jambe d'Oksanka.

« Incroyable, hein ? rit Oksanka. Je repasserai demain. On parlera plus longtemps. »

1992, Estonie occidentale

Le moindre tintement de couteau fait un clic sarcastique

Sous la serviette de lin apparaissaient les jambes contusionnées de la fille. Les bas avaient atténué les marques, mais à présent ses jambes et ses bras étaient nus, avec la chair de poule et encore humides du bain. La poitrine était traversée par une cicatrice qui plongeait sous la serviette. Aliide eut un haut-le-cœur. Propre, la fille qui se tenait maintenant à la porte de la cuisine avait l'air plus jeune, sa peau était comme la chair d'une pomme fraîchement coupée. Ses cheveux dégouttaient par terre. L'odeur de la fille qui venait de se laver se répandit dans la chambre et donna à Aliide la nostalgie du sauna, mais celui-ci avait brûlé des années auparavant. Elle évita le regard de la fille, examina les tuyaux Bergmann qui longeaient le mur, ils fonctionnaient toujours, tapota un tuyau vert et balaya les toiles d'araignées avec sa canne.

« Sur cette table, il y a de l'extrait de plantain. Ça aide la peau à guérir. »

La fille ne bougea pas, mais demanda une cigarette, Aliide désigna de sa canne le meuble à radio et lui demanda de lui allumer aussi une Priima. Après avoir allumé les deux cigarettes, la fille retourna sur le seuil. L'eau de ses cheveux tombait dans la même flaque.

« Allons, assieds-toi sur le canapé, ma fille.

– Je suis trempée.

– Mais non. »

La fille se blottit dans l'angle du canapé et laissa pendre la tête, pour que l'eau gouttât par terre. À la radio, Rüütel parlait des élections, Aliide changea de station. Aino avait dit qu'elle allait voter, Aliide n'irait pas.

« Vous n'avez sans doute pas de teinture pour les cheveux ? »

Aliide secoua la tête.

« Et de l'encre, ou de l'encre de Chine ? De l'encre à tampon ?

– Non, y a pas ça.

– Du papier carbone ?

– Non.

– Qu'est-ce que je vais faire, alors ?

– Tu crois que c'est aussi simple, pour qu'on te reconnaisse pas ? »

La fille resta accroupie sans répondre.

« Et si je t'amenais une chemise de nuit propre et qu'on passait à table ? »

Aliide écrasa sa Priima dans le cendrier, dénicha dans la commode une chemise de nuit à fleurs rouges et blanches et laissa la fille s'habiller. Depuis la cuisine, elle entendit un tintement de flacons de verre. L'essence de plantain devait convenir quand même. L'obscurité pesait sur les fenêtres derrière les rideaux et Aliide vérifiait à chaque instant s'il y restait des interstices. Non. Seul le bas flottait un peu dans le courant d'air. Elle sortirait l'eau du bain le lendemain. Un bruit de souris dans un coin fit sursauter Aliide, mais c'est d'une main ferme qu'elle inscrivit les dates sur les conserves de salade composée. Du papier journal était resté accroché à une portion, *18 % des crimes de l'année ont été élucidés*, et Aliide y traça un crochet, signe de conserve moins bonne. La nouvelle du premier sex-shop de Tallinn reçut un signe de meilleur lot. Le stylo à encre était en train de sécher, Aliide le frotta sur le papier. *Le premier jour, le problème était les jeunes garçons qui s'agglutinaient à l'intérieur comme une nuée de mouches et qu'il fallait tenir à distance.* Le papier se désagrégea, Aliide renonça, détacha la cartouche d'encre du stylo et la plaça dans un pot parmi d'autres cartouches vides. Les dates étaient tracées d'une écriture vacillante. Elle devrait continuer plus tard. Alors que les pots en verre terminés passaient dans le garde-manger sans plus de difficulté, le martèlement dans sa poitrine ne cessait pas. Il allait falloir se débarrasser de la fille d'ici le lendemain. Aino viendrait apporter du lait et elles devraient aller à l'église chercher des colis d'aide humanitaire, et Aliide ne voulait pas laisser la fille seule à la maison. Sans compter que, si Aino voyait la fille, Aliide ne pourrait pas empêcher que des ragots se répandent au village. Si tant est que le mari de la fille existât vraiment, il avait l'air d'être du genre de visiteur dont elle ne voulait pas à la maison.

Aliide remarqua sur la table de la cuisine le morceau de saucisse acheté le dernier jour de marché et elle se rappela la mouche. La saucisse était gâtée. La mouche s'était envolée de l'esprit d'Aliide en même temps que la fille avait atterri dans sa cour. Aliide était une crétine. Et une vieille. Elle n'était pas capable de faire attention à plusieurs choses à la fois. Aliide était sur le point de jeter la saucisse, mais elle se ravisa et l'examina de près. En général, la ponte fatiguait tellement les mouches qu'elles s'évanouissaient sur place. Elle ne voyait pas d'œufs, ni de mouche, mais quand elle souleva l'emballage en papier de la saucisse, apparut un spécimen qui gigotait en se balançant grassement. Un goût de vomi lui monta à la bouche. Elle empoigna la saucisse et la débita en rondelles sur le pain beurré de la fille. Ça lui poissait entre les doigts.

La fille finit de se préparer et entra dans la cuisine. Dans la chemise de nuit de flanelle, elle avait l'air encore plus jeune.

« Y a quand même un truc que je comprends pas. Comment ça se fait que tu sais l'estonien ?

– Qu'est-ce que ça a d'étrange ?

– Tu viens pas d'ici. Pas d'Estonie.

– Non. De Vladivostok.

– Et maintenant tu es ici.

– Oui.

– Voilà qui est passionnant.

– Non ?

– Si si. Une vieille dame comme moi ne pouvait pas se douter qu'à Vladivostok il y a maintenant des écoles où on enseigne l'estonien. Les choses ont sacrément changé. »

Zara se rendit compte qu'elle s'était encore écorché l'oreille. Elle ramena ses mains sur les genoux, puis les posa sur la table à côté de la cuve de tomates. La plus grosse tomate était de la taille d'un poing, la plus petite, de celle d'une cuillère à soupe, chacune était blette à éclater, du jus suintait par les crevasses. L'attitude d'Aliide était changeante, et Zara n'arrivait pas à deviner à quoi chacun de ses mots ou de ses gestes pouvait conduire. Aliide s'asseyait, se levait, se rinçait les mains, s'asseyait, s'affairait, se rerinçait les mains dans la même eau, les séchait, examinait les pots et son livret de recettes, émincait, pelait, se rinçait les mains, l'activité ininterrompue n'offrait aucune possibilité d'interprétation. À présent, chaque mot d'Aliide sonnait comme une demi-accusation et, comme elle mettait la table, le moindre tintement de couteau ou entrechoquement d'assiettes faisait un clic sarcastique. Zara devait réfléchir à ce qu'elle disait, être comme une fille convenable, digne de confiance.

« C'est mon mari qui m'a appris.

– Ton mari ?

– Oui. Mon mari vient d'Estonie.

– Oh oh !

– De Tallinn.

– Et maintenant tu veux aller là-bas ? Pour que ton mari te retrouve, sûrement ?

– Non !

– Alors pourquoi ?

– Je dois m'en aller d'ici.

– Eh bien, tu n'as qu'à aller en Russie. Par Valga. Ou Narva.

– Je veux pas aller là-bas ! Il faut que j'aille à Tallinn. Passer la frontière. C'est mon mari qui a le passeport. »

Aliide inclina son pot de médicament pour le cœur, une odeur d'oignon flotta vers elle, elle prit une cuillerée de miel médicinal visqueux et remit le pot dans le frigo. Il faudrait en refaire, peut-être un peu plus fort, y mettre plus d'oignons, elle se sentait si faible. Les ciseaux qui éminçaient les tiges d'oignons parmi les pommes de terre pesaient lourd dans ses mains, ses dents n'avaient pas d'effet sur le pain. La fille avait un regard insistant. Aliide attrapa un concombre mariné, en ôta la tête et, l'ayant débité en rondelles, commença à en engloutir des tranches. Le miel l'aida à s'adoucir la gorge et à poser la voix.

« Ton mari doit être un type pas comme les autres.

– Oui.

– Parce que j'avais encore jamais entendu parler d'un Estonien qui serait allé chercher une épouse à Vladivostok et lui apprendre l'estonien. Punaise, qu'est-ce que le monde a changé !

– Pacha est un Russe d'Estonie.

– Pacha ? Ben voyons. Parce que j'avais encore jamais entendu parler d'un Russe d'Estonie qui serait allé chercher une épouse à Vladivostok et lui apprendre l'estonien. C'est comme ça que ça s'est passé ? Parce qu'en général ce qui se passe, c'est que les Russes d'Estonie parlent russe, et alors leurs femmes aussi se mettent à cracher du russe en cadence. Avec en prime les coques de graines de tournesol qui fusent à tous les mots.

– Pacha est un type pas comme les autres.

– Sans blague ! Alors t'es vraiment une p'tite chanceuse ! Pourquoi il a pris sa femme à Vladivostok ?

– C'est là qu'il travaillait.

– Qu'il travaillait ?

– Oui !

– Parce qu'en général c'est ceux de là-bas en Russie qui veulent venir ici, et pas l'inverse. Qu'il soit question de travail ou pas.

– Pacha est un type pas comme les autres.

– Un vrai prince, oui ! C'est ce que je vois. Et puis encore, il t'emmène au Canada en vacances.

– En fait c'est là-bas que nous avons mieux fait connaissance, au Canada. J'étais allée y travailler, comme serveuse, ça je vous l'ai déjà raconté, et là-bas j'ai retrouvé cet homme que je connaissais.

– Et puis vous vous êtes mariés et il a dit que tu n'avais plus besoin de travailler comme serveuse.

– Quelque chose comme ça.

– Tu pourrais écrire un roman, avec une histoire aussi bonne.

– N'est-ce pas !

– Des câlins, des voyages et des voitures. Un mari pareil, plus d'une fille voudrait rester chez lui. »

1991, Vladivostok

L'armoire contient la valise de la grand-mère, laquelle contient l'anorak du grand-père

Les prospectus apportés par Oksanka, Zara les cacha dans une valise rangée dans la penderie, parce qu'elle ne savait pas ce qu'en penserait sa mère. Elle ne s'inquiétait pas pour la grand-mère, celle-ci n'irait pas rapporter à la mère les propos d'Oksanka. Il faudrait toutefois que Zara mentionne sa visite, ne serait-ce que parce que les femmes du logement communautaire ne manqueraient pas de cancaner. Elles voudraient savoir ce qu'elle avait apporté comme cadeaux, et il faudrait servir à chacune une gorgée de gin. Les cadeaux n'étaient pas pour déplaire à sa mère, mais l'idée que Zara aille travailler en Allemagne serait-elle aussi à son goût ? Est-ce que ça aiderait, si Zara savait dire combien de dollars elle pourrait envoyer à la maison ? Et si c'était une somme monstrueuse ? Le lendemain, il faudrait qu'elle demande à Oksanka quelle somme elle pouvait promettre. Il y aurait peut-être quelques mises au point à faire. Est-ce qu'elle pourrait épargner, de sorte qu'elle ait de l'argent de côté pour cinq ans ? Comme ça, elle pourrait aller à l'école et finir ses études. Est-ce qu'elle pourrait à la fois épargner et envoyer de l'argent à la maison ? Ou bien, si elle ne restait là-bas que quelque temps, ne serait-ce que six mois, est-ce que ça suffirait pour économiser assez ?

Zara mit aussi dans la valise les bas apportés par Oksanka. Si sa mère les voyait, elle les revendrait tout de suite en disant que Zara n'avait pas besoin de ça.

La grand-mère cessa un instant de regarder le ciel.

« Qu'est-ce qu'il y a là-dedans ? »

Zara lui montra le paquet plat. C'était comme une enveloppe transparente en plastique qui contenait, imprimée sur un carton multicolore brillant, la photo d'une femme aux dents blanches et aux longues jambes. Le carton était percé d'une petite fenêtre, par laquelle on apercevait un bas. La grand-mère retourna le paquet dans ses mains. Zara était en train de l'ouvrir pour montrer les bas à sa grand-mère, mais celle-ci l'arrêta. À quoi bon. Ils risquaient de s'abîmer, dans ses mains calleuses. Et des bas aussi beaux, est-ce qu'on pourrait même les repriser avec une aiguille à coudre ?

« Allez, va donc les cacher », ordonna la grand-mère, et d'ajouter que dans sa jeunesse à elle, les bas de soie étaient une forte monnaie d'échange.

Zara retourna à l'armoire à vêtements et fourra les bas et les prospectus tout au fond de la valise. Elle tira la valise par terre et se mit à la fouiller. L'armoire à vêtements contenait toujours des valises pleines, toutes prêtes. Une pour la mère. Une pour la grand-mère. Une pour Zara. On disait que c'était en cas d'incendie. La grand-mère les préparait et les vérifiait parfois même la nuit en faisant tellement de boucan qu'elle réveillait Zara. Au fur et à mesure que Zara grandissait, la grand-mère avait toujours remplacé par de nouveaux vêtements ceux de la valise qui devenaient trop petits. Il y avait aussi là-dedans tous les papiers importants, une veste dans l'ourlet de laquelle était caché de l'argent, ainsi que des médicaments qu'on renouvelait à intervalles réguliers. Enfin, des aiguilles, du fil, des boutons et des épingles à nourrice. La valise de la grand-mère contenait en plus un anorak terni par l'usure. Son rembourrage d'ouate était presque pétrifié et les piqûres des capitonnages qui le parcouraient de haut en bas étaient régulières comme un fil de fer barbelé, en étrange contraste avec le mauvais état de la veste.

Enfant, Zara avait toujours imaginé que sa grand-mère ne voyait rien d'autre que le ciel à travers la fenêtre, qu'elle ne remarquait rien de ce qui se passait par ailleurs à la maison, mais un jour que la valise avait accidentellement dégringolé de l'armoire, qu'elle était tombée sourdement par terre et que les cadenas s'étaient cassés, la grand-mère s'était retournée aussi vite qu'une jeune fille et sa bouche s'était mise à béer comme le couvercle d'une boîte de conserve. Sur le sol, il y avait l'anorak, que Zara n'avait jamais vu auparavant. La grand-mère était toujours assise devant la fenêtre, mais ses yeux s'étaient tournés fixement vers Zara et l'avaient pénétrée, et Zara n'avait pas compris pourquoi elle avait honte, et pourquoi cette honte était d'une autre espèce, en quelque sorte, que lorsqu'elle trébuchait ou qu'elle donnait une mauvaise réponse à l'école.

« Enlève ça de là. »

Quand la mère était rentrée à la maison, elle avait recollé et rattaché la valise. Elle n'avait pas réussi à réparer les cadenas. Zara les avait récupérés comme jouets et elle en avait fait des boucles d'oreilles pour ses poupées. C'était l'un des événements les plus marquants de l'enfance de Zara, laquelle, par la suite, ne comprit pas ce qui s'était passé ni pourquoi ;

mais après cela, la grand-mère et Zara eurent davantage de conversations. La grand-mère commença à prendre Zara avec elle pour la mise en conserve de la saison des récoltes. La mère allait travailler et n'avait jamais le temps d'arroser ou de sarcler le potager. C'étaient Zara et la grand-mère qui s'en occupaient toutes les deux, et pendant ce temps la grand-mère racontait des histoires sur cet autre pays, dans cette autre langue. Zara l'avait entendue pour la première fois la nuit où elle avait été tirée de son sommeil par sa grand-mère qui parlait toute seule à la fenêtre. Elle avait réveillé sa mère en lui chuchotant que la grand-mère avait un problème. La mère avait jeté sa couverture sur le côté, enfilé ses pantoufles et reposé la tête de Zara sur l'oreiller sans dire un mot. Zara avait fait semblant d'obéir. Les paroles que la mère adressait à la grand-mère avaient une sonorité bizarre, la grand-mère répondait d'une façon bizarre. Les valises gisaient par terre, béantes. La mère avait palpé les mains et le front de la grand-mère et lui avait donné de l'eau et un sédatif, du Validol, la grand-mère les avait pris sans regarder la mère, ce qui n'avait rien d'exceptionnel – la grand-mère ne regardait jamais personne, elle regardait toujours au-delà. La mère avait ramassé les valises, les avait remises dans l'armoire, et elle avait posé sa main sur l'épaule de la grand-mère. Toutes deux étaient restées à fixer l'obscurité du dehors.

Le lendemain, Zara avait demandé à sa mère ce qu'avait dit la grand-mère, et quelle langue elle parlait. La mère avait essayé de passer la chose sous silence en faisant diversion avec le thé et le pain, mais Zara n'avait pas renoncé pour autant. Alors la mère avait raconté que la grand-mère parlait estonien, qu'elle répétait des paroles d'une chanson estonienne, que la grand-mère devenait un peu gâteuse. La mère avait quand même fini par dire le titre de la chanson : « *Un cœur de mère**[1] ». Zara l'avait imprimé dans son esprit, et une fois que sa mère était sortie, elle était allée voir la grand-mère et le lui avait répété. La grand-mère l'avait regardée, regardée en face pour la première fois, et Zara avait senti comment le regard de la grand-mère pénétrait en elle par ses yeux, dans sa bouche, dans sa gorge, et comment sa gorge se nouait, et comment le regard de la grand-mère était descendu de la gorge vers le cœur, et son cœur se serrait, et il était descendu du cœur au ventre, et son ventre avait commencé à se tordre, et il était descendu dans les jambes, qui s'étaient mises à flageoler, et des jambes il était descendu aux plantes des pieds, qui s'étaient mises à picoter, et elle s'était mise à avoir chaud, et la grand-mère avait souri. De ce sourire était né leur premier jeu, qui avait bourgeonné de mot en mot et avait commencé à faire des fleurs brumeuses et jaunissantes ainsi que fleurissent les langues mortes, à crépiter gracieusement comme l'aiguille du gramophone et à résonner comme les sons résonnent sous l'eau. En silence et en chuchotant, elles avaient développé leur propre langue. C'était leur secret à elles, leur jeu à elles. Pendant que la mère faisait les travaux ménagers, la grand-mère restait assise sur sa chaise et Zara mentionnait des affaires ou des jouets ou ne faisait que toucher un objet, et la grand-mère en formait le nom en estonien, sans voix, avec les lèvres. Si le mot était faux, Zara devait le remarquer. Quand cela lui échappait, elle n'avait pas de caramel ; mais si elle détectait l'erreur, elle empochait toujours des bonbons. La mère n'aimait pas que la grand-mère donne à la fille des friandises pour rien, comme elle le pensait, mais elle n'avait pas la force

1. Tous les passages en italiques suivis d'un astérisque sont en estonien dans le texte.

d'intervenir dans cette affaire plus que par un soupir occasionnel. Zara avait pu garder ses jolis mots, sa langue sucrée, et les rares histoires racontées par la grand-mère dans le potager, au sujet d'un salon de thé là-bas, quelque part, un salon de thé où l'on servait des gâteaux sablés à la rhubarbe avec une épaisse crème fouettée, un salon de thé dont les *moorapea* fondaient dans la bouche et dans le jardin duquel il y avait du jasmin parfumé, des bruissements de journaux en allemand, et pas seulement en allemand mais aussi en estonien et en russe, des boutons de cravates et de manchettes, des femmes avec de jolis chapeaux, on voyait un dandy avec des tennis et un costume sombre, dans la rue se dispersait un nuage de magnésium sorti d'une habitation où l'on prenait une photo. Le concert du dimanche sur le front de mer. L'eau de Seltz qu'on sirotait dans le parc. Le fantôme de la princesse de Koluvere sur les routes nocturnes. Les soirées d'hiver à la chaleur du poêle avec de la confiture de framboises sur du pain français, et du lait froid à boire ! Du jus de groseilles !

Zara remballa sa valise, entassa toutes les affaires par-dessus les prospectus d'hôtels et les bas, referma la valise et la rangea dans l'armoire, à sa place habituelle. La grand-mère s'était retournée vers la fenêtre, pour fixer le ciel. En hiver, on ne pouvait pas mettre de couvertures devant la vitre, alors que les fenêtres laissaient passer un courant d'air malgré tous les efforts qu'on faisait pour les calfeutrer. Il fallait que la grand-mère puisse voir le ciel aussi la nuit, quand il n'était même pas visible. Elle disait que ce ciel était le même ciel qu'à la maison. La Grande Ourse était également importante pour la grand-mère, parce que c'était la même Grande Ourse qu'à la maison, à ceci près qu'on la voyait moins distinctement, parfois il fallait vraiment la chercher. La grand-mère retrouvait toujours le sourire grâce à la Grande Ourse, il suffisait que Zara la montre du doigt et prononce son nom. Enfant, Zara ne comprenait pas pourquoi, ce n'est que plus tard qu'elle comprit que la grand-mère, par « à la maison », voulait dire « en Estonie ». La grand-mère était née là-bas, de même que la mère. Puis la guerre était arrivée, et la famine, et la guerre avait emporté le grand-père et elles avaient dû s'enfuir pour échapper aux Allemands. Elles étaient venues à Vladivostok, elles y avaient trouvé du travail, et davantage à manger, et elles étaient restées.

« Est-ce que ce serait mal si je partais travailler en Allemagne ? » demanda Zara à sa grand-mère.

La grand-mère ne tourna pas la tête. « C'est à ta mère qu'il faut demander ça.

– De toute façon elle dira rien. Elle dit jamais rien sur rien. Si elle veut pas, elle dira rien. Et si elle veut bien, elle dira rien non plus.

– Ta mère est pas très bavarde.

– Elle est muette.

– Allons, fit la grand-mère.

– Moi je crois que ça lui fait une belle jambe que je sois ici ou ailleurs.

– Voyons, ce n'est pas cela du tout.

– Ne prends pas sa défense ! »

Zara but son thé avec colère, elle avala de travers et se mit à tousser, tellement qu'elle en eut les larmes aux yeux. Elle partirait. Ça lui éviterait au moins d'écouter traîner les pantoufles de sa mère. Les mères des autres avaient été sous les bombardements, quand elles étaient petites, et pourtant elles parlaient, même si la grand-mère disait qu'une bombe pouvait rendre un enfant muet de frayeur. Pourquoi fallait-il que ce soit précisément sa mère à elle, qui ait été effrayée à ce point par les bombes ? Zara partirait. Elle ramènerait à la grand-mère énormément d'argent, voire un télescope. On verrait ensuite si la mère aurait quelque chose à redire, quand elle rentrerait avec la valise pleine de dollars, avec lesquels elle se payerait des études, qu'elle serait médecin en moins de deux et qu'elle leur trouverait un logement individuel. Elle aurait sa propre chambre, où elle pourrait étudier dans le calme, préparer ses examens, et elle porterait une coiffure occidentale, des bas qui font briller les jambes, tous les jours, et la grand-mère pourrait chercher la Grande Ourse avec le télescope.

1992, Estonie occidentale

Zara ourdit des plans d'évasion et Aliide tend des pièges

Zara se réveilla dans un arôme familier d'oreilles de cochon bouillies qui émanait de la cuisine. Elle crut d'abord être à Vladik, le couvercle de la casserole tambourinait comme à la maison sur l'eau en ébullition, elle connaissait cette odeur de cartilage, elle en avait l'eau à la bouche, mais alors un rachis de plume lui piqua la joue – il était passé à travers la taie d'oreiller –, elle ouvrit les yeux et vit un coin de tapisserie inconnu. Elle était dans la maison d'Aliide Truu. Le papier peint était bosselé, les raccords encollés de travers. Entre le papier peint et la tapisserie flottait une mince toile d'araignée, dans la toile pendouillait une mouche morte. Zara écarta la tapisserie du doigt, l'araignée s'échappa d'en dessous. Elle faillit appuyer la tapisserie sur l'araignée, l'écraser, mais alors elle se rappela que tuer une araignée signifiait la mort de sa propre mère. Zara caressa la tapisserie. Son cuir chevelu était léger, sa peau sentait le printemps contre la flanelle de la chemise de nuit boutonnée jusqu'au cou. Les chaussettes imprégnées d'eau-de-vie, qui étaient désagréablement froides la veille au soir, étaient maintenant plus chaudes, son nez sentait encore le savon. Zara sourit. Le soleil épiait par l'entrebâillement des rideaux, et les rideaux étaient exactement comme elle les avait imaginés.

Son lit avait été fait sur le canapé de la chambre de devant. La chambre de derrière était tellement pleine de plantes mises à sécher qu'on n'aurait pas pu s'y coucher. Sol, lits, étagères et tables étaient couverts de journaux, sur lesquels étaient dispersés des soucis, de la prêle des champs, de la menthe, de la mille-feuille et du carvi. Aux murs étaient suspendus des sacs remplis de rondelles de pommes et de tranches de pain noir séchées. Les petites tables devant la fenêtre débordaient d'élixirs infusant à la lumière du soleil. Un des pots semblait grouiller, Zara avait immédiatement détourné le regard. L'air dans la chambre de derrière était tellement alourdi par les herbes médicinales qu'on n'aurait même pas pu y trouver le sommeil. Il est vrai qu'Aliide avait fait son lit sur une lirette devant la porte de la chambre de derrière, elle avait resserré précautionneusement les journaux couverts de plantes de façon à dégager de la place par terre pour un petit être humain. Zara avait suggéré que la place pourrait lui convenir, mais Aliide craignait sans doute que Zara écrase les herbes en se retournant dans son sommeil. L'odeur des plantes médicinales s'immisçait jusque dans la chambre de devant, mais pas trop. Là, il y avait seulement des rayons d'alvéoles d'abeilles et quelques bocaux ; dans le coin à côté du poêle, un filet d'oignons blancs. Près du meuble à radio se trouvait un tas d'oreillers. Les dentelles des taies d'oreillers blanches un peu élimées étaient jaunies, mais les oreillers brillaient quand même dans la chambre sombre. Zara y avait jeté un coup d'œil en cachette avant d'aller se coucher. Chacun portait des initiales, jamais les mêmes.

La porte donnant sur la cuisine où mitonnaient les oreilles de cochon était fermée, mais la radio allait tellement fort qu'on l'entendait jusqu'à la chambre. On y racontait comment le mât de radio de Varsovie s'était effondré l'année d'avant. La construction la plus haute de tous les temps mesurait 629 mètres de haut. Zara bondit de son lit. Son cœur palpitait.

« Aliide ? »

Zara regarda par la fenêtre, s'attendant à y voir une Volga noire ou une BMW. Dans la cour, cependant, il n'y avait rien d'anormal. Elle tendit l'oreille à l'affût de quelque chose de suspect, mais n'entendit que le bourdonnement de son sang, la radio et le tic-tac de l'horloge, ainsi que le grincement du sol tandis qu'elle se glissait vers la porte de la cuisine. Pacha et Lavrenti seraient-ils assis là, en train de boire du thé nonchalamment ? Est-ce qu'ils l'attendaient ? C'était pas eux tout craché, ça, d'attendre qu'elle se réveille tranquillement et qu'elle arrive dans la cuisine la gueule enfarinée ? Ne serait-ce pas justement ce qu'il y a de plus diabolique et, de leur point de vue, de plus génial ? Ils seraient accoudés au coin de la table en toute simplicité, en train de fumer une cigarette et de feuilleter le journal. Et ils souriraient, quand Zara entrerait dans la cuisine. Aliide serait obligée de se taire, assise entre eux, ses yeux humides de vieille dame écarquillés de peur. Cela dit, il était difficile d'imaginer Aliide avec une telle mine.

Zara poussa la porte. Celle-ci résistait, et produisit un gémissement. La cuisine était vide. Il n'y avait pas trace de Pacha et Lavrenti. Sur la table se trouvaient le livret de recettes d'Aliide, le journal ouvert et quelques billets d'une couronne. La casserole d'oreilles de cochon bouillonnait sous la vapeur. Le sol devant la cuve de toilette était humide, la cuve vide, de même que la baignoire, les seaux à ordures pleins à ras bord. Aliide n'était pas là. La porte d'entrée s'ébranla et Zara resta à la fixer. Ça y est, c'était eux ?

Aliide entra.

« Bonjour, Zara. Le sommeil a dû te faire du bien. »

Aliide posa le seau d'eau par terre.

« Qu'est-ce que c'est que ça ? Qu'est-ce que tu as fait à tes cheveux ? »

Zara s'assit à table et se frotta la tête. Ses cheveux ras picotaient, elle avait froid à la nuque.

À côté du sucrier gisaient les ciseaux. Elle les saisit et se coupa les ongles. Sur la toile cirée tombèrent des rognures, demi-lunes maculées de rouge.

« Mais j'aurais pu trouver un moyen de te teindre les cheveux. Avec de la rhubarbe, on aurait pu faire une teinture rousse.

– Peu importe.

– Épargne au moins ces ongles, maintenant. J'ai une lime quelque part, là. Occupons-nous de ces ongles comme il faut.

– Non.

– Zara, ton mari ne te trouvera pas ici. Comment ferait-il ? Tu pourrais être absolument n'importe où. Alors prends du café et calme-toi. J'ai moulu de vrais grains de café, ce matin. »

Aliide remplit la tasse de Zara au percolateur et alla mettre les oreilles de cochon dans une assiette à l'aide d'une écumoire, tout en surveillant Zara qui maniait les ciseaux. Quand elle eut fini sa manucure, Zara tritura la cuillère à sucre plantée dans de gros cristaux jaunâtres. Les bouts de ses doigts étaient nus et propres. Le bruissement humide du sucre se mêlait au bourdonnement du frigo de façon apaisante. Devrait-elle essayer de rassurer Aliide ? Ou bien raconter qui était réellement Pacha ? Qu'est-ce qui aurait le plus de chances d'inciter Aliide à l'aider ? Ou bien devrait-elle s'efforcer d'oublier

Pacha quelque temps et se concentrer sur Aliide ? En tout cas, elle devrait mettre ses idées au clair.

« Ils me retrouveront toujours.

– Ils ?

– Mon mari, quoi.

– Tu dois pas en être à ta première fugue. »

La cuillère de Zara se figea dans le sucrier.

« T'es pas obligée de répondre. »

Aliide apporta l'assiette d'oreilles de cochon sur la table.

« Je dis juste que tu es en trop mauvaise forme pour être un appât.

– Un appât ?

– Laisse tomber, ma petite. Le genre de jeune poulette qu'on envoie en reconnaissance voir ce qu'il y a dans les maisons. Ou bien, en général, on les couche au milieu de la route, soi-disant blessées. Pour que les voitures s'arrêtent, et hop ! Adieu la voiture. Seulement, tu aurais dû venir ici juste après le passage de ma fille. »

Aliide arrêta de parler et mit la table, sans quitter Zara du coin de l'œil. Elle attendait que la fille dise quelque chose. Aliide lui avait-elle tendu une perche ? Zara examina les mots d'Aliide, mais elle n'y trouva rien de spécial. Aussi repartit-elle d'une question facile : « Comment ça ? »

Aliide ne répondit pas tout de suite. Apparemment, elle s'était attendue à autre chose de la part de Zara.

« C'est pas ça qui manque, les visiteurs, avec tous les gens du village qui veulent voir ce qu'on m'a amené. Mais moi, je cache tout ce que je peux dans les bidons à lait. Je ne laisse en vue que quelques paquets de café. C'est pas qu'y a grand-chose dans les bidons en ce moment – ils sont vides, y a juste un peu de macaronis et de farine –, ils attendent la visite de ma fille pour venir. Et alors vas-y qu'on cajole la vieille mère. »

Zara remuait toujours la cuillère, qui était devenue informe avec le sucre qui s'y était agglutiné, et elle essayait de discerner ce qu'Aliide avait derrière la tête.

« Je lui ai demandé d'amener toutes sortes de choses. »

Soudain Zara sursauta. La voiture ! La fille d'Aliide allait-elle arriver en voiture ?

« Elle vient avec sa voiture. Talvi a promis d'apporter aussi un nouveau téléviseur à la place de ce Rekord, qu'est-ce que tu dis de ça ? Bizarre, comme cette technologie peut passer la frontière, de nos jours, comme ça. »

Zara se servit une oreille de cochon. Le couteau tintait sur l'assiette et la fourchette empalait lentement les morceaux d'oreille. Rien à faire, la fourchette cliquetait, les doigts serraient les couverts, Zara devrait relâcher sa prise ou Aliide devinerait que la fille essayait de retenir ses mains de trembler. Elle ne devait pas avoir l'air trop passionné, il fallait à la fois manger l'oreille de cochon et parler, la mastication compensait la voix. Zara demanda où Talvi repartirait ensuite, et si elle irait directement à Tallinn. Même si Zara pouvait aller jusqu'à la ville la plus proche – d'ailleurs c'était quoi ? –, elle ne pourrait pas prendre le bus ou le train, sinon son mari l'apprendrait, et la milice aussi. Aliide fit remarquer qu'en Estonie il y avait maintenant la « police », mais Zara poursuivit, Aliide devait la comprendre, il fallait qu'elle atteigne Tallinn en secret. Si quelqu'un la voyait, son voyage s'arrêterait net.

« J'ai juste besoin qu'on me dépose à Tallinn, rien d'autre. »

Le front d'Aliide se plissa. C'était un mauvais signe, mais Zara ne pouvait plus s'arrêter, sa voix s'était emballée et elle s'empêtrait dans ses mots, sautait par-dessus, revenait les chercher, sans blague, une voiture ! Talvi avait une voiture. Ça pourrait résoudre tous les problèmes. Elle arrivait quand, Talvi ?

« Bientôt.

– Bientôt quand ?

– Peut-être d'ici deux jours. »

Si Pacha ne se pointait pas avant, Zara pourrait aller à Tallinn grâce à Talvi. Ensuite, elle n'aurait plus qu'à trouver un moyen de continuer après Tallinn, vers la Finlande ; dans le port, elle pourrait essayer de se cacher dans un camion, ou quelque part. Comment Pacha s'arrangeait-il pour que les gens passent la frontière ? On ouvrait les coffres des voitures, ça elle le savait. Il fallait que ce soit un camion, un camion finlandais, les Finlandais passaient toujours plus facilement la frontière. Elle ne pourrait en aucun cas se procurer un passeport, à moins d'en voler un à une Finlandaise qui lui ressemble. Trop compliqué, elle ne saurait pas faire tout ça toute seule. D'abord Tallinn. Maintenant il n'y avait plus qu'à mettre Aliide dans son camp. Mais comment, comment réussirait-elle cela, comment tromper les rides du front d'Aliide ? Zara devrait se calmer, oublier Talvi et sa voiture pour quelque temps, et ne pas énerver Aliide davantage avec sa fougue. Un brouillard de solutions alternatives s'échappait de la tête de Zara, elle n'arrivait pas à les canaliser, encore moins aurait-elle pu les peser. Ses tempes palpitaient. Elle devrait respirer profondément, il fallait être quelqu'un qui inspire confiance. Le genre de fille que les personnes âgées aiment bien. Il fallait essayer d'être gentille, polie, bien élevée et serviable, mais elle avait une tronche de pute et des gestes de pute, même si le fait de s'être coupé les cheveux devait aider, dans une certaine mesure. Putain, elle pourrait pas rester ici.

Zara fixa son attention sur la tasse de café d'Aliide. Si elle se concentrait comme il faut sur un objet, elle pourrait mieux répondre à n'importe quoi. Sur la porcelaine jaunâtre, il y avait des fêlures noires comme des pattes d'araignée. Le corps de la tasse était translucide et rappelait une peau jeune, même si la tasse était vieille. Elle était peu profonde et de forme gracieuse, elle appartenait à un autre univers que le reste de la cuisine, il y avait là un raffinement d'un monde révolu. Zara n'avait pas remarqué dans le buffet d'autres pièces qui auraient pu appartenir au même service, même si elle ne connaissait pas toute la vaisselle d'Aliide, bien sûr, seulement celle qui était visible. Aliide y avait bu du café, du lait et de l'eau, en rinçant simplement la tasse entre deux. C'était manifestement sa tasse à elle. Zara en scrutait les fêlures et attendait la question suivante.

Aliide se tourna vers la cuve de tomates.

« C'était une bonne récolte, cette année. »

Une mouche se promenait au milieu des tomates.

Zara désigna la cuve de la tête.

Aliide chassa la mouche de la main.

« Elles ne pondent que dans la viande. »

Aliide avait fait attention. Elle avait tenté de susciter de l'intérêt pour la Finlande, elle avait essayé de l'aiguillonner, mais non, la fille n'avait pas posé d'autres questions sur Talvi ou sur la technologie. La fourchette tintait seulement contre l'assiette, la bouche mangeait l'oreille avec application, la tasse de café retentissait, les grandes gorgées couvraient la radio, et pendant ce temps la fille palpait ses cheveux ras. Sa poitrine se soulevait. C'était l'histoire de la voiture qui avait déchaîné la fille, pas le nouveau téléviseur ni le reste. Peut-être qu'elle ne s'intéressait pas à eux, à moins qu'elle ne fût juste diablement rusée. Mais une pareille souillon pourrait-elle être un appât ? Ou même une voleuse ? Les voleurs, Aliide savait les reconnaître. La fille n'avait pas les yeux assez vifs, pas comme ceux des voleurs. Le regard de la fille était comme celui d'un chien obligé de toujours prendre garde aux enfants qui font exprès de lui marcher dessus. Elle avait perpétuellement l'air de partir se cacher, elle se repliait tout le temps sur elle-même. Les voleurs n'étaient pas comme ça, du moins pas les voleurs élevés à la dure. Et l'évocation de souvenirs de Finlande n'avait pas fait monter l'enthousiasme aux joues de la fille, cette expression qu'Aliide avait attendue, l'éclat bien connu de la cupidité, le trémolo du respect dans la voix, rien de tout cela n'était apparu. Ou bien la fille voulait-elle voler la voiture ?

Aliide l'avait déjà mise à l'épreuve en la laissant toute seule dans la cuisine et en sortant, pour l'espionner ensuite par la fenêtre, mais la fille ne s'était pas jetée sur le sac à main d'Aliide et n'avait pas lorgné non plus les billets qui traînaient sur la table, alors qu'Aliide les avait disposés bien en évidence, par la suite elle avait même pris encore une couronne à la main pour appuyer ses paroles, regarde-moi ça, ici depuis bientôt deux mois on a des billets en couronnes, on n'a plus de roubles, tu te rends compte ! Elle avait longuement jacassé sur le grand jour de la réforme monétaire, le 20 juin, et fourré ensuite les couronnes dans un coin du buffet, mais la fille n'y avait vraiment prêté aucune attention. Tandis qu'Aliide dégoisait sur la chute de la valeur de l'argent et sur le fait que les roubles étaient tout juste bons à servir de papier hygiénique, la fille avait paru absente, pendant ce temps elle hochait la tête poliment, elle attrapait un mot au passage et le laissait aller son chemin, sans réagir. Plus tard, Aliide était allée vérifier et compter les billets, quand la fille n'était plus dans les parages. Elle n'y avait pas touché. La magnificence de sa forêt, aussi, Aliide avait essayé d'y faire allusion, mais les yeux de la fille n'avaient pas émis la moindre lueur d'intérêt.

À la place, la fille laissée seule s'était frotté les bras et avait examiné le sucrier du bon vieux temps de la République d'Estonie qui se trouvait sur la table, elle avait passé les doigts sur ses fêlures et ses décorations et regardé la cuisine à travers. Aucun voleur ne se serait intéressé à de la vaisselle usée. Aliide avait eu recours au même stratagème pour la chambre : elle y avait laissé la fille toute seule et elle était sortie chercher de l'eau au puits. Avant de sortir, elle avait pris soin d'ouvrir un rideau pour pouvoir guetter ensuite, depuis la cour, les faits et gestes de la visiteuse. La fille avait flâné dans la pièce, était allée à l'armoire à vêtements, mais elle ne l'avait pas ouverte, même pas les tiroirs, elle l'avait seulement touchée de l'extérieur, elle avait même appuyé la joue sur sa peinture blanche, reniflé les œillets sur la table, caressé les coquelicots, muguets et guirlandes brodés sur le fond noir de la nappe, examiné leurs feuilles vertes et collé les yeux sur le tissu comme si elle voulait apprendre à broder. Si la fille était une voleuse, alors c'était la reine des incompétentes.

Avant que la fille se réveille, Aliide avait téléphoné à Aino pour lui dire qu'elle se sentait fiévreuse, qu'elle n'aurait pas la force de sortir chercher un colis d'aide humanitaire. Elle avait encore du lait, Aino pourrait l'apporter une autre fois. Aino avait voulu enchaîner sur Kersti, qui avait vu une lumière étrange sur la route forestière, c'était un ovni, Kersti s'était évanouie et n'était revenue à elle qu'après des heures sur la même route, est-ce que des ovnis l'avaient emmenée quelque part, Kersti elle-même ne se rappelait pas. Aliide interrompit Aino et dit qu'elle se sentait très faible, qu'elle devait aller se coucher, et lui raccrocha presque au nez. Elle avait bien assez de choses étranges à gérer chez elle. Il allait falloir se défaire de la fille avant qu'Aino ou quelqu'un d'autre au village vienne lui rendre visite. Qu'est-ce qui lui avait pris de recueillir la fille chez elle, qui plus est pour la nuit ?

La fille mangeait bruyamment. Sur sa joue luisait comme une peau de pomme. L'idée de la voiture illuminait toujours ses yeux, même si elle dissimulait manifestement son enthousiasme. C'était une mauvaise actrice, ça ne la mènerait nulle part. Et qu'est-ce qui lui avait pris de se raser le crâne ? Cette tête d'œuf attirait encore plus l'attention que ses anciens cheveux.

Aliide alla chercher des concombres dans le garde-manger. La crème de souci qu'elle faisait pour Talvi s'épaississait dans le meuble devant le choix de conserves de concombres. C'était la seule chose d'ici que Talvi acceptait de ramener en Finlande. La peau de Talvi aimait la crème, et elle n'avait pas appris à la préparer elle-même. Les concombres, Talvi n'acceptait jamais d'en prendre, bien qu'ici ils fussent à son goût. Dans le coffre de la voiture, on aurait pu enfourner une foultitude de concombres, mais si Aliide en glissait là en cachette, Talvi les en ressortait. La fille qui restait oisive dans la cuisine voulait-elle voler la voiture de Talvi ou continuer sa fuite avec ? Aliide ne pouvait le dire.

Les Finlandais, paraît-il, ne mettaient pas de raifort dans leurs concombres, d'où la différence.

Aliide s'assit à table et proposa à Zara des rondelles de concombre assaisonnées d'aneth et de crème aigre, de la salade de concombres en conserve et des concombres marinés.

« J'ai eu une récolte particulièrement bonne, cette année. »

Zara n'arrivait pas à se décider entre les différentes variantes de concombres, si bien qu'elle tendit la main d'abord vers les concombres marinés, puis vers un bol, sa main trembla et le bol tomba par terre. Le choc fit bondir Zara de sa chaise et ses mains volèrent à ses oreilles. Elle avait encore tout gâché. Le bol en émail était retourné à côté de la lirette, des traînées de crème striaient le sol gris en béton. Heureusement que le bol n'était pas en verre, elle n'avait rien cassé. Peut-être qu'elle ne tarderait pas à casser quelque chose, si ses mains n'arrêtaient pas de trembler. Il fallait qu'elle les contrôle et qu'elle fasse comprendre à Aliide qu'elle n'avait pas beaucoup de temps. Encore une fois, Aliide n'eut pas l'air de se mettre en colère à cause de la pagaille causée par Zara, elle alla chercher un chiffon et nettoya tout en l'apaisant de façon rassurante. C'était pas grave. Quand Zara eut enfin l'idée de lui venir en aide, ses mains tremblaient toujours.

« Zara, ma chérie, ce n'était qu'un pot de concombres. Allons, rassieds-toi à table. »

Zara répéta qu'elle n'avait pas fait exprès, mais cela ne sembla pas intéresser Aliide, qui interrompit les lamentations de Zara. « Ton mari, il a donc de l'argent ? »

Zara retourna sur sa chaise. Maintenant il faudrait seulement se concentrer sagement sur la conversation avec Aliide et ne pas faire plus de dégâts chez elle. Zara, sois une fille comme il faut. Ne réfléchis pas, tant que tu n'es pas en état de le faire. Réponds juste aux questions. Tu parleras de la voiture plus tard.

« Oui.

– Et beaucoup ?

– Oui.

– Alors pourquoi une femme de riche travaillait-elle comme serveuse ? »

Zara se tripotait les oreilles. Il n'y avait pas de bijou, il restait un trou légèrement rougi. Que répondre, maintenant, à la question d'Aliide ? Zara était idiote, lente à réagir, mais si elle gardait le silence, Aliide croirait qu'elle dissimulait quelque chose de grave. Pourrait-elle encore affirmer de façon convaincante qu'elle était serveuse ? Aliide toisait la fille et Zara recommençait à s'énerver. Elle n'arriverait plus d'aucune façon à gérer cela. Pacha avait raison, elle aurait besoin d'une bonne raclée. Peut-être que Pacha avait encore raison quand il disait qu'elle n'était tout simplement pas le genre de personne qui sait se comporter comme il faut autrement que sous la peur du fouet. Peut-être y avait-il vraiment en elle quelque chose de mauvais et d'incapable, quelque chose qui ne tournait pas rond. Et en même temps que Zara pensait à ses propres échecs dans son comportement, les mots fusèrent d'entre ses lèvres avant qu'elle ait pu réfléchir à leur contenu. D'accord, elle n'était pas serveuse ! Zara tripotait le trou vide de son lobe, l'autre main monta masser le creux de la clavicule. Sa tête, sa bouche et elle-même étaient distinctes et n'avaient tout à coup plus aucun lien entre elles. Le récit ne faisait que se déverser, et elle n'arrivait pas à l'endiguer. Elle raconta qu'ils avaient été au Canada en vacances, dans un hôtel cinq étoiles, à rouler du matin au soir dans une voiture noire. Et elle avait un manteau de fourrure pour chaque jour de la semaine, et des fourrures distinctes pour les journées et les soirées, pour l'intérieur et l'extérieur !

« Oh oh, voilà qu'on s'emballe. »

Zara s'essuya les commissures des lèvres. Elle avait honte et chaud. Et elle fit ce qu'elle faisait toujours quand elle avait trop honte : elle détourna les yeux et les pensées. Aliide, la cuisine et la casserole d'oreilles de cochon disparurent. Zara fixa ses doigts. L'écume des lèvres laissée sur les doigts ressemblait à du crachat de coucou sur une feuille de framboise. Le cercope. Elle se concentra là-dessus, sur cette bestiole, c'était toujours ce qu'il y avait de mieux, quand il fallait projeter l'esprit hors du corps. La larve du cercope se cache à l'intérieur d'une boule de salive, et la boule la protège des ennemis et du dessèchement. Où avait-elle entendu ça ? À l'école ? Zara se rappela le craquement apaisant du manuel scolaire. L'odeur du papier et de la colle. Elle écouta un instant le craquement dans sa tête, feuilleta ses pensées comme les pages arides du manuel et se calma, elle quitta le cercope et laissa la rumeur de Vikerradio revenir à ses oreilles, son esprit retourner dans la cuisine d'Aliide, les fissures du sol, la toile cirée et les cuillères en aluminium. La boîte de vitamine C au coin de la table, les mots en lettres cyrilliques réconfortantes, « comprimés », « vitamine C », la marque soviétique, le verre brun familier. Zara tendit la main vers elle et répéta dans sa tête les doux mots russes de la marque, tapota le couvercle de la boîte, un son familier. Enfant, elle avait souvent dévoré en cachette toute la boîte, un goût amer, jaune vif, envahissait sa bouche, ça sentait la pharmacie, on achetait ça en pharmacie. Son pouls était redevenu normal quand elle se tourna vers Aliide et demanda pardon de s'être emportée, elle dit qu'elle voulait seulement avoir l'air ordinaire et normale. Elle n'avait pas eu l'intention de se montrer orgueilleuse.

Aliide rit.

« Tu voulais pas avoir l'air d'une voleuse.

– Peut-être.

– Ni d'une femme de mafieux.

– Peut-être. »

Mais Aliide ne continua pas la conversation ni ne demanda pourquoi Zara ne voulait pas rentrer en Russie ou chez elle.

L'horloge faisait tic-tac. Le vent grondait dans le poêle. Zara avait la langue raide. Les fentes du sol en béton semblaient floues, comme si elles bougeaient tout le temps un peu.

« Bon, voilà », dit Aliide finalement, et elle se leva de table, donna un coup de tapette sur la lampe, autour de laquelle tournoyaient quelques diptères, et alla mettre à bouillir des bocaux dans une casserole. « Viens m'aider. Les chaussettes à l'eau-de-vie ont dû aider, tu n'as pas l'air enrhumée. Je vais chercher un foulard, que tu puisses couvrir cette tête. »

1991, Berlin

Zara enfile une jupe en cuir rouge et apprend les bonnes manières

Par le trou de la serrure filtrait de la lumière. Zara se réveilla sur le matelas étendu à côté de la porte. De son lobe d'oreille infecté avait coulé du pus, elle en sentait l'odeur tandis qu'elle cherchait à tâtons la bouteille de bière sur le sol. Le goulot de la bouteille était poisseux, la bière mit sa gorge sèche dans le même état : poisseuse et râpeuse. Ses pieds touchaient le chambranle. De l'autre côté de la porte étaient assis Pacha et Lavrenti. Les bosses du papier peint jauni par la nicotine ondulaient au rythme de la respiration froide de Pacha, mais celle-ci n'avait rien d'alarmant. Ou bien si ? Zara écouta. Elle entendait les voix des hommes à travers la cloison, ils semblaient guillerets. Étaient-ils assez gais aujourd'hui pour la laisser prendre une douche ? Leur bonne humeur risquait de basculer à tout moment, Zara devrait seulement faire de son mieux avec les clients. Le premier n'allait pas tarder. Sinon ils ne seraient pas postés là. Encore un instant ici, puis il faudrait qu'elle se prépare, pour que Pacha n'ait pas lieu de se plaindre. Lavrenti ne se plaignait jamais, il se contentait d'agir et il laissait gueuler Pacha. Zara tapotait le bois qui transparaissait sous la peinture craquelée des plinthes. Le bois était si mou qu'on pouvait y enfoncer le doigt. Le sol sous le matelas était-il en bois ou en ciment ? Il y avait un lino… mais sous celui-ci ? Si c'était le même genre de bois, il pouvait céder à tout moment. Et Zara pourrait s'en aller par la même occasion, disparaître dans les décombres, ce serait super.

Elle entendait encore le couteau de Lavrenti qui taillait des copeaux de bois. Il sculptait toujours pendant qu'il était assis à monter la garde. Il fabriquait toutes sortes d'objets, surtout des instruments d'entraînement pour les filles.

Zara devait se lever. Elle ne pouvait pas rester couchée, même si elle aurait bien aimé. Les néons de la maison d'en face éclaboussaient la pièce de rouge. Les voitures rugissaient, leur vrombissement entrecoupé de coups de klaxons, il y avait tellement de voitures, et de différentes sortes. Elle fuma une cigarette Prince, dont on faisait la publicité sur de grandes affiches, elle en avait vu par la vitre de la voiture en venant ici. À ce moment-là, elle avait la main attachée à la portière par des menottes. Pacha et Lavrenti avaient mis l'autoradio à fond. Elle ne savait pas qu'une voiture pouvait aller si vite. Les doigts de Pacha tambourinaient sur le volant dès qu'il était obligé de s'arrêter. Ses tatouages tressautaient sur le volant. D'après Pacha, Zara n'avait su attirer personne la veille au soir à la station-service, malgré tous les poids lourds et tous les gens qui étaient là. Elle avait passé la moitié de la nuit plantée au bord de l'*autobahn*, dans la minijupe en cuir rouge fournie par Pacha, et personne n'avait voulu d'elle. Pacha et Lavrenti avaient surveillé de loin et puis tout à coup Pacha était arrivé, il l'avait tirée par les cheveux et, brandissant un bâton de rouge à lèvres, il en avait barbouillé la tronche de Zara. Puis il avait poussé Zara dans la voiture et dit à Lavrenti : « Regarde-moi ce clown. » Et Lavrenti avait rigolé : « Bah, elle apprendra. Elles apprennent toutes. » Pacha avait enlevé sa chemise et haussé les épaules dans la voiture comme s'il remontait ses épaulettes tatouées. Lavrenti avait rendu les honneurs avec de grands airs. À l'hôtel, Pacha avait ordonné à Zara de se débarbouiller la tronche, et il lui avait enfoncé la tête dans le lavabo plein d'eau, où il l'avait maintenue jusqu'à ce qu'elle perde connaissance.

Pacha était encore en train d'entretenir Lavrenti de ses projets grandioses : l'avenir était à lui. C'est pourquoi il réfléchissait tant à la vie. Ils ruminaient les mêmes choses du matin au soir et du soir au matin, client après client. Pacha disait que désormais tout ce dont il avait rêvé était possible, et que faire de l'argent était un jeu. Bientôt, il aurait son propre studio de tatouage ! Et après, son magazine de tatouage ! À l'Ouest, il y avait des journaux comme ça, qui ne parlaient que de tatouages, et d'autres où il n'y avait que des photos de ça, de tatouages multicolores en veux-tu en voilà, et Pacha il en ferait des comme ça.

Tous rigolaient aux histoires de Pacha. Qui pourrait bien vouloir d'un studio de tatouage, maintenant, à une époque où on pouvait prétendre à des hôtels, des restaurants, des sociétés pétrolières, des chemins de fer, des pays entiers, des millions, des milliards. Absolument tout était réellement possible, y compris ce qu'on ne pouvait même pas imaginer. Mais Pacha ne faisait pas attention à son bonnet d'âne, il tapotait ses épaulettes tatouées, qui étaient du même genre que celles de son père. Celui-ci avait été à Perm-36, et sur ses tatouages, on pouvait lire NKVD. *Nitchto Kreptche Vorovskoï Droujby.* Voilà ce que voulait dire NKVD, rien n'est plus fort que l'amitié des voleurs. Lavrenti aussi faisait la moue aux rêves de Pacha, il le trouvait sans doute un peu dingue. Lavrenti se considérait déjà comme un vieil homme. Il avait derrière lui vingt-cinq ans de KGB, et il aurait voulu que la vie reprenne son cours comme elle était avant les pitreries d'Eltsine et Gorbi. Ce qu'il voulait, c'était que les enfants reçoivent tout le nécessaire, et rien d'autre. Peut-être était-ce pour cela que Lavrenti voulait travailler avec Pacha – lui et Pacha étaient les seuls disposés à se contenter de moins que les autres. Pacha aussi voulait son casino, certes, son pays et son milliard, mais cela ne l'avait pas emballé au même point que le studio de tatouage.

Pour le studio de tatouage, Pacha se faisait la main sur des filles hors d'usage. Comme avec Katia. Pacha s'était écrié que sur elle ça rendrait encore mieux, et il ne s'était jamais lassé d'admirer ce qu'il avait piqué sur les seins de Katia : une femme à forte poitrine qui taillait une pipe à un diable. Pacha avait dit qu'il voulait s'entraîner beaucoup – alors qu'il maniait déjà l'aiguille aussi bien qu'une arme, paraît-il –, aussi avait-il orné le bras de Katia d'une deuxième image de diable. Ce dernier avait une grosse bite velue.

« Aussi grosse que la mienne ! » avait rigolé Pacha.

Après cela, Katia avait disparu.

Zara ouvrit un flacon de poppers et renifla. Quand Pacha la prendrait pour se faire la main, elle saurait que son heure était venue.

« Ce studio de tatouage, ce serait comme un symbole de tout, Dieu, la Mère Russie, les saints, tout ! »

Lavrenti éclata de rire. « Un symbole... Où t'es allé apprendre un mot pareil ?

– Ta gueule ! se vexa Pacha. Tu comprends que dalle. »

Une troisième voix apparut en plus des voix de Pacha et Lavrenti. On reconnaissait toujours une voix de client.

En bas retentissait une chanson d'Allemands bourrés. Dans le groupe, il y avait un Américain. Zara avait demandé à un Américain de porter à la poste une lettre pour sa grand-mère, mais l'homme l'avait remise à Pacha, après quoi Pacha avait débarqué, et...

Zara sortit de l'armoire une jupe en cuir et des chaussures rouges à talons. Le chemisier était un modèle enfant. Rouge. D'après Pacha, seuls les chemisiers pour enfants étaient assez serrés pour exciter les hommes. Zara fuma une Prince. Ses mains tremblaient juste un peu. Elle versa de la valériane dans un verre. Ses cheveux étaient rigides à cause de la laque et du sperme de la veille.

Bientôt la porte allait s'ouvrir et se refermer, on pousserait le verrou, la discussion de Pacha et Lavrenti suivrait son cours, les studios de tatouage et les poules de l'Ouest et les tatouages multicolores. Bientôt une boucle de ceinture se déferait, une braguette se dézipperait, une lumière colorée, Pacha ferait du boucan derrière la porte, Lavrenti rigolerait de la bêtise de Pacha, qui se vexerait, dans la chambre de Zara le client gémirait et les fesses de Zara s'écarteraient et on lui ordonnerait de les écarter encore et encore et encore et on lui ordonnerait d'introduire son doigt. Deux doigts, trois doigts, trois doigts de chaque main, encore plus ouvert ! Encore plus grand ! On lui ordonnerait de dire que Natacha doit se faire mettre ! Dis que Natacha doit ouvrir grand sa chatte parce que c'est là qu'elle va se faire mettre ! Oh ce qu'elle va s'y faire mettre ! Dis-le ! Dis ! Et Zara dirait, *Natascha will es.*

Personne ne demandait d'où elle venait, ou ce qu'elle ferait si elle n'était pas ici.

Parfois quelqu'un demandait ce qu'aimait Natacha, ce qui faisait mouiller Natacha, comment Natacha voulait se faire baiser.

Parfois quelqu'un demandait ce qui la faisait jouir.

Et c'était encore pire, parce qu'elle n'avait pas de réponse à ça.

Si on interrogeait Natacha, elle avait des réponses toutes prêtes.

Si on l'interrogeait elle-même, il fallait un petit moment pour qu'elle ait le temps de se demander ce qu'elle répondrait si on posait une question sur Natacha.

Et ce petit moment révélait au client qu'elle mentait.

Alors commençaient les exigences.

Mais cela arrivait rarement, presque jamais.

En général, elle devait juste dire qu'on ne l'avait jamais aussi bien baisée. C'était important pour le client. Et la plupart le croyaient.

Tout ce sperme, tous ces poils, tous ces poils dans la gorge et pourtant la tomate avait toujours un goût de tomate, le fromage de fromage, la tomate et le fromage ensemble de tomate et de fromage, même si dans la gorge elle avait toujours des poils. Ça voulait sans doute dire qu'elle était vivante.

Les premières semaines, elle avait regardé des vidéos. On y voyait en boucle Madonna et « Erotica », « Erotica » et Madonna.

Elle était toute seule.

La porte était fermée à clef.

Dans la pièce, il y avait un miroir.

Elle avait essayé de danser devant le miroir, essayé d'imiter les gestes et la voix de Madonna, essayé de toutes ses forces. C'était difficile, même si ses cheveux étaient éclaircis et frisés comme ceux de Madonna. Elle avait du mal à bouger, parce qu'elle avait les muscles endoloris, mais elle avait essayé. Et elle avait essayé de se mettre autour des yeux la même ombre que Madonna. Sa main avait tremblé. Elle avait réessayé. Il lui avait fallu une semaine pour y arriver. Les maquillages allemands étaient bons. Si elle réussissait à se maquiller aussi bien que Madonna, ça ne ferait pas de mal, même si elle n'apprenait pas à danser aussi bien.

Quand Pacha avait estimé que le temps était venu, on avait emmené Zara dans des beuveries. Il y avait là beaucoup d'autres filles, et des hommes de Pacha et des clients, et parmi eux il fallait en apaiser un, la raison n'était pas précisée, toutes les filles avaient pour ordre de le consoler. Le client était bedonnant, dans sa main se balançait un verre de Jim Beam, les glaçons s'entrechoquaient, la musique résonnait, les détergents allemands et l'odeur froide de la vodka flottaient dans l'appartement. D'abord les voix avaient commencé à monter et Zara avait dû apaiser le client, mais alors Pacha avait tambouriné des doigts sur le canapé de cuir comme à son habitude. Après avoir fait cela quelque temps, Pacha s'était levé d'un bond et il avait crié, non mais qu'est-ce qu'il s'imaginait ce type, et de crier tant et plus. Les filles avaient cherché une cachette. Zara avait remarqué qu'un des hommes de Pacha avait mis la main à son arme et plusieurs étaient allés se poster à la porte comme si de rien n'était et Zara avait compris que les hommes s'étaient campés là pour que personne ne puisse sortir. Elle avait fait son possible pour s'éloigner du client aussi discrètement que possible, d'abord à l'angle du canapé, puis de l'autre côté de l'accoudoir et derrière le dossier. Le client ne prêtait plus aucune attention à ses seins mais vociférait son désaccord à Pacha, et Pacha son désaccord au client, et Lavrenti, derrière

Zara, regardait en silence par la fenêtre, alors que par la fenêtre on ne voyait rien du tout, il faisait nuit, et Lavrenti avait rincé son verre, où les gros glaçons s'entrechoquaient. Puis Lavrenti s'était retourné, il s'était approché du client, lui avait posé la main sur l'épaule en lui demandant si c'était là son dernier mot. Le client avait rugi que oui, en frappant son verre sur la table. Lavrenti avait secoué la tête et, tout à coup, il avait brisé la nuque de l'homme. D'un seul geste. Le silence n'avait duré qu'un instant, puis Pacha avait éclaté de rire, et les autres avaient rigolé aussi.

1992, ESTONIE OCCIDENTALE

Le soir venu, la peur rentre à la maison

Aliide entendit un choc familier sur la vitre, mais fit mine de n'avoir rien remarqué, continua comme si de rien n'était, rinçant l'intérieur de la tasse selon son habitude, observant le tourbillon de la crème à la surface du café, penchant la tête en direction de la radio comme s'il en sortait quelque chose d'important. La fille, bien sûr, fut tout de suite terrorisée par le bruit. Son corps tressaillit et ses yeux s'envolèrent vers la vitre, ses cils se déployèrent comme des ailes tandis qu'un tic lui secouait le sourcil gauche, et c'est d'une voix à peine audible qu'elle demanda ce que c'était. Aliide soufflait dans sa tasse, bougeait les lèvres avec les nouvelles, regardait dans le vague en direction de la fille en même temps que celle-ci cherchait dans son visage des signes de ce que le choc pouvait bien signifier. Aliide était imperturbable. Avec un peu de chance, les garçons se contenteraient de ce seul caillou, ce soir.

Il ne fallait pas que la fille relâche son attention, dans ce contexte où elle s'imaginait que son mari la guettait dans la cour. Elle devait rester sur le qui-vive, l'oreille tendue et l'œil ouvert, tout le temps. Aliide reposa sa tasse de café et plaça ses doigts des deux côtés. Elle scruta les lignes de ses mains noircies par la terre, beaucoup plus larges que les entailles de couteau striant la toile cirée, nourries par les miettes de pain et par le sel renversé sur la table.

« C'était quoi ce bruit ?

– J'ai rien entendu. »

Sans faire attention à la réponse d'Aliide, la fille épiait du côté de la fenêtre. Elle avait rabattu le foulard sur sa nuque pour mieux entendre. Son dos était raidi et ses épaules dressées.

La tasse d'Aliide n'avait plus d'anse, il n'en restait que deux moignons agressifs. Elle la tapota avec le pouce. Les lignes de terre sur la peau rebondissaient contre la porcelaine. Les garçons savaient choisir leur moment. En même temps, la fille avait certainement imaginé n'avoir affaire à personne d'autre qu'à son businessman de mari, ou quelque nom qu'on puisse lui donner. Aliide bouillait à nouveau. Les beaux habits, les fastueux hôtels, pour sûr ça leur allait bien, aux Russes, mais quand venait le moment de payer, alors on éclatait en sanglots. Tout a un prix. La protection, c'est pas donné. Aliide avait encore envie de donner une bonne raclée à la fille. Quand on tremble, eh bien on tremble en cachette et de telle sorte que personne ne s'en aperçoive.

« Il y a beaucoup d'animaux, ici. Des sangliers. Si le portail reste ouvert, ils peuvent venir jusque dans la cour. »

La fille tourna vers Aliide un regard ahuri. « Mais je vous ai expliqué, pour mon mari ! »

Un nouveau caillou vola contre la vitre. Une pluie de cailloux.

La fille ouvrit la porte de la cuisine et se faufila dans le vestibule pour écouter. Juste au moment où elle appliquait son oreille sur la fente de la porte d'entrée, un projectile tomba dessus et l'ébranla. La fille bondit en arrière et retourna dans la cuisine.

Il fallait détourner l'attention de la fille. Quand elle était plus jeune, Aliide avait toujours eu réponse à tout, en toutes circonstances, mais voilà que sa tête s'obstinait à rester bloquée sur des sangliers.

Aliide se lava les mains longuement puis commença à changer le lait du champignon de lait, elle essaya de faire comme d'habitude, prit le bocal par terre, retira le couvercle, versa le lait dans une tasse à travers une passoire et rinça les champignons, non sans tenter sa chance encore une fois avec le sanglier, et aussi les chiens et chats errants, même si elle se rendait bien compte de l'absurdité de ses explications. La fille n'y prêta pas attention mais chuchota qu'elle devait partir, maintenant, son mari l'avait trouvée, il avait pris sa proie au piège. Aliide vit comment la fille s'aplatissait comme un vieux chien, les commissures des lèvres raidies, les poils couchés, et la fille plaça sa jambe droite devant la gauche comme si elle avait froid. Aliide versa lentement le lait frais sur les champignons et tendit un verre plein à la fille.

« Ça va te faire du bien, avale ça. »

La fille regarda le verre sans le prendre. Une mouche se posa sur le bord. Le sourcil de la fille tressaillit, les mouvements des oreilles vers la fenêtre se distinguaient nettement, avec l'absence de cheveux.

« Il faut que j'y aille, souffla-t-elle. Qu'ils ne vous fassent pas de mal. »

Aliide porta lentement le verre à ses lèvres, but une grande gorgée, essaya de boire le verre jusqu'au fond, mais elle n'y arriva pas. Sa gorge ne fonctionnait pas. Elle reposa le verre sur la table. Sous la table rampait une araignée, qui disparut dans le sol. Aliide était à peu près sûre que la fille se trompait, mais comment lui expliquer que c'étaient les garçons du village qui venaient chahuter dans sa cour ? La fille voudrait savoir pourquoi, quand, comment et tout ça, et Aliide n'avait pas la moindre intention d'expliquer quoi que ce soit, qui plus est à une inconnue, vu qu'elle n'en parlait même pas à ses connaissances.

Mais la terreur de la fille était tellement vive qu'Aliide la ressentit soudain en elle-même. Bon sang, comment son corps se souvenait-il de cette sensation, et s'en souvenait si bien qu'il était prêt à la partager dès qu'il l'apercevait dans les yeux d'une inconnue ? Et si la fille avait raison ? S'il y avait vraiment une raison de craindre ce que craignait la fille ? Si c'était son mari ? Pour Aliide, la peur était censée appartenir à un temps révolu. Elle l'avait laissée derrière elle et ne s'était pas intéressée le moins du monde aux jets de pierres. Mais maintenant qu'il y avait dans sa cuisine une fille qui dégoulinait de peur par tous les pores sur sa toile cirée, elle était incapable de la chasser de la main comme elle aurait dû le faire, elle la laissait s'insinuer entre le papier peint et la vieille colle, dans les fentes laissées par des photos cachées puis retirées. La peur s'installait là, en faisant comme chez soi. Comme si elle ne s'était jamais absentée. Comme si elle était juste allée se promener quelque part et que, le soir venu, elle rentrait à la maison.

La fille effleura ses cheveux ras, noua le foulard sur sa tête, puisa dans le seau une pleine chope d'eau et se rinça la bouche, cracha l'eau dans le seau à ordures, jeta un œil à son reflet dans la vitre du buffet et alla à l'entrée. Elle avait tiré les épaules en arrière et redressé la tête, exactement comme si elle allait au combat ou si elle se tenait dans les rangs des pionniers. Elle tressaillit du sourcil, prête, maintenant elle était prête. La fille ouvrit la porte à la volée et sortit sur le seuil.

Le silence s'étendait obscurément alentour. La nuit s'épaississait. Zara fit quelques pas et s'arrêta dans la lumière jaune de la lampe de jardin. Les criquets stridulaient, les chiens du voisinage aboyaient. Ça sentait l'automne. Les troncs blancs des bouleaux de la cour transparaissaient dans la pénombre. Les barrières étaient fermées, les champs tranquilles se déployaient entre les fils de fer du grillage.

Elle inspira si profondément qu'elle se fit mal aux poumons. Elle s'était trompée. Le soulagement lui coupa les jambes et elle trébucha sur les marches.

Pas de Pacha, pas de Lavrenti, pas de Volga noire.

Zara tourna son visage vers le ciel. Là, ça devait être la Grande Ourse. La même Grande Ourse qu'on voyait dans le ciel de Vladik, même si celle-ci semblait différente. Dans cette même cour, sa grand-mère avait regardé la Grande Ourse quand elle était jeune, cette Grande Ourse-là, elle s'était tenue au même endroit, devant cette même maison, sur le même gravier, sa grand-mère. Les mêmes bouleaux étaient devant elle et le vent sur ses joues était le même et il remuait les pommiers de la même façon. La grand-mère s'était assise dans la même cuisine qu'elle-même tout à l'heure, réveillée dans la même chambre qu'elle-même ce matin, avait bu l'eau du même puits, était sortie par la même porte. Les pas de la grand-mère avaient foulé la terre de cette cour, c'était de cette cour qu'elle partait pour l'église et dans cette étable que sa vache avait fait la forte tête. L'herbe qui chatouillait le pied de Zara était la caresse de sa grand-mère, le vent dans les pommiers était le chuchotement de sa grand-mère, et Zara avait l'impression de regarder les étoiles par les yeux de sa grand-mère, et quand elle rebaissa le visage, il lui sembla que le jeune corps de sa grand-mère se tenait à l'intérieur du sien, en quête d'une histoire qu'on ne lui avait pas racontée.

Zara vérifia sa poche. La photo était à sa place.

Dès que la fille était sortie, Aliide avait claqué les portes et poussé les verrous, elle était allée s'asseoir à sa place à la table de la cuisine et elle avait entrouvert le tiroir dissimulé sous la toile cirée, juste assez pour pouvoir en extraire rapidement le pistolet. Elle le gardait dans ce tiroir depuis que Martin avait fait d'elle une veuve. Il n'y avait pas un bruit dans la cour. Peut-être la fille était-elle partie pour de bon ? Aliide attendit une minute, deux, trois. Cinq. L'horloge faisait tic-tac, le vent mugissait, les murs craquaient, le frigo ronronnait et dehors l'air humide dévorait le chaume du toit, une souris grattait dans un coin. Le temps s'écoula en zigzags pendant dix minutes, puis on entendit appeler et frapper à la porte. C'était la voix de la fille, qui demandait qu'on lui ouvre et disait qu'il n'y avait personne, seulement elle. Peut-être le type était-il aux aguets derrière le dos de la fille ? Peut-être s'était-il seulement débrouillé pour régler son affaire avec la fille sans qu'on ait entendu leurs voix ?

Aliide se leva, passa dans l'étable par la porte du garde-manger, longea les abreuvoirs et les mangeoires vides jusqu'à la grande porte, dont elle entrouvrit prudemment l'un des deux battants. Il n'y avait personne dans la cour. Elle poussa encore un peu la porte et vit la fille toute seule sur le perron ; elle retourna alors à la cuisine et laissa rentrer la fille. Le soulagement s'engouffra dans la pièce. Le dos de la fille s'était redressé et ses oreilles s'étaient détendues. Elle respirait calmement, à profondes bouffées. Pourquoi était-elle restée si longtemps dans la cour, dès lors qu'elle avait bien vu que son mari n'y était pas ? La fille répéta qu'il n'y avait personne dehors. Aliide versa à la fille une tasse d'ersatz frais et lança du même coup une discussion sur l'obtention du thé, décida d'entraîner les pensées de la fille aussi loin que possible des cailloux et des fenêtres. Aujourd'hui on pouvait quand même se procurer du thé. La fille acquiesça. C'était plus difficile, il n'y avait pas si longtemps. La fille acquiesça de nouveau. Encore qu'on pouvait le remplacer par du thé de framboise et de menthe et autres, assurément on ne manquait pas d'ingrédients à infuser, dans le pays. Au milieu de son radotage, Aliide se rendit compte que la fille recommençait cependant à poser des questions sur les voyous, et comme la fille était maintenant plus calme, elle ne se contenterait plus des balbutiements d'Aliide sur les sangliers. À quel point sa tête était-elle effritée, pour qu'elle ne trouve même plus d'explication crédible aux bruits bizarres à la fenêtre ? La peur d'Aliide avait desserré son emprise, mais Aliide sentait toujours son haleine : elle soufflait du froid sur ses jambes par les fissures du sol par où elle s'était écoulée. Aliide n'avait pas peur des voyous, aussi ne comprenait-elle pas pourquoi la terreur qui avait saisi la fille n'avait pas disparu à l'instant où celle-ci était rentrée d'un pas léger en rapportant avec elle le parfum apaisant de l'herbe. Il lui sembla soudain qu'elle entendait la lune avancer dans le ciel. Elle se rendit compte que cette pensée était complètement absurde, saisit sa tasse et serra les moignons d'anse, si fort que ses doigts ressemblèrent bientôt à des os.

La fille buvait son infusion et regardait Aliide. Un peu différemment d'avant. Aliide le sentit, même si elle ne regardait pas la fille en face, mais elle continua de se lamenter sur les conséquences de la prohibition sous Gorbi et évoqua comment avec du thé on faisait un produit enivrant en mettant beaucoup de sachets de thé dans un seul verre. Cette boisson avait un nom, d'ailleurs, mais elle ne s'en souvenait plus, à l'armée ça se faisait sans doute beaucoup, et en prison. On avait même réussi à oublier le thé de champignon, dans tous ces bouleversements ! Tout en se plaignant, Aliide empoigna le bocal de verre de l'époque de l'Estonie où elle conservait le champignon de thé, retira la gaze de l'ouverture du bocal, contempla le rejeton qui avait poussé à côté du champignon et sucra le thé frais pour le verser dans le bocal.

« Ça aide à réguler la tension artérielle, expliqua-t-elle.

– *Tibla*, rétorqua la fille.

– Quoi ?

– *Tibla.*

– Alors là je ne te comprends pas du tout. »

La fille affirma avoir lu sur la porte d'Aliide « *tibla* », « sale Russe ». Et « Magadan ».

Voilà qui était nouveau pour Aliide.

« C'est les gosses qui jouent », tenta soudain Aliide, mais l'explication n'avait pas l'air de passer. Aliide essaya encore que, dans sa jeunesse, alors qu'elle faisait la lessive au bord de l'eau en crépitant du battoir, les garçons l'avaient mitraillée de cailloux. Ils l'avaient appelée comme ça en « jouant au fantôme », et ça les avait beaucoup amusés.

La fille n'écouta pas et demanda si Aliide venait de Russie.

« Quoi ? Mais non ! »

Selon la fille, on aurait facilement pu l'imaginer, vu que sur la porte d'Aliide était écrit « sale Russe » et « Magadan ». Ou bien Aliide avait été en Sibérie ?

« Non !

– Alors pourquoi écrire "Magadan" sur votre porte ?

– Qu'est-ce que j'en sais ! Depuis quand il faudrait que les jeux des gosses aient un sens ?

– Vous n'avez pas un chien, ici ? Tous les autres en ont. »

En fait Aliide avait eu un chien, Hiisu, mais il était mort. Et à vrai dire Aliide était sûre que Hiisu avait été empoisonné, comme les poules, toutes les cinq, et puis le sauna avait brûlé, mais ça elle ne le raconterait pas à la fille, ni qu'il lui arrivait encore d'entendre les pas de Hiisu, le caquètement des poules, qu'il était impossible de se rappeler qu'à la maison il n'y avait plus d'autres créatures à nourrir qu'elle-même et les mouches. Aliide n'avait jamais habité dans une maison dont l'étable était vide. Elle ne pouvait tout simplement pas s'y faire. Aliide voulait ramener la conversation sur Pacha, mais elle n'y arrivait pas, cette fille avait tellement de questions, suivies d'une exclamation : la fille d'Aliide ne se faisait-elle pas de souci pour sa mère seule et sans chien à la campagne ?

« Je ne vais pas commencer à la déranger pour des broutilles.

– Mais… »

Aliide sortit remplir le seau à eau, l'émail faisant un bruit sourd, le seau grinçant bruyamment. Sa tête se dressa dans une position de défi : elle voulait montrer, en allant chercher de l'eau, qu'il n'y avait aucune menace à craindre de l'extérieur et que sur le mur noir de la nuit n'apparaissaient pas d'yeux inattendus. Et qu'elle n'aurait pas de frissons dans le dos dans la cour obscure.

1991, Estonie occidentale

Après les cailloux, les chansons

La première pluie de cailloux vola sur la fenêtre d'Aliide par une nuit de mai au souffle clair. L'aboiement de Hiisu l'avait déjà réveillée et, fatiguée, elle avait rabattu la peur dans un coin comme une mouche qui traîne la patte. Elle tourna son flanc et son dos à la peur, la paille du matelas bruissait, elle n'allait pas se donner la peine de se lever pour deux trois cailloux. Quand la deuxième averse de cailloux crépita, elle se sentit déjà développer un sentiment de supériorité. Imaginaient-ils l'effrayer avec quelques cailloux ? Elle. Elle, entre tous. De pareils enfantillages, ça la faisait rigoler. Il fallait une artillerie autrement plus lourde, pour lui faire peur. Elle ne se lèverait la nuit que si les tanks venaient dans sa cour en arrachant la clôture. On ne sait jamais, ça pourrait bien arriver, et sûrement pas à l'initiative de ces petits voyous, mais si la guerre éclatait. Cela elle ne le souhaitait pas, plus, pas maintenant, elle voulait mourir d'abord. Elle savait que beaucoup s'étaient préparés à cette perspective et avaient rassemblé chez eux des réserves pour toutes les éventualités : des allumettes, du sel, des bougies, des piles. Et une cuisine sur deux était pleine de tranches de pain mises à sécher. Aliide devrait en faire davantage elle aussi, et se procurer des piles, elle n'en avait plus beaucoup en stock. Et quand bien même la guerre éclaterait, et que les Russes l'emportaient, ce qui ne faisait aucun doute… Alors elle n'avait pas trop de souci à se faire, la vieille babouchka rouge qu'elle était. Mais quand même, pas de guerre, pourvu qu'il n'y ait plus de guerre.

Aliide surveilla le grognement de Hiisu et quand le chien se fut un peu calmé elle se mit à attendre le matin et l'heure du café. Elle n'allait pas se lever à cause d'eux au beau milieu de la nuit. Pas la peine d'y penser ! Elle ne partirait pas d'ici, même si l'étable était vide et elle toute seule à la maison, pas en Finlande chez Talvi, nulle part. C'était ici qu'elle était chez elle, dans cette maison qu'elle avait payée cher, et c'était pas une petite bande de lanceurs de cailloux qui la délogerait. Elle n'était pas partie avant, et ce n'était pas maintenant qu'elle partirait, même morte. On aura beau lui mettre le feu à la maison, elle restera assise sur sa chaise dans la cuisine et boira du café avec du miel maison. Elle fera encore signe de la main par la fenêtre et apportera un plat de brioche maison au pied du portail, et elle retournera à l'intérieur quand le chaume du toit s'enflammera. Plus vite ça se passera, mieux ce sera. Et soudain elle sentit le clair ruisseau printanier de l'expectative. C'était ce qu'ils allaient faire. Ils mettraient le feu à toute la maison. La maîtresse d'une étable vide n'a pas peur du feu. Elle était prête à partir, c'était le bon moment. Qu'ils brûlent tout ! L'impatience lui asséchait la bouche, elle se lécha les lèvres, bondit du lit et alla à la fenêtre, l'ouvrit à grand fracas et cria au-dehors :

« La Sibérie, c'est pour les gens comme vous ! Ça vous ferait le plus grand bien ! »

Après les premiers cailloux, vinrent les chansons. Les cailloux et les chansons. Ou bien juste des cailloux, ou juste des chansons. Puis Hiisu disparut, et puis les poules et le sauna. Les nuits d'insomnie se succédaient au chevet d'Aliide, les jours de fatigue et de torticolis attendaient derrière. La paix obtenue pendant la dernière décennie s'était effilochée instantanément en un tas de lambeaux, et même ce monticule de chiffons il fallait encore le justifier, avoir encore la force. *Le temps est revenu de se tenir droit et de se délivrer des chaînes de l'esclavage**, entendit-elle chuchoter à sa fenêtre, la fenêtre de la chambre. Elle était couchée sur son lit sans bouger. Le dos droit, les épaules rigides. Elle fixait la tapisserie, sans tourner la tête vers la fenêtre ni fermer les rideaux. Qu'ils braillent ce qu'il leur plaira, qu'ils chantent leurs rengaines de morveux, qu'ils dansent même sur son toit : bientôt viendraient les tanks, et ils écraseraient leurs chansonnettes à la con !

Le pays, le pays de nos pères, c'est un pays sacré, qui maintenant sera libre. Le chant, notre chant victorieux, il continue de retentir, et bientôt vous verrez une Estonie libre !*

Il y a quelques années, c'était en 1988, un groupe de jeunes avait traversé le village en chantant à tue-tête *Être estonien, c'est ma fierté, libre comme mon grand-père**. Une voix à peine pubère avait crié *Je suis estonien et je resterai estonien, comme j'ai été créé estonien**, et les autres avaient ri, quelqu'un aux cheveux longs avait secoué la tête fièrement. Aliide venait de sortir de la boutique, le bruit d'os du boulier résonnait encore jusqu'au perron, les gonds de la porte faisaient un grincement famélique, et elle s'était arrêtée pour resserrer son foulard, elle avait posé ses caisses de pain par terre. En entendant les premiers vers, elle s'était repliée derrière le coin de la boutique, elle avait laissé passer le groupe, en les suivant du regard. L'irritation avait été si forte qu'elle en avait oublié les caisses de pain au coin de la boutique, elle s'en était rendu compte seulement à mi-chemin de la maison. Comment osaient-ils ? Quel culot ! Qu'est-ce qui leur passait par la tête ? Ou bien ses sourcils froncés et sa poitrine palpitante ne couvraient-ils que de la jalousie ?

La voix qui chantait derrière la fenêtre était jeune, un peu semblable à celle qu'avait eue jadis son beau-frère, Hans, à l'époque de la République d'Estonie, la première fois qu'elle avait vu Hans. Quand les chansons de Hans retentissaient encore. Quand le corps fringant de Hans, du haut de ses deux mètres, n'était pas encore voûté, ses os ne voulaient pas fléchir, mais il le fallait, il fallait laisser les joues se creuser et se taire la belle voix. Qu'il continue donc de chanter, ce morveux ! Aliide écouterait volontiers. Et elle penserait à Hans, au beau Hans. Aliide sourit dans le noir. Hans avait même été dans une chorale. Oh, comme il chantait magnifiquement, Hans ! Pendant les travaux des champs, les jours d'été, quand Hans rentrait à la maison, son chant arrivait toujours avant lui et faisait vibrer d'une joie pure les saules pleureurs du chemin de la cour, et les troncs des pommiers fredonnaient en cadence. La sœur en était si fière, de son mari ! Et fière, la sœur Ingel l'était aussi du fait que Hans, pendant son service, avait été affecté à la garde du *Riigikogu*, le Parlement estonien. On n'y prenait que de bons sportifs et des gars endurants. Et Hans aussi en était fier : un simple paysan, et on l'avait affecté à la garde du *Riigikogu* !

1991, ESTONIE OCCIDENTALE

Trouvant la broche d'Ingel, Aliide est saisie d'épouvante

Voldemar, un vieil ami de son mari Martin, vint au village quand quelques mois se furent écoulés après la proclamation de l'indépendance. L'aboiement de Hiisu anticipa largement son arrivée. Aliide sortit dans la cour, Hiisu courait sur le chemin, et entre les pieux grisâtres de la clôture apparut un homme maigre, non moins grisâtre, qui poussait son vélo vers la maison d'Aliide. Sa bouche ratatinée étincelait de l'or volé jadis. Les rides avaient aspiré ses joues à l'intérieur de la boîte crânienne, comme s'il avait le visage étroitement ligoté. Avant, Volli avait toujours été en tête, il avait toujours voulu être le premier en tout. Aliide se rappelait bien comment Volli, avec son gros ventre et sa large mâchoire, doublait toutes les files d'attente en bombant son torse de vétéran. La colère bouillonnait soudain dans les yeux de ceux qui faisaient la queue depuis le petit matin, et elle s'en prenait aux jambes de Volli. Elle n'atteignait jamais les bottes de Volli, quelque longue que fût la queue, car la jambe de Volli n'était pas encore affaiblie, mais forte et bien en chair, et en un instant il passait la porte de n'importe quelle boutique en laissant derrière lui le flot visqueux de la colère. Après Volli et compagnie, au comptoir, il ne restait plus que des miettes. Chaque fois qu'elle se trouvait dans une queue qui se faisait doubler par Volli, Aliide se fondait dans la masse, de peur qu'il la remarque et la salue, pour que personne dans la queue ne sache qu'elle connaissait cet homme. Aliide ne voulait pas que les yeux des gens se tournent vers elle, le salut de Volli lui aurait valu de se faire rejeter de la file à coups de coude dans les flancs ; dans les flancs bien nourris de Volli, ils n'auraient pas pu donner des coups.

À présent, Aliide recevait Volli avec enthousiasme et lui servait une tasse d'ersatz et ils papotaient de choses et d'autres. Puis Volli dit qu'il allait peut-être devoir aller au tribunal.

La frayeur était si intense qu'Aliide cessa d'y voir pendant un instant.

« Ils inventent toutes sortes de mensonges. Peut-être qu'on va venir vous interroger aussi. »

Volli était sérieux. Tout cela devait être déjà fini, un passé révolu. Pourquoi venaient-ils tourmenter des personnes âgées ?

« Nous n'avons tous fait qu'obéir aux ordres. Nous étions des gens bien. Et maintenant, tout à coup, on nous accuse, je ne comprends pas cela », Volli secouait la tête, et il commença à aboyer sur Eltsine et l'ingratitude des jeunes d'aujourd'hui à l'égard de ce pays qu'ils avaient bien construit. « Maintenant tout est rationné : c'est bien, ça, peut-être ? »

Aliide ferma les oreilles aux plaintes de Volli. Il allait encore falloir arranger quelque chose, inventer un nouveau projet, encore un autre, même si on n'en pouvait plus, plus du tout.

Volli prit congé. Aliide examina l'homme. Les mains de l'homme tremblaient, il s'était agrippé à la tasse de café des deux mains et dans ces deux mains Aliide vit la peur, non pas dans sa mine devenue grisâtre, non pas dans son visage fripé, seulement dans ses mains. Ou bien peut-être quand même aussi derrière la bouche, à la commissure des lèvres, qu'il essuyait tout le temps avec un mouchoir, et qu'il tapotait de ses doigts osseux tremblotants. Aliide eut des frissons. Cet homme était faible, à présent, et il lui inspirait de l'irritation et une envie de lui donner des coups de pied, une bonne raclée, de faire claquer un bâton sur son dos et ses flancs – ou bien non, un sac de sable, pour ne pas laisser de traces. De quoi mettre les tripes en purée, ce serait pour Volli un instrument familier, un véritable ami de longue date, salut vieille branche ! Une vision fugitive passa dans l'esprit d'Aliide : Volli étendu par terre, tremblotant, se protégeant la tête, gémissant et implorant grâce, quel spectacle délicieux, dans le pantalon de Volli se répandrait une tache humide et le sac de sable se soulèverait encore et toujours et martèlerait complètement son corps fragile et répugnant, bleuirait ses yeux mouillés, broierait ses os poreux, mais la cerise sur le gâteau, ce serait cette tache sur son pantalon, et ses cris, les cris de l'animal qui va mourir.

Essoufflée par sa vision, Aliide soupira. Volli hocha la tête et soupira avec elle : « Voilà où on en arrive. »

Aliide promit de venir témoigner pour Volli, si l'affaire de la justice arrivait. Même si elle n'irait pas, bien sûr.

Elle ferma le portail quand Volli fut parti avec son vélo et elle agita la main derrière lui.

Après Volli, il en viendrait d'autres, avec le même problème. Cela ne faisait aucun doute. Ils la considéreraient comme une alliée et ils imploreraient sa collaboration. Aliide les entendait d'ici : elle allait devoir faire des déclarations, raconter aux journaux, elle qui avait toujours été une si bonne oratrice, et comme on fait toujours plus confiance aux femmes dans ce genre d'affaires, voilà ce qu'ils diraient, et ils évoqueraient la mémoire de Martin, et comment Aliide avait pris part elle aussi à la construction de ce pays, et comment on essayait de traîner leur honneur dans la boue aussi effrontément, et en même temps la mémoire de tous les soldats morts et vétérans ! Qui sait encore de qui ils évoqueraient la mémoire et l'honneur, et puis ils péroreraient sur le fait qu'en Union soviétique on n'aurait jamais permis de laisser la mémoire des héros de la patrie partir en coupons de macaronis.

Aliide n'irait jamais nulle part parler de quoi que ce soit sur cette époque. Elle ne partirait pas, même sous la menace.

Aliide avait du mal croire à de grands remous, car il y avait beaucoup trop de squelettes dans les placards, et ces pattes poisseuses ne mettraient guère de zèle à fouiller les vieux. En plus, on trouverait toujours quelqu'un pour les protéger si le peuple fanatique s'enflammait en émeutes. On les avait déjà traités de saboteurs et on les avait mis en taule pour réfléchir à ce qui avait été commis. Les jeunes nigauds, qu'imaginaient-ils obtenir en remuant des broutilles ? C'est bien connu, les vieux meubles sont pleins d'échardes : gare à ceux qui s'y frottent.

Quand Volli fut hors de vue, Aliide alla dans la chambre et ouvrit un tiroir de la commode. Elle sortit les papiers et les tria. Puis le deuxième tiroir. Puis le troisième. Elle parcourut chaque tiroir, passa à l'autre commode, assaillit les tiroirs du bas de l'armoire, se rappela encore le compartiment secret de la table et le fouilla aussi. Le meuble à radio. Les étagères du trumeau. Les vieux sacs à main. Les papiers peints pendouillants, derrière lesquels quelque chose se glissait parfois. Les boîtes à bonbons en fer-blanc piquées de rouille. Les piles de journaux jaunis, d'entre lesquels tombaient des mouches mortes. Martin avait-il eu d'autres cachettes ? Aliide essuya les toiles d'araignées attrapées dans ses cheveux. Elle ne trouvait rien d'accablant : à la place, toutes sortes de saletés surgissaient de tous les recoins. Les papiers du parti et les diplômes allèrent dans le poêle, de même que l'insigne de pionnière de Talvi. Et la pile d'exemplaires de la revue mensuelle *Aide au propagandiste**, que Martin lisait avec avidité : *En 1960, pour 10 000 habitants il n'y avait que neuf médecins en Angleterre, aux États-Unis seulement douze, mais en Estonie soviétique, vingt-deux ! En Géorgie soviétique, trente-deux ! Avant la guerre en Albanie il n'y avait pas de jardins d'enfants, mais maintenant il y en a trois cents ! Nous avons exigé une vie heureuse pour tous les enfants du monde ! Et quels vaillants soldats nous avons là !*

La vue des années et la mention « *Éditions d'agit-prop du CC du PCE** » imprimée sous le titre du journal firent retentir dans la tête d'Aliide le trémolo passionné de la voix de Martin. *La société socialiste fournit les meilleures conditions au développement du savoir, au développement de l'agriculture, à la conquête de l'espace !* Aliide secoua la tête, mais la voix de Martin n'en sortit pas. *Le monde capitaliste n'arrivera pas à s'aligner sur notre niveau de vie qui avance comme un ouragan ! Le monde capitaliste tombera à genoux et disparaîtra !* Et des chiffres à l'infini, combien d'acier on avait produit de plus que l'année précédente, de combien on avait dépassé tel ou tel quota, comment le plan annuel avait été réalisé en un mois, en avant, toujours en avant, toujours davantage, plus, de plus grandes victoires, les plus grands profits, victoire, victoire, victoire ! Martin ne disait jamais « peut-être ». Il ne pouvait pas douter, parce qu'il n'en laissait pas la possibilité dans ses paroles. Il ne parlait que de vérités.

Il y avait tellement d'ordures qu'Aliide devait attendre que la fournée précédente ait fini de brûler avant d'en remettre dans le poêle. Les vieux papiers lui tachaient les mains. Aliide se les lava jusqu'aux coudes, mais elles furent encore barbouillées dès qu'elle saisit le journal suivant. Des années du *Communiste* *estonien** à n'en plus finir. Et puis tous les volumes sur abonnement : *Expériences de travail idéologique dans le raïon de Viljandi* de K. Raave, *Analyse de l'efficacité de l'élevage de bétail productif dans les kolkhozes* de R. Hagelberg, *De l'éducation communiste des écoliers* de Nadejda Kroupskaïa. La pile glacée d'un optimisme révolu grossissait devant le poêle. Elle aurait pu tout brûler petit à petit, utiliser les livres comme allume-feu, mais il lui semblait important d'en débarrasser son esprit au plus vite. Il aurait été plus judicieux de se consacrer à chercher quelque chose qui pourrait être utilisé contre elle. Martin était un homme qui avait toujours su assurer ses arrières, si bien qu'il y avait certainement quelque chose. Malgré cela, la pile d'ordures devant le feu énervait trop Aliide.

Quand elle eut déchiré et brûlé des livres pendant plusieurs jours, Aliide alla chercher l'échelle dans l'écurie et elle réussit à la trimballer sur le côté de la maison, alors qu'elle pesait lourd et qu'elle étirait son bras vers le sol. Hiisu se précipita derrière un avion de guerre qui volait bas, il ne s'y était jamais habitué et il essayait de les attraper, plusieurs fois par jour, en aboyant en pleine rage. Hiisu disparut derrière la remise et Aliide appuya l'échelle contre le mur de la maison. Elle n'était pas allée de ce côté du grenier depuis des années. La pagaille y était à son comble, les recoins pleins de phrases embarrassantes et de thèses étouffantes.

L'odeur du grenier. Une bouffée de toiles d'araignées et un étrange parfum de nostalgie. Aliide renoua son foulard sous le menton et reprit sa marche. Elle laissa la porte ouverte et habitua ses yeux à la pénombre en même temps qu'elle épiait superficiellement à travers les piles d'affaires. Par où commencer ? La moitié du grenier au-dessus de l'habitation était pleine de tout ce qui est possible : des rouets, des navettes, des embauchoirs de cordonnier, de vieux paniers à pommes de terre, un métier à tisser, des vélos, des jouets, des skis, des bâtons de ski, des cadres de fenêtre, une machine à coudre mécanique, une Singer, que Martin avait emportée de force au grenier, alors qu'Aliide voulait la garder dans la chambre parce qu'elle marchait bien. Les femmes du village s'était cramponnées à leurs Singer, et si on devait en acheter une nouvelle, on choisissait de préférence un modèle mécanique, on ne sait jamais ce qui peut arriver, des fois qu'il n'y ait plus d'électricité. Martin ne se mettait pas souvent en colère, ni ne faisait de reproches à sa femme au sujet des affaires domestiques, mais la Singer était partie et Martin l'avait remplacée par une Tchaïka russe à alimentation électrique. Alors Aliide avait surmonté l'incident en se disant que Martin était peut-être juste dégoûté par les affaires de l'époque de l'Estonie et qu'il avait voulu qu'ils donnent l'exemple et prouvent leur confiance dans la machine russe. Mais de tous les objets de l'époque de l'Estonie, la Singer était le seul dont Martin avait voulu se séparer. Pourquoi précisément la Singer, pourquoi la Singer et rien d'autre ? *Prends-moi, j'ai des lèvres intactes ; prends-moi, j'ai ma virginité. Prends-moi, j'ai une machine Singer ; prends-moi, j'ai une table de ping-pong**. Qui avait bien pu chanter une chanson pareille ? En tout cas, personne ici. Dans la tête d'Aliide, le chant des jeunes voix se mêlait au halètement de Martin des décennies plus tôt, lorsqu'il avait trimballé la Singer par l'échelle du grenier. Où Aliide avait-elle entendu cette chanson ? C'était à Tallinn, quand elle s'était rendue chez sa cousine. Qu'est-ce qu'elle avait à faire là-bas ? Aller chez le dentiste ? C'était la seule raison possible. La cousine l'avait amenée en ville et elles avaient croisé un groupe d'étudiants qui chantaient *Prends-moi, j'ai une machine Singer**. Et le groupe avait rigolé avec tant de légèreté. Ils avaient tout devant eux, l'avenir menant le groupe en bouillonnant, les filles en minijupe et bottes vernies. Les foulards de gaze miroitaient dans les cheveux ou autour du cou. La cousine s'était étonnée gentiment de la longueur des jupes, mais les foulards étaient similaires à celui qu'elle-même avait sur la tête. Soi-disant à la mode, le foulard de gaze. L'allure des jeunes était pleine de possibilités. Son avenir à elle était déjà derrière elle. La chanson avait résonné dans ses oreilles pendant des jours, non, des semaines. Elle s'était mélangée au lait qui giclait dans le seau et à la boue sous les semelles des chaussures en caoutchouc, aux bruits de pas tandis qu'elle longeait le champ du kolkhoze et qu'elle regardait le zèle que mettait Martin pour faire prospérer l'exploitation, pour l'avenir, qui passait sur le cœur d'Aliide comme de lourds chariots, des écrous bien serrés, des muscles stakhanovistes, implacables, infaillibles.

Aliide rebraqua la lampe de poche sur la machine à coudre. *L'ami Singer, l'ami sincère.* Elle se souvenait bien de ces publicités dans le magazine *Fermière**, dans une vie antérieure. Sous le plateau de la Singer se trouvait un tiroir plein de bricoles sans intérêt, de l'huile de machine à coudre et des brosses, des aiguilles cassées et des bouts de ruban. Elle se mit à quatre pattes et regarda le plateau par en dessous. Les clous y étaient plus petits que les autres clous de la table. Elle observa la machine, puis descendit prudemment l'échelle, alla chercher une hache dans la cuisine et remonta au grenier. La hache vint facilement à bout de la machine à coudre.

Au milieu des débris apparut un sachet. La vieille blague à tabac de Martin. Dedans, il y avait de vieilles pièces de monnaie en or et des dents en or. Une montre en or, sur laquelle était gravé le nom de Theodor Kruus. La broche d'Ingel, qui avait disparu la nuit dans la cave de la mairie.

Aliide s'assit par terre.

Martin n'y était pas. Pas Martin.

Même si la tête d'Aliide était alors complètement couverte et qu'elle n'avait rien vu, elle se rappelait encore chaque voix de la cave de la mairie, chaque odeur, la façon de marcher de chaque homme. Aucune de toutes celles-là n'appartenait à Martin. Et c'est pourquoi elle avait choisi Martin.

Alors comment Martin avait-il pu avoir la broche d'Ingel ?

Le lendemain, Aliide prit le vélo et partit sur la route forestière. À une distance convenable, elle laissa le vélo sur le bas-côté, alla vers le marais et y lança le sac, le lança en une grande courbe.

1992, ESTONIE OCCIDENTALE

La voiture de Pacha est un peu plus proche à chaque instant

Zara nettoyait les dernières framboises de l'année, retirait une larve et enlevait les fruits complètement mangés par les vers, coupait ceux qui étaient à moitié bons et recueillait la partie saine dans un plat. En même temps, elle cherchait un moyen de continuer d'interroger Aliide au sujet des cailloux qui avaient volé sur la vitre, et de *tibla* sur la porte. Zara avait d'abord eu peur d'être elle-même désignée par ce *tibla*, mais même sa raison vacillante lui soufflait que Pacha et Lavrenti ne s'adonneraient pas à ce genre de blague. C'était destiné à Aliide – mais pourquoi tourmentait-on ainsi une vieille dame ? Comment Aliide pouvait-elle rester aussi calme dans une situation pareille ? La bonne femme faisait du bruit au fourneau comme si de rien n'était, elle fredonnait, même, tout en approuvant d'un hochement de tête le plat de fraises de Zara, et bientôt la main de Zara rencontra un bol d'écume de confiture qu'Aliide avait puisée dans la casserole. Talvi, paraît-il, en réclamait toujours en premier. Zara commença à vider le bol docilement. L'excès de sucre de l'écume lui fit mal aux dents. Les vers qui gigotaient sur les framboises dans la cuve des rebuts donnaient vie aux fleurs d'émail. Aliide était anormalement calme, elle s'assit à côté du fourneau sur un tabouret pour surveiller ses mixtures, la canne était appuyée contre le mur, la tapette à mouches reposait sur ses genoux et elle en claquait de temps en temps d'occasionnels diptères. Les caoutchoucs brillaient, malgré la pénombre de la cuisine. L'odeur sucrée émanant des casseroles se mélangeait au céleri mis à sécher et à l'odeur âcre de la sueur suscitée par la chaleur de la cuisine. Elle embrouillait le cerveau de Zara. Le foulard à moitié tombé sur la nuque portait l'odeur d'Aliide. C'était lourd à respirer. De nouvelles questions se bousculaient sans cesse, avant même qu'elle ait le temps d'obtenir des réponses aux premières. Comment Aliide Truu habitait-elle dans cette maison, que voulaient dire ces cailloux jetés sur la vitre, Talvi aurait-elle le temps d'arriver avant Pacha ? Zara trépignait d'impatience. Elle avait la bouche pâteuse. Aliide n'avait pas été très loquace, depuis qu'elle avait expliqué à Zara les raisons du graffiti sur la porte et de la pluie de cailloux, et c'était pénible. Comme ramener Aliide à de simples bavardages sur la pluie et le beau temps ? La hausse des prix, c'était un sujet qu'Aliide avait pris à cœur, peut-être faudrait-il la faire parler de ça. Était-ce un sujet assez sûr ? Combien coûtaient les œufs, de nos jours, ou les os à soupe ? Et le sucre ? Aliide avait ronchonné qu'il faudrait sans doute se remettre à cultiver la betterave à sucre, par les temps qui courent. Mais que pourrait demander Zara à ce sujet ? Au cours de l'année précédente, elle avait oublié tout ce qui ressemblait de près ou de loin à des relations sociales normales, comment faire connaissance avec les gens, comment faire la conversation, et elle ne trouvait même pas une transition idiote pour venir à bout du silence. En plus, le temps passait, et la sérénité d'Aliide l'inquiétait. Et si cette femme était folle ? Peut-être que les pierres et les vitres n'avaient rien à voir avec Zara, peut-être qu'elle devrait seulement agir vite et sans détour. Les pépins de framboises coincés entre les dents crissaient près des gencives. Ils donnaient un goût de sang. L'horloge faisait un tic-tac métallique, le feu consumait une bûche après l'autre, les framboises diminuaient dans les paniers, Aliide recueillait l'écume et les vers qui remontaient à la surface avec une méticulosité névrotique, et Pacha approchait. À chaque instant, Pacha était un peu plus près. La voiture de Pacha ne tomberait pas en panne, la voiture de Pacha ne serait pas à court d'essence, la voiture de Pacha ne se ferait pas voler, il n'arriverait pas à Pacha le genre d'affaires qui peuvent retarder le voyage du commun des mortels, parce que les soucis de l'homme ordinaire ne le touchaient pas et parce qu'il arrivait toujours à ses fins. Rien ne pouvait influer sur la mauvaise veine de Pacha, parce qu'il n'en avait pas. Il avait la veine de l'argent et c'était toujours de la bonne veine, Pacha approchait inéluctablement.

L'œil de Zara ne trouvait rien, dans cette maison, à quoi s'agripper : pas de vieilles photos, pas de livres avec des dédicaces. Il fallait trouver autre chose.

La photo attendait dans la poche de Zara.

Quand Aliide sortit chercher des couvercles de bocaux dans le garde-manger, Zara décida de passer à l'action.

1991, Berlin

La photo que Zara tient de sa grand-mère

Sur la photo, deux jeunes filles étaient assises côte à côte et regardaient fixement l'objectif, sans oser lui sourire. Leurs robes qui tombaient sur les hanches étaient un peu bizarres. L'ourlet de l'une des filles était plus haut à droite qu'à gauche. Peut-être qu'il était froncé derrière. L'autre se tenait bien droite, la poitrine haute et la taille svelte. Elle avait mis fièrement l'une de ses jambes par-devant, de telle sorte que son galbe gracieux, enveloppé d'un bas noir, ressorte sur la photo. Sur le haut de sa robe, il y avait un insigne, un trèfle à quatre feuilles. On ne le distinguait pas sur la photo, mais Zara savait que c'était l'insigne des Jeunesses rurales, car sa grand-mère le lui avait raconté. Et tandis que Zara observait maintenant la photo, elle remarqua quelque chose qui lui avait échappé jusque-là : les visages des filles avaient quelque chose de très innocent, et cette innocence rayonnait de leurs joues rondes jusqu'à elle, si bien qu'elle se sentit gênée. Peut-être qu'elle n'avait pas remarqué cela auparavant parce qu'elle-même avait alors le même air, la même innocence, mais à présent qu'elle l'avait perdu, elle le reconnaissait sur les filles de la photo. L'air d'avant de connaître la réalité. L'air du temps où il y avait encore un avenir, où tout était encore possible.

La grand-mère avait donné la photo à Zara avant le voyage de celle-ci en Allemagne. Au cas où il lui arriverait quelque chose. Il peut toujours arriver toutes sortes de choses aux personnes âgées, et dans ce cas la photo finirait à la poubelle avant même le retour de Zara. Zara avait essayé d'échapper à ce genre de discours, mais la grand-mère n'en avait pas démordu, selon sa mère tout ce qui était vieux n'était que de la saleté vouée à la destruction, si bien qu'elle ne conserverait pas de vieilles photos. Zara avait hoché la tête – elle connaissait sa mère, pour ça –, elle avait accepté la photo et elle en avait pris soin, même quand c'était pratiquement impossible, et elle en prendrait encore soin par la suite, même si tout le reste de ses biens était détruit et que chaque vêtement qui restait sur elle était à Pacha, elle prendrait soin de la photo, même si sur son corps il n'y avait plus rien à elle, même si toutes ses fonctions corporelles étaient dépendantes de Pacha, même si elle ne pouvait aller aux W.-C. que selon le bon vouloir de Pacha et qu'elle ne pouvait pas avoir de protection périodique, de coton, rien, parce que autrement, d'après Pacha, elle coûterait trop cher.

En plus de la photo, la grand-mère lui avait remis une carte sur laquelle elle avait écrit l'adresse de sa maison natale, avec le nom du village et de la maison. La maison des Tamm. Des fois que Zara, dans son grand voyage autour du monde, passerait par l'Estonie. L'idée avait étonné Zara, mais pour la grand-mère c'était évident.

« L'Allemagne, c'est à côté de l'Estonie ! Tu vas aller là-bas, maintenant que tu peux y aller si facilement. »

Le regard de la grand-mère s'était illuminé quand Zara avait raconté son intention d'aller travailler en Allemagne. La mère ne s'y était pas intéressée le moins du monde, elle ne s'intéressait à rien, mais ces projets lui déplaisaient particulièrement, elle voyait l'Ouest comme un endroit dangereux. La perspective d'un gros salaire ne l'avait pas fait changer d'avis. La grand-mère non plus ne s'était pas souciée des considérations financières de Zara, mais elle avait exigé que Zara, avec cet argent, se rende en Estonie.

« Zara, rappelle-toi. Tu n'es pas une Russe, tu es une Estonienne. Tu achèteras des champignons au marché, et tu nous les enverras ! Je veux des fleurs estoniennes à la fenêtre ! »

Derrière la photo, on pouvait lire « Pour Aliide, de la part de ta sœur ». Sur la carte, la grand-mère avait écrit aussi le nom d'Aliide Truu. Personne n'avait encore jamais parlé à Zara d'une Aliide Truu.

« Grand-mère, c'est qui, Aliide Truu ?

– C'est ma sœur. Ma petite sœur. Ou "c'était". Elle doit être déjà morte. Tu pourras demander Aliide Truu. Si quelqu'un la connaît.

– Pourquoi tu n'as jamais dit que tu avais une sœur ?

– Aliide s'est mariée et elle a déménagé tôt. Et puis la guerre est arrivée. Et nous nous sommes installées ici. Mais il faut que tu ailles voir la maison. Ensuite tu me raconteras qui y vit et à quoi elle ressemble maintenant. Je t'ai déjà dit comment elle était. »

Quand la mère avait raccompagné sa fille à la porte, le dernier jour, Zara avait posé sa valise par terre et elle avait demandé à sa mère pourquoi elle ne lui avait jamais parlé de sa tante.

Cette fois, la mère avait répondu.

« Je n'ai pas de tante. »

1992, Estonie occidentale

Les histoires des voleurs, ça intéresse les autres voleurs

Quand Aliide alla dans le garde-manger, Zara tira la photo de sa poche et attendit. Il faudrait bien qu'Aliide ait une réaction, qu'elle dise quelque chose, raconte quelque chose, n'importe quoi. Il faudrait bien que quelque chose se passe, quand Aliide verrait la photo. Le cœur de Zara battait fort. Mais quand Aliide fut revenue dans la cuisine et que Zara eut brandi la photo devant elle en soufflant qu'elle était tombée d'entre le buffet et le mur, si ce n'est d'une fissure du papier peint, rien dans la mine de la femme ne trahit qu'elle connaissait les filles de la photo.

« Qui est-ce ?

– Il est écrit : "Pour Aliide, de la part de ta sœur."

– Je n'ai pas de sœur. »

Aliide mit la radio plus fort. Il y avait là les derniers mots de la lettre ouverte d'un communiste déçu, et on était en train de passer à un autre point de vue.

« Donne-moi ça. »

La voix autoritaire poussa Zara à tendre la photo à Aliide, qui la lui arracha rapidement.

« Comment s'appelle-t-elle ? » demanda Zara.

Aliide monta encore le son.

« Comment s'appelle-t-elle ? répéta Zara.

– Quoi ?

... *Quand on ne peut pas donner de lait ni de bonbons à nos enfants, comment deviendront-ils des personnes robustes ? Allons-nous leur apprendre à ne manger que des salades d'orties et de pissenlits ? Je prie de tout mon cœur pour que notre pays...*

– Des ennemies du peuple, voilà comment on appelait ces femmes-là, à l'époque.

... *ait assez de pain, mais aussi de bien plus que du pain...*

– Votre sœur ?

– Quoi ? Une voleuse et une traîtresse, oui. »

Zara baissa la radio.

Aliide ne la regardait pas en face. Le mécontentement s'entendait à son souffle.

« Une méchante, donc. Méchante comment ? Qu'est-ce qu'elle a fait ?

– Elle a volé le kolkhoze, et elle s'est fait prendre.

– Elle a volé des céréales ?

– Elle a agi comme agit un exploiteur. Elle a volé le peuple.

– Pourquoi elle n'a pas volé quelque chose de plus grande valeur ? »

Aliide remonta le son de la radio.

« Vous ne lui avez pas demandé ?

– Demandé quoi ?

... *au fil des siècles, dans nos gènes a été programmée une âme d'esclave, qui ne reconnaît que la force et l'argent, alors maintenant il ne faut pas s'étonner...*

– Pourquoi elle a volé des céréales.

– Vous ne savez pas, vous autres à Vladivostok, comment on fait de l'eau-de-vie ?

– Pour moi, ça ressemble seulement à un acte motivé par la faim. »

Aliide mit la radio à fond.

... pour la paix domestique, nous devrions solliciter la protection d'un grand État, par exemple l'Allemagne. Seule une dictature pourrait mettre un terme aux intrigues politiques actuelles de l'Estonie et redresser l'économie...

« Alors vous n'avez jamais eu faim, bien sûr, puisque vous n'avez jamais volé de céréales. »

Aliide écoutait la radio, fredonnait par-dessus, et elle prit des oignons blancs pour les éplucher. Les pelures commencèrent à tomber sur la photo. Sous la photo, il y avait un journal, *La gazette de Nelli**. Le logo à la une, une silhouette noire de vieille femme, restait visible. Zara arracha du mur la prise de la radio. Les ronrons du frigo rongeaient le silence, les morceaux d'oignons blancs crépitaient dans le récipient, la prise dans la main de Zara était brûlante.

« Tu n'aurais pas le temps de te calmer et de t'asseoir ?

– Où est-ce qu'elle a volé ?

– Dans ce champ. On le voit de cette fenêtre. Qu'est-ce qu'il y a de si intéressant dans les affaires de voleurs ?

– Mais il appartient à cette maison. Ce champ.

– Non, au kolkhoze.

– Mais avant.

– C'était une maison de fascistes.

– Vous étiez une fasciste ?

– J'étais une bonne communiste, moi. Pourquoi la fillette ne s'assied pas ? Chez nous les visiteurs s'assoient quand on leur demande, ou sinon ils s'en vont.

– Puisque vous n'étiez pas une fasciste, alors quand est-ce que vous avez emménagé ?

– Je suis née ici. Remets la radio.

– Maintenant je comprends. Votre sœur a donc volé dans vos propres champs.

– Les champs du kolkhoze ! Remets cette radio, ma fille. Chez nous, les visiteurs ne se comportent pas comme les maîtres. Peut-être que chez vous on n'est pas au fait des coutumes différentes.

– Pardon. Je ne voulais pas être insolente. C'est juste que je commence à m'intéresser à l'histoire de votre sœur. Qu'est-ce qui lui est arrivé ?

– Elle s'est fait emmener. Pourquoi ça t'intéresse, une histoire de voleurs ? Les histoires de voleurs, ça intéresse les autres voleurs.

– Où on l'a emmenée ?

– Là où on emmenait les ennemis du peuple.

– Et après ?

– Quoi, après ? »

Aliide se leva, tapota Zara plus longuement avec sa canne et alla remettre la prise de la radio dans le mur.

... L'âme de l'esclave attend quand même le fouet, et ne crache pas non plus sur les prianik[1] *au passage...*

« Qu'est-ce qui s'est passé après ? »

La photo se recouvrit de pelures d'oignons. La radio était si forte que les pelures sautaient.

« Comment ça se fait que vous êtes ici alors que votre sœur a été déportée ? Elle ne vous avait pas rendue suspecte ? »

Aliide sembla ne pas avoir entendu, et elle cria : « Remets du bois dans le poêle !

1. Pain d'épice russe.

– Ou bien vous aviez de bons antécédents ? Vous étiez un si bon membre du parti ? »

Les pelures d'oignons approchèrent du bord de la table, il en voltigea par terre. Aliide se leva de table, se mit à lancer des bûchettes dans le foyer. Zara baissa la radio et resta plantée devant.

« Alors vous étiez donc une si bonne camarade ?

– J'étais bonne, et mon mari aussi, Martin. Il était organisateur du parti. D'une vieille lignée communiste estonienne, pas de ces petits spéculateurs qui sont venus ensuite. On a reçu des médailles. Des diplômes. »

Le cri précipité par-dessus la radio avait laissé Zara bouche bée, elle appuya sur sa poitrine pour la ramener au calme, défit les boutons de sa blouse ; elle ne reconnaissait pas, dans la femme qui se tenait devant elle, celle qui tout à l'heure jacassait jovialement de tout et de rien. Cette femme était froide et dure, on ne pouvait rien en tirer.

« Je pense que tu devrais aller te coucher, maintenant. Demain il faudra réfléchir à ce qu'on fait au sujet de ton mari, si tant est que tu te rappelles encore de ce problème. »

Sous la couverture, dans la chambre de devant, Zara haletait toujours. Aliide avait identifié sa grand-mère.

Sa grand-mère n'était ni une voleuse ni une fasciste. Ou bien si ?

Dans la cuisine, on entendit s'abattre la tapette à mouches.

Deuxième partie

Sept millions d'années
à entendre les discours du führer, les mêmes
sept millions d'années
à voir la floraison des pommiers

Paul-Eerik Rummo

juin 1949

Pour une Estonie libre !

J'ai ici le bol d'Ingel. J'aurais voulu aussi l'oreiller, mais Liide ne me l'a pas donné. Elle a encore essayé de se faire belle, de s'arranger les cheveux de la même façon qu'Ingel. Peut-être qu'elle veut juste me faire plaisir, mais ça ne me fait pas plaisir, ça fait moche. Mais je ne peux pas le lui dire méchamment, elle qui me fait à manger et tout. Et si elle se fâche, elle ne me laissera pas sortir d'ici. Elle ne monte pas quand elle est en colère, simplement elle ne me laisse pas sortir, ou ne m'apporte pas à manger. La dernière fois, j'ai eu faim pendant deux jours. Que je lui demande la chemise de nuit d'Ingel, c'est sans doute ça qui l'a énervée. Il n'y a plus de pain.

Quand elle me laisse sortir, j'essaye de lui faire plaisir, je bavarde de choses agréables et je la fais un peu rire, je fais l'éloge de sa nourriture, elle adore ça. La semaine dernière elle avait fait un gâteau avec six œufs. Je n'ai pas demandé comment elle avait pu dépenser une telle quantité d'œufs, mais elle voulait savoir si le gâteau n'était pas meilleur que ceux que faisait Ingel. Je n'ai pas répondu. Maintenant j'essayerai de trouver quelque chose de gentil à dire.

Je suis étendu ici avec mon Walther et mon couteau à côté de moi. Je me demande ce qui retient les Anglais.

Hans fils d'Eerik Pekk, paysan estonien

1936-1939, Estonie occidentale

Aliide avale un lilas à cinq pétales et tombe amoureuse

Le dimanche, après l'église, Aliide et Ingel avaient l'habitude d'aller se promener au cimetière pour rencontrer des connaissances et reluquer les garçons, minauder aussi loin que le permettaient les limites de la décence. À l'église, elles étaient assises toujours aussi impatiemment à côté de la tombe de la princesse Augusta de Koluvere, faisaient des moulinets avec leurs chevilles en attendant de pouvoir aller se montrer dans le cimetière, présenter leurs chevilles revêtues de noirs bas de soie à la mode et onéreux, marcher le plus mignonnement possible, belles et prêtes à faire des clins d'œil aux fiancés potentiels. Ingel portait les cheveux tressés et enroulés en couronne sur la tête. Aliide, plus jeune, avait laissé la tresse sur sa nuque. Ce matin-là, elle avait dit qu'elle se couperait les cheveux. Elle avait vu des filles de la ville avec de *charmantes*[1] boucles électriques, pour deux couronnes on pouvait en

1. En français dans le texte.

avoir, mais Ingel s'était horrifiée et avait dit qu'en tout cas leur mère ne voudrait jamais en entendre parler.

Cette matinée, pour quelque raison, était particulièrement légère, et les lilas particulièrement entêtants. Aliide se sentait adulte, et en se pinçant les joues devant le miroir elle avait été tout à fait sûre que cet été se produirait quelque chose de merveilleux pour elle aussi, autrement elle n'aurait pas trouvé une fleur de lilas qui avait cinq pétales. Un tel présage ne peut pas se tromper, d'autant qu'elle avait solennellement avalé la fleur.

Quand la foule enfin sortait de l'église en bourdonnant, les filles pouvaient aller se promener dans le cimetière sous les sapins, les fougères leur balayaient les jambes, les écureuils galopaient sur les branches, cependant que grinçait le puits du cimetière. Plus loin croassaient les corneilles – que présageaient-elles pour les fiancés ? Ingel fredonnait, *croaa, croaa, lesquels feront la paire**, un avenir radieux tombait du ciel et la vie était belle. L'expectative des années à venir jubilait sous sa poitrine ainsi qu'il arrive généralement aux jeunes filles.

Les sœurs avaient à peine eu le temps de faire le tour du cimetière tout en chuchotant entre elles et en s'arrêtant de-ci de-là pour papoter avec des connaissances, quand la robe de soie d'Aliide se prit dans une volute de fer de la clôture d'une tombe, et elle se pencha pour la détacher. Alors elle vit un homme du côté des tombes allemandes, lui à côté du muret, les saules, le soleil et les mousses du muret, une lumière claire, un rire clair. L'homme riait avec quelqu'un, se baissait vers ses lacets défaits et continuait de parler, tournait le visage vers son ami tout en renouant ses lacets, se relevait aussi souplement qu'il s'était baissé. Aliide oublia sa robe et se redressa sans avoir détaché l'ourlet. Le bruit de la soie qui se déchirait la rappela à la réalité et elle détacha le tissu, secoua les traces de rouille de ses mains. Dieu merci, l'accroc était petit. Peut-être qu'on ne le remarquerait pas. Peut-être qu'*il* ne le remarquerait pas. Aliide lissa ses cheveux, sans les toucher avec les mains. *Regarde.* Aliide se mordit les lèvres pour les rendre rouges. Elles pourraient tout naturellement faire demi-tour, repasser devant le muret. *Regarde par ici.*

Regarde-moi. L'homme finit sa conversation et se tourna vers elles, et à cet instant précis Ingel se retournait pour regarder ce qui plaisait à Aliide, et à ce même instant le soleil atteignit la couronne de cheveux de la sœur et – *non, non ! regarde-moi !* – Ingel redressa son cou à sa manière et ainsi elle faisait penser à un cygne, leva le menton, et ils se virent, l'homme et Ingel. Aliide sut tout de suite qu'elle, l'homme ne la verrait jamais, quand elle vit comment il cessait de parler, comment sa main qui avait pris un étui à cigarettes dans la poche arrêtait son geste, comment il restait au milieu d'un mot à regarder Ingel et comment le couvercle de l'étui scintillait comme un couteau dans sa main. Ingel s'approcha d'Aliide, le regard fixé sur l'homme, la peau de la clavicule luisait, du creux du cou émanait une invitation. Sans jeter un regard à sa sœur, elle l'attrapa par la main et l'entraîna vers le muret, où l'homme se tenait interdit, et alors son ami aussi remarqua que l'homme ne l'écoutait pas, que la main qui tenait l'étui à cigarettes s'était arrêtée vers le bas des côtes, puis l'ami de l'homme vit Ingel, qui tirait Aliide par la main, alors qu'Aliide essayait à chaque pas de résister, de chercher un appui sur les pierres tombales, une racine à laquelle se retenir. Le talon de sa chaussure se fichait dans la terre à chaque pas, mais la terre cédait, les racines cédaient, les sapins ployaient, l'herbe glissait, les pierres roulaient devant les pieds d'Aliide et une mouche d'été vola dans la bouche d'Aliide et elle ne put pas l'en retirer parce que Ingel ne voulait pas s'arrêter, il fallait avancer, Ingel tirait et tirait et le sentier était vide et menait tout droit au muret, et Aliide voyait la mine vide de l'homme, hors du temps et de l'espace, et sentait les pas excités d'Ingel et la pression autour de ses doigts. Le pouls de la sœur battait contre la main d'Aliide en même temps que de son visage s'écoulaient toutes les vieilles mimiques bien connues, et la sœur les lâchait derrière elle, elles claquaient au visage d'Aliide qui venait derrière, en lambeaux mouillés et salés elles s'accrochaient à ses joues, une partie volait autour d'elle comme des fantômes, déjà dans le passé, et la fossette d'Ingel, creusée par les rires du matin avec Aliide, apparut fugitivement avant de s'envoler. En arrivant au muret, la sœur était devenue étrangère à Aliide, une nouvelle Ingel, quelqu'un qui ne raconterait plus ses secrets seulement à Aliide, qui n'irait plus dans le parc boire de l'eau de Seltz avec Aliide, mais avec quelqu'un d'autre. Une nouvelle Ingel, qui appartiendrait à quelqu'un d'autre, dont les pensées et le rire retentiraient pour quelqu'un d'autre, pour celui à qui elle-même voulait appartenir. Pour celui dont Aliide aurait voulu sentir la peau, dont elle aurait voulu mélanger la chaleur du corps avec la sienne. À celui qui aurait dû regarder Aliide, la voir et se pétrifier sur place en la voyant, c'était à cause d'elle que la main qui sortait de la poche l'étui à cigarettes en argent aurait dû s'arrêter à mi-chemin. Mais c'était Ingel que les reflets tranchants de l'étui détachaient de la vie d'Aliide.

La voisine Aino accourut près du muret. Elle connaissait l'ami de l'homme et elle leur présenta les sœurs. Les saules bruissaient. L'homme n'eut pas un regard pour Aliide, même en la saluant.

Sur l'étui à cigarettes, les trois lions de l'Estonie miroitaient au soleil en riant.

Encore Ingel. Ingel avait toujours tout obtenu et il en serait toujours ainsi, car Dieu n'en finissait pas de se moquer d'Aliide. Il ne suffisait pas qu'Ingel se rappelle toutes les petites astuces qu'elle tenait de sa mère, qu'elle lave la vaisselle avec l'eau de cuisson des pommes de terre pour la faire briller. Il ne suffisait pas qu'Ingel se souvienne des conseils, contrairement à Aliide, qui laissait les assiettes grasses après les avoir lavées. Non, Ingel savait tout sans même apprendre. Depuis sa première traite, Ingel trayait les vaches de telle sorte que le lait dans le seau moussait par-dessus bord, les pas d'Ingel dans le champ n'avaient pas leur pareil pour faire pousser les céréales. Cela non plus ne suffisait pas. Il fallait encore qu'Ingel obtienne l'homme qu'Aliide avait vu la première. Le seul qu'Aliide aurait voulu.

Il aurait été raisonnable qu'Aliide reçoive au moins quelque chose, que sa vie maladroite reçoive au moins l'homme qu'elle voulait, cela aurait été juste, au moins cette fois, car depuis sa naissance elle voyait que le lait tiré par Ingel n'avait même pas besoin d'être filtré, tellement Ingel faisait tout proprement et gagnait haut la main les concours de traite des Jeunesses rurales. Aliide avait constaté que les lois de la terre ne touchaient pas Ingel, que les poils de vache et les cheveux n'atteignaient pas le seau d'Ingel et qu'à son front n'éclosaient pas de boutons. La sueur d'Ingel sentait la violette et les règles ne faisaient pas gonfler sa taille svelte. Les moustiques ne laissaient pas d'enflures sur sa peau claire et les chenilles ne grignotaient pas ses têtes de choux. Ses confitures étaient épargnées par la pourriture et sa choucroute tenait la route. Les fruits de ses mains étaient toujours bénis, l'insigne du club des Jeunesses rurales qui étincelait sur sa poitrine était le plus brillant de tous et son trèfle à quatre feuilles restait sans égratignure, tandis que la petite sœur perdait toujours le sien, ce qui conduisait d'abord la mère à secouer la tête, pour laisser tomber ensuite les hochements de tête, parce que la mère comprenait que ça ne changeait rien qu'elle lui fasse les gros yeux ou non.

Et il ne suffisait pas qu'Ingel obtienne le seul homme, Hans, qui avait su arrêter le cœur d'Aliide, non, cela non plus ne suffisait pas, mais la beauté admirée d'Ingel et son sourire céleste, après la rencontre de Hans, se mirent à prendre un teint rose encore plus divin, encore plus éblouissant. Ils éclairaient même par les nuits pluvieuses toute la cour de la ferme et saturaient la remise de sa sœur, si bien qu'il n'y avait plus assez d'air pour Aliide, qui se réveillait la nuit à court d'oxygène, et qui devait aller ouvrir la porte de la remise en vacillant. Et cela ne suffisait pas non plus, et les épreuves d'Aliide augmentaient, même si cela paraissait impossible, elles augmentaient, parce que Ingel ne pouvait pas garder ses pensées pour elle, et il fallait qu'elle parle de Hans sans arrêt, Hans ceci et Hans cela. Et Ingel demandait encore à Aliide d'observer Hans attentivement, ses regards et ses gestes, étaient-ils suffisamment aimants, regardait-il les autres ou bien n'avait-il d'yeux que pour Ingel, que signifiait ceci et cela que Hans avait dit, que signifiait le bleuet tendu à Ingel, était-ce un signe d'amour, d'amour pour elle seule ? Et oui, oui, c'était cela ! Hans marchait derrière l'odeur d'Ingel comme un chien en mal d'affection.

Gargouillements, roucoulements et roucoulades planaient sur la ferme à telle allure que dans l'année même fut présentée sur la table la bouteille d'eau-de-vie rougeâtre de la demande en mariage. Puis vint le temps du mariage, et le trousseau d'Ingel fut gavé comme une oie, Ingel passait ses soirées à virevolter tout autour et les filles à s'affairer dans leurs travaux de plumes en gloussant, et puis c'était déjà la nouvelle lune, qui apportait le bonheur et la santé au jeune couple. Les noces ici et les noces là et les jeunes mariés à l'église et retour. La foule attendait, la voilette flottait et Aliide dansait dans ses bas de soie noirs et racontait à qui voulait l'entendre combien elle était heureuse pour sa sœur et de recevoir enfin le jeune maître à la maison ! Les gants blancs de Hans luisaient, et même s'il invitait Aliide pour une danse, il ne regardait qu'Ingel derrière elle, tournait la tête avec elle partout où apparaissait le voile de la mariée.

Hans et Ingel ensemble dans le champ. Ingel qui court à la rencontre de Hans. Hans qui cueille des brins d'herbe dans les cheveux d'Ingel. Hans qui saisit Ingel par la taille et fait tourner sa jeune épouse dans la cour. Ingel qui court derrière l'écurie, Hans qui court après Ingel, on rit on glousse on s'esclaffe. D'un jour d'une semaine d'une année à l'autre. Hans qui arrache sa chemise et les mains d'Ingel qui courent sur la peau de Hans, Ingel qui verse de l'eau sur le dos de Hans, les orteils de Hans qui se recroquevillent de plaisir quand Ingel lui lave les cheveux. Conversations, chuchotements, silencieux va-et-vient nocturnes du lit. Bruissements de la paille du matelas et grincements du sommier. Bercements et gloussements. Soupirs. Gémissements étouffés dans l'oreiller et geignements assourdis de la main. La chaleur moite rayonnait à travers le mur jusqu'au lit torturé d'Aliide. Puis le silence, après lequel Hans ouvrait la fenêtre sur la nuit d'été, s'appuyait au cadre sans chemise et fumait une *papirossa*, dont l'extrémité luisait dans l'obscurité. Si Aliide allait tout contre la fenêtre, elle la voyait, ainsi que la main veineuse, aux longs doigts, qui tenait la *papirossa*, et qui faisait tomber les cendres dans la platebande d'œillets.

1939, ESTONIE OCCIDENTALE

Les corneilles de la vieille Kreel se taisent

Aliide alla rencontrer Maria Kreel à sa métairie. Le mauvais œil et les forces vitales de la vieille Kreel étaient déjà célèbres avant la naissance d'Aliide, et Aliide ne doutait pas des capacités de la femme.

La visite était embarrassante du fait que Maria Kreel voyait des choses et qu'Aliide ne voulait justement pas la mettre au courant de son supplice, mais dans les situations désespérées il n'y avait pas d'autre choix que d'aller voir Kreel.

La vieille Kreel était assise sur le banc de la cour avec ses chats et elle lui dit qu'elle l'attendait.

« Maria Kreel sait-elle de quoi il est question ?

– Un garçon blond, jeune et beau. »

La bouche édentée suçotait un bout de pain.

Aliide posa un pot de miel sur les marches. Au montant du portail pendaient des bottes de plantes médicinales, à côté desquelles une corneille était aux aguets. Aliide s'en effraya : quand elle était enfant, on lui avait fait peur en lui disant que les corneilles étaient des êtres humains ensorcelés. Elles croassaient déjà en volée dans la cour de Kreel la première fois qu'elle y était allée, quand son père s'était donné un coup de hache à la jambe. La vieille avait ordonné aux autres de sortir, elle-même restant à l'intérieur avec le père. Même dans la cuisine, les enfants se seraient sentis mal à l'aise, ça empestait et le nez d'Aliide s'était bouché. Sur la table, il y avait un gros bocal d'asticots pour les blessures.

La corneille s'envola derrière le banc de la cour dans le murmure des feuillages et la vieille lui adressa un hochement de tête comme pour la saluer. Le soleil resplendissait, mais dans la cour de Kreel il commençait à faire froid. Par la porte ouverte, on voyait la cuisine sombre. Dans le vestibule, il y avait une pile d'oreillers. Les taies d'oreillers blanches luisaient. Leurs bordures de dentelle se tortillaient entre ombre et lumière. Des oreillers funéraires. Maria Kreel les collectionnait.

« Il y a eu de la visite, ici ?

– Il y a toujours de la visite, la salle est pleine. »

Aliide s'éloigna de la porte.

« Le temps des foins risque de mal tourner, continua la vieille en se mettant un nouveau morceau de pain dans la bouche. Mais ça doit pas vous intéresser. Aliide a entendu ce que disent les corneilles ? »

Aliide eut peur. La vieille dit en ricanant que les corneilles étaient silencieuses depuis plusieurs jours, et la vieille avait raison ; Aliide cherchait du regard d'autres oiseaux, il y avait bien assez de volatiles, mais il n'en sortait pas le moindre son. Derrière la maisonnette on entendait miauler le matou de la vieille, une chatte en chaleur qui beuglait, et la vieille cria vers elle. Aussitôt, la chatte fut à côté de la canne de la vieille à tournoyer et la vieille la poussa vers Aliide.

« C'est comme ça », dit la vieille, et entre ses paupières chassieuses elle lorgna Aliide, laquelle se sentit rougir. « C'est tout ce qu'il y a. Par les temps qui courent, même les corneilles se taisent, mais la chatte en chaleur, rien ne la fait taire. »

Qu'entendait-elle au juste, la vieille, par « les temps qui courent » ? Le climat était-il en train de tourner, allait-il venir une mauvaise récolte et une famine, ou bien parlait-elle de la Russie ? Ou de la vie d'Aliide ? Quelque chose allait-il arriver à Hans ? Le chat tournoyait contre la jambe d'Aliide et elle se pencha pour le caresser. Il poussa sa tête sur le dos de la main d'Aliide et Aliide retira sa main. La vieille rit. C'était un rire triste, qui savait et se taisait tout à la fois. La main d'Aliide picota. Tout son corps picota comme si elle avait dans sa chair des brins d'herbe qui essayaient de lui crever la peau, et son esprit possédé se demandait en chuchotant comment elle avait pu s'en aller chez Kreel ce soir-là, laissant Hans et Ingel en tête-à-tête à la maison. Le père était en visite chez les voisins avec la mère, et elle, elle était ici. Quand elle rentrerait à la maison, Hans sentirait deux fois plus l'homme et Ingel deux fois plus la femme, comme toujours après leurs moments intimes, et cette seule pensée ne faisait que démanger Aliide de plus belle.

Aliide fit passer son poids d'une jambe sur l'autre, Maria Kreel se leva, alla à l'intérieur et ferma la porte derrière elle. Aliide ne savait pas si elle devait partir ou l'attendre ici, mais la vieille reparut bientôt avec un flacon de verre brun à la main, une moue retroussée aux commissures des lèvres. Aliide prit le flacon. Quand elle eut fermé le portail, la vieille cria derrière elle :

« Ce garçon a le cœur noir.

– Est-ce que je peux…

– Tantôt oui, tantôt non.

– Vous ne voyez rien d'autre ?

– Ma petite fille, dans la terre du désespoir poussent de mauvaises fleurs. »

Aliide quitta en courant la métairie Kreel, les mocassins filaient à grands pas et le verre du flacon donné par la bonne femme se réchauffait dans sa main, mais ses doigts étaient exsangues de froid. Aucune puissance ne pouvait-elle mettre un terme au tambourinement de douleur dans la poitrine d'Aliide ?

Dans la cour de la maison gloussait Ingel, qui allait chercher de l'eau au puits, sa tresse s'était défaite et ses joues rougissaient, elle était en jupon.

Sur le lit d'Aliide attendait le roman *Les fleurs du merisier* de Tuglas ; sur le lit d'Ingel, l'homme. Pourquoi tout était-il si injuste ?

Aliide n'eut pas le temps d'expérimenter l'effet de la boisson de Kreel. Il aurait fallu la mélanger à du café, mais le lendemain matin Ingel avait arrêté de boire son café et elle était sortie en courant pour vomir. Voilà que c'était déjà arrivé, ce que devait empêcher le flacon de Kreel. Ingel attendait un enfant.

1939-1944, ESTONIE OCCIDENTALE

Le tumulte du front se change en parfum de sirop

Quand les Germano-Baltes furent appelés en Allemagne à l'automne 1939, une amie d'école et de catéchisme des sœurs, qui était germano-balte, vint prendre congé et leur promit de revenir. Elle irait seulement faire un tour dans ce pays qu'elle n'avait jamais vu, et puis elle reviendrait leur raconter à quoi ressemblait vraiment l'Allemagne. On fit des adieux de la main et Aliide regarda en même temps les bras de Hans, qui s'enroulaient autour de la taille d'Ingel pour la conduire bientôt derrière l'écurie. Leur roucoulement s'entendait dans la cour principale et Aliide pressait les dents sur sa main. Les images de la taille gonflée d'Ingel et du corps de Hans emmêlé à Ingel tourmentaient Aliide sans interruption, de jour comme de nuit, en rêve et en veille, et l'empêchaient de voir et d'entendre rien d'autre. Aucun d'eux trois ne prêtait attention au fait que les fronts des aînés se creusaient de rides tourmentées, qui ne s'en allaient pas, mais s'approfondissaient, au fait que le père des sœurs observait les couchers de soleil, les examinait tous les soirs au bord du champ, fumait la pipe et fixait l'horizon en cherchant des signes, scrutait les feuilles de l'érable, soupirait auprès d'elles, du journal et de la radio, et s'en retournait toujours écouter les oiseaux.

En 1940, l'enfant naquit, Linda, et la tête d'Aliide faillit éclater. Hans portait sa fille, le bonheur scintillait dans les yeux d'Ingel, les larmes dans ceux d'Aliide, ceux du père se perdaient sous les rides du front et il commença à stocker de l'essence et changea ses espèces en argent et en or. En ville, on voyait des files d'attente, pour la première fois des files d'attente dans tout le pays, et le sucre disparaissait des boutiques. Hans ne s'enflammait pas pour Aliide, bien qu'elle eût déjà réussi par trois fois à instiller de son sang dans la nourriture de Hans, une fois même la quantité versée pendant un mois entier. La prochaine fois, elle essayerait de pisser. Maria Kreel avait dit que parfois c'était plus efficace.

Hans commença à avoir des conversations à voix basse, en cachette, avec son père. Peut-être qu'ils ne voulaient pas inquiéter les femmes de la famille et c'est pourquoi ils ne parlaient pas devant les femmes des signes d'inquiétude qui se multipliaient, ou peut-être qu'ils en parlaient mais qu'aucune des deux sœurs ne prêtait attention à leurs paroles. Le front ridé du père ne préoccupait pas les sœurs, parce que le père était un vieillard, un homme d'un ancien monde, qui avait peur de la guerre. Les enfants de l'Estonie libre ne se sentaient pas concernés par ces choses-là. Ils n'avaient commis aucun crime – qu'est-ce qui pourrait bien les menacer ? Dès que les troupes soviétiques se furent déployées dans tout le pays estonien, ils craignirent que leur propre avenir aussi puisse être en danger. Quand elle berçait son enfant, Ingel s'épanchait auprès d'Aliide, comme quoi Hans la tenait désormais plus fermement, comme quoi Hans dormait à côté d'elle de telle sorte qu'il lui serrait le bras toute la nuit et ne la relâchait pas même quand il s'endormait, ce qu'Ingel trouvait étrange ; il la serrait comme s'il craignait qu'elle ne disparaisse de ses bras pendant la nuit. Aliide écoutait les soucis d'Ingel, bien que chaque syllabe la piquât au plus profond de son être. En même temps elle sentait pourtant combien sa propre jalousie relâchait un peu sa prise, et cédait la place à autre chose : la peur pour Hans.

Aucune des deux femmes ne put plus esquiver la vérité quand elles allèrent dans la ville à moitié déserte et entendirent l'orchestre de l'armée rouge jouer des marches soviétiques. Hans n'était pas avec elles, parce qu'il n'osait plus venir en ville et qu'il n'aurait pas voulu que les sœurs y aillent non plus. D'abord, Hans se retira pour dormir dans la petite pièce derrière la cuisine, puis il y passa aussi les journées, et pour finir il alla dans la forêt et il y resta.

Un éclat de rire incrédule se répandit de ville en ville, de village en village. Les slogans *Nous nous battons pour la cause du grand Staline* et *Nous éradiquons l'illettrisme* déclenchèrent une immense hilarité, personne ne pouvait nous crier des choses pareilles sans plaisanter ! C'étaient de véritables blagues, les femmes d'officiers qui titubaient en chemise de nuit à frange dans les villages, dans les bals et dans les rues, et puis les soldats de l'armée rouge, qui épluchaient les pommes de terre bouillies avec les ongles, comme s'ils ne savaient pas se servir d'un couteau ! Qui prendrait au sérieux des gens pareils ? Mais ensuite, des gens commencèrent à disparaître, et le rire se fit amer. Des anecdotes commencèrent à circuler comme des prières, lorsque les massacres et les déportations de femmes, d'hommes et d'enfants furent mis en pratique. Le père d'Aliide et d'Ingel fut arrêté sur la route du village, la mère disparut purement et simplement, et les filles, en rentrant chez elles, trouvèrent la maison vide et crièrent comme des animaux. Le chien continuait d'attendre son maître, il hurla son chagrin au portail jusqu'à ce qu'il en meure. Dehors, on n'osait pas bouger, le sol croulait sous les lamentations, et chaque tombe creusée dans la terre d'Estonie s'enfonçait de tous côtés en présageant davantage de morts dans la famille. Le tumulte du front traversait le pays dans tous les recoins et chaque recoin appelait à son secours Jésus, l'Allemagne et les anciens dieux.

Aliide et Ingel dormirent dorénavant dans le même lit avec une hache sous l'oreiller : ce serait bientôt leur tour. Aliide aurait voulu partir se cacher, mais la seule chose qu'elle ait pu cacher était le vélo d'Ingel, de marque Dollar, qui portait une image de drapeau américain. Ingel, au contraire, disait qu'une femme estonienne n'abandonne pas sa maison ni ses animaux, quoi qu'il arrive, que viennent à l'intérieur une capote et un fusil ou même tout un bataillon. En vérité, elle leur montrerait quelle était la fierté de la femme estonienne. Aussi l'une des deux sœurs veillait-elle quand l'autre dormait, la Bible et un crucifix montaient la garde sur la table de chevet, et dans ces longues nuits Aliide fixait tantôt l'obscurité rougeoyante et tantôt la tête phosphorescente d'Ingel, et elle se demandait si elle devrait s'enfuir toute seule. Peut-être même qu'elle l'aurait fait si Hans ne lui avait pas donné un devoir avant son départ : protège Ingel, tu en es capable. Aliide ne pourrait pas trahir la confiance de Hans, il fallait qu'elle en soit digne. C'est pourquoi elle se mit à suivre d'un œil attentif et d'une oreille vive les nouvelles de guerre en provenance de Finlande ainsi que le faisait Hans auparavant. Ingel, de son côté, refusait de lire les journaux, elle se fiait à la prière et aux vers de Juhan Liiv : *Ô Patrie ! Avec toi je suis malheureux, plus malheureux encore sans toi* !*

« Et si on partait, tant qu'on le peut encore ? suggéra prudemment Aliide.

– Où ? Linda est trop petite.

– Je ne suis pas tout à fait sûre de la Finlande. D'après Hans, la Suède serait certainement mieux.

– Qu'est-ce que tu sais des opinions de Hans ?

– Hans pourrait nous rejoindre.

– Il est hors de question que je quitte la maison. Bientôt le vent tournera, l'Ouest va venir à notre aide. Sûr, on va tenir le coup jusque-là. Tu as vraiment très peu de foi, Liide. »

Ingel avait raison. Elles tinrent le coup, le pays tint le coup, et le libérateur arriva. Les Allemands marchèrent dans le pays, repoussèrent du ciel la fumée des maisons en feu, le nettoyèrent pour lui rendre sa couleur bleue, la terre se fit plus noire, les nuages plus blancs. Hans put rentrer à la maison, et lorsque leur cauchemar se termina, un autre commença. Les communistes pâlirent et, comme il n'y avait plus d'autre moyen de transport, ils s'enfuirent à toutes jambes, mais Hans brida un cheval et partit fièrement récupérer en ville le fanion des Jeunesses rurales, la Coupe du Semeur, la comptabilité et d'autres papiers qu'il avait fallu emporter là-bas après que l'organisation avait été interdite suite à l'arrivée des rouges. De la ville, Hans rentra avec de grands airs. Là-bas, tout était bien, les Allemands courtois, l'ambiance brillante et l'harmonica retentissait. Les sabots des femmes trottinaient partout, aussi mignonnes qu'énergiques. On y avait aussi fondé l'*ERÜ* – le *Secours populaire d'Estonie** –, pour nourrir et soutenir les familles dont les nourrisseurs avaient été mobilisés par l'armée rouge. Tout s'arrangeait ! Chacun allait rentrer chez soi, le père et la mère, tous les disparus reviendraient, les céréales pousseraient dans les champs comme auparavant,

Ingel gagnerait de nouveau tous les concours de légumes des Jeunesses rurales, ils iraient aux banquets d'automne, et quand les sœurs vieilliraient encore de quelques années, elles s'engageraient dans la Ligue rurale féminine. Quand le père des sœurs rentrerait à la maison, Hans ferait des projets avec lui pour agrandir les champs. Dès maintenant, Hans allait prendre part à une campagne de tabac et de betterave à sucre, après quoi il y aurait assez de sirop de betterave et Ingel n'aurait plus besoin de tordre sa mignonne bouche avec de la saccharine. Et Aliide non plus, pensa-t-il à ajouter. Ingel ronronna de son rire mielleux tout en élaborant la recette du meilleur pain d'épice au sirop de betterave de toute l'Estonie, et par la même occasion elle et Hans tombèrent dans le même état vaporeux dans lequel ils roucoulaient avant l'arrivée du cauchemar, et Aliide dut subir le même vieux supplice d'amour. Devant l'avenir radieux d'Ingel, tous les obstacles s'anéantissaient. Et même la pénurie de vêtements n'arrivait pas à étioler la garde-robe d'Ingel, quand bien même la jarretelle en caoutchouc se trouvait remplacée par une pièce de monnaie enroulée dans du papier, qu'à cela ne tienne ! Hans apporta à sa bien-aimée de la soie de parachute comme tissu de chemisier et Ingel la teignit couleur bleuet, s'y tailla un joli petit chemisier, elle l'orna de boutons de verre, piqua une broche de verre allemande sur sa poitrine et fut plus mignonne que jamais. Aliide aussi, Hans lui apporta un bijou du même genre, un peu plus petit, mais très chic quand même, et l'esprit torturé d'Aliide s'apaisa un instant, comme quoi Hans avait pensé à elle, mais juste un instant. Qui pourrait bien voir sa poitrine à elle quand le nouveau chemisier d'Ingel avait encore de vigoureuses épaulettes ? Hans appelait Ingel son petit soldat, tendrement, si tendrement.

Aliide avait mal à la tête. Elle pensa qu'elle devait avoir une tumeur. La douleur lui troublait parfois la vue et altérait son ouïe en un simple bourdonnement. Tandis que Hans et Ingel étaient tout chatoyants, elle devait s'occuper de Linda, et elle le faisait en pinçant l'enfant en cachette, voire en la piquant avec une aiguille, et les pleurs de l'enfant lui procuraient une secrète satisfaction.

La récolte de betterave à sucre mûrissait, opulente et blanche, et les Allemands étaient toujours là. La cuisine se remplissait de betteraves et Ingel donnait les ordres avec une énergie renouvelée. La place laissée par la vieille patronne, Ingel la remplissait facilement et la dépassait même. Tout se déroulait à la perfection, Ingel savait tout sans même demander, elle dispensait seulement des conseils à Aliide, qui nettoyait docilement les betteraves tandis qu'Ingel les râpait. Cette tâche-là, Aliide n'y passerait que plus tard, car il fallait d'abord qu'Ingel détermine la meilleure façon de débiter les betteraves. Elle testa une fois le hachoir à viande, mais se rabattit sur la râpe et ordonna à Aliide, en plus du grattage des betteraves, de surveiller les casseroles de sirop mijotant sur le fourneau, pour qu'elles ne se mettent pas à bouillir. Tantôt Ingel procédait à d'autres travaux culinaires et tantôt elle tendait le cou au-dessus du fourneau ; elle ne croyait pas Aliide capable de faire le sirop, Aliide risquait de laisser la température monter trop fort et le sirop aurait un arrière-goût, comment Ingel pourrait-elle ensuite servir ce sirop, tout le monde risquait de prendre Ingel pour une crétine qui avait laissé bouillir le sirop, *pas plus de quatre-vingts degrés, pas plus !* Le nez d'Ingel reniflait tout le temps, des fois que s'élève du fourneau une odeur trop amère, et si Ingel estimait que l'odeur commençait à mal tourner, elle criait à Aliide d'y remédier. Aliide ne remarquait aucune variation de l'odeur, mais elle n'était pas Ingel. Évidemment qu'elle ne remarquerait pas. De surcroît, l'excès de sucre qui dégoulinait d'Ingel empestait à en boucher les narines d'Aliide. Celles-ci étaient capables de sentir ne serait-ce que la salive de Hans sur les lèvres d'Ingel, et cela faisait palpiter de douleur les lèvres gercées d'Aliide.

De jour en jour, Aliide lavait les betteraves, en arrachait les petites racines et creusait pour en retirer les yeux. Ingel l'informait qu'elle s'occupait du râpage, et elle lui tournait autour en lui donnant des ordres, tantôt de surveiller la cuisson des betteraves, tantôt de changer l'eau dans la casserole, tantôt de retourner en chercher au puits, *une demi-heure, une demi-heure a déjà passé ! L'eau doit être versée sur les nouvelles tranches !* À un moment, Ingel se lassa du râpage et commença seulement à découper les betteraves en petits morceaux, *une demi-heure est déjà passée ! Vite, verse la nouvelle eau !* Aliide grattait, Ingel débitait, de temps à autre on filtrait le jus sous les instructions précises d'Ingel, et pendant ce temps on attendait toujours que père et mère rentrent à la maison. Les betteraves étaient vidées de leur sucre et l'eau était extraite du sirop par un feu comme il faut, et tout le temps on attendait. *Enlève cette écume de la surface ! Enlève-la ! Ça va se gâcher, sinon !* La rangée de pots de sirop s'allongeait et tout le temps on attendait. De temps en temps, Ingel versait des pleurs sur le col de Hans.

Tout le village attendait des nouvelles de Narva : quand les hommes rentreraient-ils chez eux ? Ingel préparait de la soupe de betterave et de carotte, Hans exprimait sa satisfaction en claquant la langue, et Ingel fabriquait du gratin de pâtes à la betterave, du jus de baies à la betterave, et tout le temps on attendait père et mère. Ingel posait sur la table du *kissel* à la betterave, on attendait, et Hans se régalait avec la crêpe à la betterave d'Ingel, approuvait la brioche à la betterave d'Ingel et sculptait pour Linda des fleurs et des oiseaux dans des châtaignes. L'air trop sucré de la cuisine donnait la nausée à Aliide. Elle enviait les femmes du village, qui avaient un mari à attendre à la maison, qui n'apprenaient pas en vain à faire la brioche à la betterave, tandis que la vieille fille qu'elle était n'avait que ses parents à attendre. Elle aurait voulu attendre Hans qui serait quelque part au loin, et non assis à sa table, mais elle essayait d'écarter cette pensée, car c'était honteux, ingrat. Les femmes du village lui soupiraient que leur foyer avait tant de chance, avec l'homme à la maison et Ingel la plus heureuse des femmes, ce qu'Aliide ne pouvait que confirmer, ses lèvres sèches crispées.

Ingel inventait intarissablement des recettes, même pour des bonbons à la betterave : du lait, du sirop de betterave, du beurre, des noisettes. Aliide fut éloignée du fourneau, c'était une occupation minutieuse, de cuire correctement le lait et le sirop, d'y mêler les noisettes et le beurre et de porter à nouveau à ébullition. Aliide eut la permission de s'asseoir à table tout en surveillant Linda et la plaque où était versé le mélange. Elle devait bien regarder, Aliide, car Ingel se faisait du souci pour sa sœur : comment se débrouillerait-elle plus tard avec sa propre famille et les betteraves à sucre, si elle ne s'entraînait pas maintenant ? Aliide faillit demander quelle famille, mais elle se tut, sentant qu'Ingel avait peur que sa petite sœur reste à lui tourner dans les jupes pour le restant de ses jours. Ingel avait commencé à laisser traîner *Päewaleht* à la place d'Aliide, ouvert comme par hasard à la page des petites annonces. Mais Aliide ne voulait pas d'un monsieur qui cherchait une dame de moins de vingt ans, ni d'un monsieur qui avait un faible pour les demoiselles pas trop fluettes. Elle ne voulait personne d'autre que Hans.

À la porte de Maria Kreel, on faisait la queue depuis longtemps, car les femmes accouraient pour s'enquérir de leurs maris disparus par-delà la frontière. Finalement, la vieille Kreel dut verrouiller sa porte et ne reçut même pas Aliide, alors que celle-ci l'approvisionnait en miel depuis des années. Une gitane qui lisait les cartes apparut au village et les gens attroupés dans la cour de la vieille Kreel migrèrent chez la gitane. Ingel et Aliide allèrent une fois là-bas, où elles purent entendre que leurs parents étaient sur le chemin du retour. Hans leur fit la moue, quand elles rentrèrent à la maison à l'affût de bonnes nouvelles, et il dit qu'il faisait plus confiance aux promesses des Allemands qu'aux cartes de la gitane. Les Allemands avaient juré que tous ceux qui s'étaient retrouvés par-delà la frontière pourraient revenir. Ingel s'était mise à examiner avec embarras son livret de recettes, Aliide s'était abstenue de répondre qu'elle croyait plus aux prédictions de la gitane.

« J'ai invité quelques Allemands à jouer aux cartes, ce soir. Ingel pourra offrir ses friandises, et vous pourrez essayer de vous rappeler vos rudiments d'allemand. Qu'est-ce que vous dites de ça ? »

Aliide s'étonna. Jamais Hans n'avait invité le moindre Allemand à la maison. Ingel était-elle tellement désespérée de lui trouver un mari ? Elle n'aimait même pas les Allemands, Ingel.

« Ils ont le mal du pays, ils veulent de la compagnie. De jeunes gaillards. »

La dernière phrase de Hans était adressée à Aliide.

Aliide regarda Ingel.

Ingel souriait.

Le jeu de cartes dura longtemps. Dès leur arrivée, les Allemands avaient suspendu leurs armes au portemanteau. Ingel les gratifia d'un sourire approbatif et leur offrit de la brioche à la betterave et du *kissel* de sorbe et de betterave. Les Allemands chantèrent des chansons allemandes et divertirent Aliide, bien qu'elle ne comprît pas tout. La langue des gestes et les mimiques rendaient service, les soldats étaient admiratifs devant la connaissance de l'allemand, fût-elle modeste, des deux sœurs. Ingel s'était retirée pour laver le seigle ; au milieu d'une chanson, Aliide l'entendit verser le lait sur les grains. *N'oublie pas qu'il faut toujours que ce soit du lait écrémé*, Ingel lui avait enseigné les astuces de substitution. Le plat faisait du bruit dans le four, où flottait encore l'odeur du pain qu'on y avait fait cuire, et Aliide aurait préféré être en train de s'affairer avec Ingel plutôt qu'assise à table avec les soldats, même si, dans le fond, ils étaient d'amusants gaillards. Les soldats revinrent le soir suivant. Et celui d'après. Aliide était gênée, Ingel enthousiaste. Aliide ne voulait personne d'autre que Hans, mais Ingel exigea qu'à la prochaine visite ce soit Aliide qui prépare le café. *D'abord mettre à bouillir dans l'eau la betterave débitée en petits morceaux, tout petits. Tu fais bouillir vingt à trente minutes, puis tu passes à la passoire, tu ajoutes l'ersatz et le lait. Tu te rappelleras ? Que je n'aie pas à te donner des conseils devant les invités. Tu verras que tu peux être une bonne ménagère.* À la cinquième visite, les soldats annoncèrent qu'ils avaient reçu un ordre de transfert pour Tallinn. Aliide fut soulagée, le front d'Ingel se fronça. Hans voulut la consoler en disant que d'autres Allemands viendraient au village. Père et mère rentreraient. Tout irait bien. Avant le dernier départ, l'un des soldats donna à Aliide son adresse et lui demanda de lui écrire. Aliide promit, tout en sachant qu'elle ne le ferait jamais. Elle sentit Ingel et Hans échanger des regards dans son dos.

Père et mère ne revinrent pas.

Hans sculpta de jolis sabots pour Ingel, y attacha des lacets, et annonça qu'il partait rejoindre les troupes allemandes.

Les nuits des sœurs se changèrent en insomnies.

Une nuit, Armin Joffe disparut du village avec enfants, femme et beaux-parents. La rumeur raconta qu'ils s'étaient enfuis chercher refuge du côté de l'Union soviétique. Ils étaient juifs.

1944, Estonie occidentale

D'abord, on fait les rideaux

Les Russes s'étaient déjà redéployés dans le pays quand Hans frappa à la fenêtre de la chambre de derrière. Aliide attrapa la hache, Ingel marmonna le Notre Père et Linda se cacha sous le lit, mais bientôt elles comprirent. Deux longs, deux courts. Hans était rentré à la maison.

Tandis qu'Ingel versait des larmes de joie, Aliide chercha un moyen de cacher Hans. Il chuchota qu'il avait déserté de l'armée allemande et qu'il avait traversé le golfe pour s'engager avec les patriotes finlandais. Ingel sanglota que Hans aurait pu essayer d'envoyer une lettre, mais Aliide était contente que Hans ne l'ait pas fait. Moins les activités de Hans étaient couchées sur le papier, mieux c'était. La fuite de Hans dans l'armée finlandaise serait effacée des mémoires immédiatement, ce n'était pas arrivé – Ingel aussi le comprenait sûrement ? Et est-ce que ça irait, la petite pièce derrière la cuisine, pour retourner se cacher ? Hans s'était déjà tenu là, la dernière fois que les Russes étaient venus. C'était un bon endroit, sans fenêtre, et c'était là qu'on cacherait Hans ; mais dès le lendemain, Hans redoubla d'inquiétude et il se mit à poser des questions sur les opérations des « frères de la forêt ». L'inactivité portait atteinte à son honneur, il voulait au moins prendre part aux travaux de la ferme. C'était l'époque des foins ; dans les champs, d'autres hommes en cavale étaient là, déguisés avec des jupes, mais Ingel n'osait pas le permettre à Hans. Personne ne devait savoir que Hans était rentré, et la chose fut expliquée aussi à Linda.

Après quelques jours, la voisine Aino, enceinte jusqu'aux dents et tout juste veuve, accourut à travers champ en soutenant son ventre, s'affaissa à côté du râteau d'Ingel et raconta que les fils Berg étaient en chemin vers chez elles, les gars étaient passés devant la maison d'Aino en marchant d'un pas décidé, dans la main du cadet flottait le drapeau bleu-noir-blanc. Ingel et Aliide laissèrent les foins en plan et se précipitèrent à la maison. Les fils Berg attendaient dans la cour en fumant leurs *papirossa* et ils saluèrent les femmes.

« Est-ce que Hans a été vu ?

– Pourquoi ? »

Ingel et Aliide se tenaient côte à côte devant les fils Berg et se tordaient les doigts.

« Hans n'a pas reparu à la maison depuis qu'il est parti là où il est parti.

– Mais il ne tardera pas à venir.

– Nous n'en savons rien. »

Les fils Berg leur demandèrent de lui passer le bonjour. Et de lui dire que des troupes étaient en train de se former, et qu'on cherchait les meilleurs éléments. Ingel leur donna du pain et un bidon de lait de trois litres, et elle promit de transmettre le message. Quand les gars eurent disparu derrière le saule pleureur, toutefois, Ingel chuchota que jamais de la vie elle ne pourrait répéter cela à Hans. Il se précipiterait avec eux ! Aliide coupa court aux soupirs d'Ingel et dit que les motos des tchékistes n'allaient pas tarder à débarquer, car on pouvait difficilement imaginer d'agissement moins discret que les fils Berg marchant au pas – Ingel en conviendrait sûrement ?

Elles ne perdirent pas de temps. Quand l'horloge sonna l'heure suivante, Hans s'était déjà éclipsé à la lisière de la forêt. Lipsi aboya dans la cour, puis on entendit le bruit d'une moto. Les sœurs s'observèrent mutuellement. Hans avait trouvé refuge juste à temps, mais quant à elles, si elles passaient leurs journées à la table de la cuisine pendant la période des foins, ça voudrait bien dire ce que ça voulait dire. À savoir qu'il s'était passé quelque chose et qu'on n'attendait plus maintenant que le fusil sur la nuque. Retour au champ, donc. Dans l'étable via le garde-manger, dans l'écurie via l'étable, et de l'écurie, à travers la bruissante plantation de tabac, dans le champ, à l'instant même où le side-car tournait dans la cour en cahotant.

« La casserole est restée sur le fourneau. Ils vont comprendre que quelqu'un était encore à l'intérieur », haleta Ingel.

Elles n'avaient pas verrouillé la porte d'entrée, cela aurait paru suspect. Bientôt les tchékistes verraient l'eau de cuisson des œufs durs de Hans, encore frémissante, entendraient la dilatation de la casserole, et ils comprendraient qu'on avait quitté la cuisine à la hâte. Les femmes restèrent à scruter au milieu du champ, derrière un amas de pierres, ce qui se passait à la maison. Les hommes en manteau de cuir arrêtèrent leur moto, entrèrent, restèrent là un moment, ressortirent, regardèrent autour d'eux, et s'en allèrent. Ingel s'étonna du départ si rapide des tchékistes, et elle regretta immédiatement d'avoir laissé partir Hans comme ça dans la forêt. Peut-être qu'elles auraient pu venir à bout des tchékistes en discutant. Si elles avaient été là, les hommes se seraient peut-être contentés de faire un saut dans la cuisine et puis ils seraient partis, Hans aurait pu se tenir coi dans la petite pièce. Quelle idiote, cette Ingel. Aliide ne comprenait pas comment Hans avait pu prendre une femme pareille.

« Il faut qu'on organise les affaires.

– Comment ?

– Ne pense pas à ça, toi. »

Ingel pleurait à longueur de nuit et Aliide veillait, réfléchissant à des solutions. Ingel n'arrivait plus à penser rationnellement, elle ne remarquait pas la moisissure sur le pain qu'elle servait à Linda et elle ne reconnaissait plus les gens. Pendant qu'Ingel apportait le linge à sécher sous la pluie et marmonnait des prières, Aliide réfléchissait sans cesse. Pour que Hans puisse vivre, il fallait faire passer l'éponge sur son activité de la garde civique, sur l'organisation d'autodéfense *Omakaitse* et sur ses devoirs de garde du *Riigikogu*, et puis il y avait la guerre de Finlande. Elle n'y était pas arrivée en discutant, et la fuite n'arrangerait rien.

Theodor Kruus, camarade de catéchisme de Hans, avait même été absous de sa distribution de tracts antisoviétiques, mais Aliide savait à quel prix. Ingel ne le savait pas, et c'était mieux comme ça.

La milice du village aimait la chair fraîche et les joues épanouies sous leur ventre flasque. Plus c'était jeune, mieux c'était. Plus le crime des parents était grand, plus la fille devrait être jeune, ou bien le crime s'effaçait en plusieurs nuits, pas en une seule, ni en un seul dépucelage. Theodor Kruus avait été relâché, car sa jolie fille avait payé en allant la nuit à la milice, en enlevant sa robe et en s'agenouillant devant les hommes. Le rapport sur l'activité agitatrice de Theodor Kruus disparut, les tracts et l'activité antisoviétique de Kruus furent marqués à un autre nom, lequel écopa de vingt ans de mine et de cinq ans d'exil. Quant à l'activité de Hans, elle était passible de la peine de mort, ou, au mieux, de longues années de Sibérie.

Theodor savait-il ce que sa fille avait fait ? Peut-être que la milice le lui avait raconté. Aliide imaginait la milice, marchant les jambes bien écartées, qui soufflait cela à l'oreille de Theodor.

Ingel n'y pouvait plus rien, elle n'était plus bonne qu'à sangloter, le nez collé à la tapisserie. Et elle n'était plus assez jeune pour la milice. Ni Aliide. La milice voulait seulement des filles qui n'étaient pas encore des femmes. Et d'ailleurs, Aliide ne pourrait pas… ou bien si ? Aliide avait des cernes noirs sous les yeux tant elle veillait, et elle n'avait personne à qui demander que faire et comment.

Après avoir veillé interminablement, Aliide eut l'idée des rideaux. Elle avait observé et observé, observé la nuit noire, la lune, l'absence de lune, la lune croissante et décroissante et le temps qui passait à sa mesure. Elle avait veillé et regretté sa mère, à qui elle aurait pu demander conseil, et regretté son père, qui aurait su quoi faire, n'importe qui, qui aurait pu dire quelque chose. Aliide voulait que son rêve revienne, que Hans rentre à la maison et que cette lune embarrassante parte de derrière la fenêtre. Tandis qu'elle pensait à eux, elle se rendit compte qu'il fallait qu'elles fassent des rideaux. Ingel adhéra immédiatement au projet. Hans pourrait sortir de temps en temps dans la cuisine, si elles avaient des rideaux. Aussi simple que ça. Aussi fou. Et de fait, on les prit pour des folles, quand Aliide commença à faire crépiter le métier à tisser sur du tissu à rideaux et le spectre d'Ingel à broder des décorations, alors qu'on avait besoin de fil pour autre chose. Au village, les excentricités des sœurs furent passées sous silence parce que la guerre leur avait embrouillé la tête, et elles en avaient assez bavé. Aliide ordonna à Ingel d'expliquer qu'elle s'absorbait dans des travaux manuels parce que cela tuait l'ennui et qu'elle avait moins envie de pleurer pendant qu'elle se concentrait sur le fil et l'aiguille. Sur ordre d'Aliide, Ingel déblatérait aussi au village sur leur cousine de Tallinn qui racontait que les grands rideaux étaient à la mode à Paris et à Londres. La cousine lui avait montré des magazines de mode étrangers, et on n'y voyait pas le moindre demi-rideau – c'était tellement vieux jeu ! Entre-temps, lorsqu'elles expliquaient leurs affaires de rideaux, Aliide sentait bien que les gens les regardaient comme on regarde quelqu'un quand on sait qu'il ment mais qu'on ne dit rien, qu'on laisse faire, qu'on fait mine de croire, et cela incitait Aliide à en rajouter, comme quoi de nos jours, qu'on soit classique ou excentrique, c'est pas parce qu'on habite à la campagne qu'on peut pas adopter les tendances de la ville, et oui, même à une époque pareille. Aliide déclarait à qui voulait l'entendre qu'elle était une femme des temps modernes et qu'elle voulait des rideaux des temps modernes, les premiers rideaux intégraux du village.

Elles prirent l'habitude de tirer les rideaux à peu près tous les soirs. Parfois elles ne le faisaient pas, pour que les gens qui passaient dans la cour voient qu'à l'intérieur la vie suivait son cours comme avant, qu'elles n'avaient rien à cacher.

Les autres aussi commencèrent à couvrir leurs fenêtres contre les espions, quoique avec des demi-rideaux, mais c'était suffisant pour masquer ce qui se passait à l'intérieur. Sans aucun doute, beaucoup avaient compris pourquoi elles avaient choisi de grands rideaux, mais ceux qui comprenaient tenaient leur langue.

Après deux mois à faire des va-et-vient avec les rideaux, les sœurs conclurent que la meilleure solution serait de garder Hans à la maison en permanence. On pourrait creuser un cagibi sous le sol de la chambre, une autre solution consisterait à construire un cagibi entre la cuisine et la petite pièce qui se trouvait derrière. Est-ce que ça marcherait ? C'était suffisamment chaud, près d'elles, et elles pourraient faire en sorte d'accueillir les visiteurs dans les autres pièces. La petite chambre avait toujours servi de cellier et de chambre d'amis, peu de gens du village y avaient mis les pieds et la porte en était toujours fermée. Elle n'avait pas de poignée ni de bouton, seulement un crochet. Et qui se rappellerait quelle taille avait cette pièce à l'origine ? Elle n'avait pas de fenêtre, de sorte qu'elle était tout à fait obscure. Il était temps de rappeler Hans de la forêt, car on avait besoin de lui à la ferme pour la construction.

Dans l'écurie, il y avait des planches, on les transporta discrètement à l'intérieur par l'étable et le garde-manger. Le mur fut construit seulement les jours les plus venteux ou pluvieux, quand les intempéries couvraient les coups de marteau, et seulement aux heures où Linda était avec Aliide ou Ingel, dans l'étable ou ailleurs, car une bouche d'enfant était toujours une bouche d'enfant. Linda, on ne lui parlerait pas des projets, elle aurait droit à l'histoire du fantôme de la petite chambre. Quand il serait retiré dans la chambre achevée, Hans n'irait dans la cuisine ou au bain que quand Linda serait ailleurs ou endormie. Si Linda se réveillait la nuit et qu'elle venait dans la cuisine, on lui expliquerait que papa était seulement revenu de la forêt pour se promener.

Une planche après l'autre, l'abri se construisait peu à peu. Ingel riait, Aliide souriait, Hans fredonnait. Les vieilles baguettes du plafond et du sol furent retirées puis fixées sur le nouveau mur. Des bouches d'aération furent percées en quantité suffisante, on installa au plafond un tuyau qui prenait l'air du grenier. Ingel trouva au grenier un rouleau de papier peint qui avait servi pour la petite chambre, et quand il fut encollé sur place, personne n'aurait deviné que derrière se trouvait un vaste cagibi. L'armoire qui se tenait devant le mur, Hans la plaça contre le nouveau mur, et elle cacha convenablement le papier peint frais, de sorte que la teinte légèrement plus claire et unie ne se remarquait pas. La porte du cagibi resta derrière l'armoire. Pour les nécessités, on mit d'abord un seau dans un coin du cagibi, mais on décida ensuite qu'il fallait pratiquer une ouverture dans le sol, et que le seau devait être placé là avec un couvercle par-dessus. Si on ne parvenait pas à faire un trou là, alors on le ferait dans le mur du cagibi qui était mitoyen avec l'étable. On pourrait y pratiquer un genre de passage, qui servirait aussi de sortie de secours.

Le soir, Hans alla prendre un bain et un repas consistant. Ingel emballa son sac à dos et on raconta à Linda que papa devait encore partir, mais qu'il reviendrait bientôt. Très bientôt. Linda se mit à pleurer et Hans la consola. À présent Linda devait être une fille courageuse. Pour que papa puisse être bien fier de sa fille estonienne.

Toutes trois l'accompagnèrent à la porte de l'étable et restèrent pour le regarder disparaître à la lisière de la forêt. La nuit suivante, Hans rentra et occupa le cagibi.

Deux jours plus tard, au village se répandit la nouvelle de l'épouvantable destin de Hans Pekk sur la route forestière.

1946, ESTONIE OCCIDENTALE

Êtes-vous sûre, camarade Aliide ?

La première fois qu'Ingel et Aliide furent entendues à la mairie, l'homme qui les interrogeait leur demanda pardon, au cas où ses subordonnés se seraient comportés grossièrement en les escortant.

« Chères camarades, ils n'ont pas de manières. »

Ingel fut conduite dans une pièce, Aliide dans une autre. L'homme ouvrit la porte à Aliide, lui présenta une chaise et l'invita à s'asseoir.

Il feuilletait ses papiers, l'horloge faisait tic-tac, des hommes marchaient dans le couloir, leurs pas décidés résonnaient dans les plantes de pieds d'Aliide. Le sol tremblait. Aliide fixa son regard sur le chambranle de la porte. Il paraissait bouger. Les fissures des dalles du sol oscillaient comme des pattes d'araignée. Les aiguilles de l'horloge entamèrent une nouvelle heure et l'homme feuilletait toujours ses papiers. Une deuxième s'écoula. L'homme jeta un coup d'œil à Aliide en souriant amicalement. Puis il se leva, s'excusa de devoir s'occuper d'autre chose, mais affirma qu'il reviendrait un peu plus tard et qu'ils pourraient débuter bientôt. L'homme disparut dans le couloir. Une troisième heure commença. Et une quatrième. Aliide se leva de la chaise et alla à la porte. Elle essaya la poignée, la porte s'ouvrit. De l'autre côté, l'homme était assis ; Aliide ferma la porte et retourna sur la chaise. Quand les hommes étaient arrivés, Linda était en train de jouer avec Aino. Aino se demandait-elle déjà où elles traînaient ?

La porte s'ouvrit.

« Nous pouvons y aller, à présent. Où la camarade Aliide avait-elle l'intention d'aller ? Expliquons cela d'abord.

– Je cherchais le petit coin.

– Mais pourquoi ne l'avez-vous pas dit ? Voulez-vous vous y rendre maintenant ?

– Non, merci.

– Êtes-vous sûre ? »

Aliide hocha la tête. L'homme alluma une *papirossa* et demanda à Aliide si elle pouvait lui parler de Hans Pekk. Aliide déclara que Hans était mort depuis longtemps. Un crime crapuleux. L'homme posa une ou deux questions sur la mort de Hans et dit ensuite : « Mais blague à part. Êtes-vous sûre, camarade Aliide, que ce Hans Pekk ne raconterait pas votre situation, s'il était à votre place en ce moment ?

– Hans Pekk est mort.

– Êtes-vous sûre, camarade Aliide, que votre sœur, en ce moment même, n'est pas en train de raconter par exemple une histoire comme quoi vous avez mis en scène la mort de Hans Pekk, que tout ce que vous dites ici n'est que mensonge ?

– Hans Pekk est mort.

– La sœur de la camarade Aliide ne veut pas aller au tribunal, ni en prison, vous comprenez cela, n'est-ce pas ?

– Ma sœur ne raconterait pas de tels mensonges.

– En êtes-vous sûre, camarade Aliide ?

– Oui.

– Êtes-vous sûre que Hans Pekk ne nous donnera pas les noms des gens qui l'ont aidé dans son imposture et dans ses crimes ? Êtes-vous sûre que Hans Pekk ne mentionnera pas votre nom parmi ceux-là ? Je réfléchis seulement à ce qui vaut mieux pour la camarade Aliide. Je souhaite seulement qu'une si belle demoiselle ne soit pas mise en difficulté juste pour avoir été induite en complicité par un criminel. Parce que le criminel a été si habile dans ses mensonges qu'il a complètement embobiné votre esprit innocent. Camarade Aliide, soyez raisonnable. Je vous en prie, délivrez-vous.

– Hans Pekk est mort.

– Montrez-nous le corps de Hans Pekk, après quoi nous n'aurons plus besoin de discuter de cette affaire ! Camarade Aliide, vous ne pourrez vous en prendre qu'à vous, si jamais vous avez des ennuis à cause de ce Hans Pekk. Ou à cause de la femme de Hans Pekk. J'ai fait tout mon possible pour qu'une beauté comme la vôtre puisse continuer sa vie normalement, je ne peux rien faire de plus. Aidez-moi, pour que je puisse vous aider. »

L'homme observa la main d'Aliide et la serra.

« Je veux seulement votre bien. Vous avez toute la vie devant vous. »

Aliide dégagea sa main.

« Hans Pekk est mort !

– Peut-être que cela suffit pour aujourd'hui. Nous nous reverrons, camarade Aliide. »

L'homme ouvrit la porte à Aliide et lui souhaita une bonne nuit.

Ingel attendait dans la cour. Elles se mirent en route en silence. Lorsque la maison d'Aino fut en vue, Ingel lâcha un cri étranglé :

« Sur quoi ils t'ont interrogée ?
– Sur Hans. J'ai rien raconté.
– Moi non plus.
– Qu'est-ce qu'ils ont dit ou demandé d'autre ?
– Rien.
– À moi non plus.
– Qu'est-ce qu'on dit à Hans ? Et à Aino ?
– Qu'ils nous ont interrogées sur quelqu'un d'autre. Et que nous n'avons rien raconté sur personne.
– Et si Hendrik Ristla parle ?
– Il parlera pas.
– On peut en être sûres ?
– Hans a dit que Hendrik Ristla est le seul à qui on puisse faire confiance au point qu'il participe à la mise en scène.
– Et si Linda parle ?
– Linda sait que son père mourrait alors immédiatement, et pas pour de rire.
– Mais ils viendront nous interroger à nouveau.
– On s'est bien débrouillées, là, non ? On se débrouillera encore à l'avenir. »

1947, Estonie occidentale

Aliide aurait bientôt besoin d'une *papirossa*

Les hirondelles étaient déjà parties, mais les grues traversaient le ciel en pointe, le cou tendu. Leurs cris pleuvaient sur le champ et faisaient mal à la tête d'Aliide. Elles pouvaient s'en aller, elles, libres qu'elles étaient de partir n'importe où. Aliide n'avait que la liberté de partir aux champignons dans la forêt. Son panier était plein de lactaires délicieux et de lactaires toisonnés. Ingel, qui attendait à la maison, serait contente de la cueillette, Aliide les nettoierait, Ingel la laisserait peut-être blanchir les champignons, mais sans cesser de monter la garde à côté, puis elle les mettrait en conserve en sollicitant toute l'attention d'Aliide, car celle-ci serait incapable d'assurer le rôle de ménagère dans sa propre maison si elle ne réussissait pas la marinade des champignons. Le salage, Aliide connaissait peut-être, mais une bonne marinade, c'est tout un art. Et ce qui restait dans les mains d'Ingel deviendrait bientôt deux ou trois conserves de plus sur l'étagère du garde-manger, autant de faim de moins pour l'hiver.

Aliide se couvrit une oreille avec sa main libre – tellement de grues ! ces cris ! Elle sentait l'automne à travers ses mocassins. La soif lui râpait la gorge. Et soudain arriva une moto avec un homme en manteau de cuir, qui s'arrêta à côté d'Aliide.

« Qu'est-ce qu'il y a dans ce panier ?

– Des champignons. Je reviens de la cueillette. »

L'homme arracha le panier, le fouilla, et le lâcha par terre. Les champignons s'éparpillèrent à ses pieds. Aliide les observa, elle n'osait pas regarder l'homme. Voilà, c'était arrivé. Maintenant il fallait garder son calme. Elle n'allait pas s'énerver, ni lui paraître prise de panique. La sueur lui coulait des mollets aux mocassins et l'engourdissement se répandait dans son corps, le sang refluait de ses membres. Peut-être qu'il ne se passerait rien, peut-être qu'elle s'effrayait pour rien.

« T'as pas déjà été chez nous, toi ? Avec ta sœur. T'es la sœur à la femme du bandit, là. »

Aliide fixait les champignons. Du coin de l'œil, elle apercevait toujours le manteau de cuir. Celui-ci couinait quand l'homme bougeait. Il avait de grandes oreilles rouges en feuilles de chou. Ses bottes de cuir chromé brillaient, bien que la route fût poussiéreuse et qu'il ne fût pas allemand. Aurait-elle dû partir en courant, confiante dans le fait qu'il ne lui tirerait pas dans le dos ? Ou qu'il raterait sa cible ? Mais alors il irait tout droit chez elle, attraperait Ingel et Linda, et attendrait là qu'elle rentre à la maison. N'est-on pas toujours coupable, dès lors qu'on s'enfuit en courant ?

À la mairie, l'homme aux grandes oreilles déclara qu'Aliide avait apporté de la nourriture à des bandits. Ses oreilles étaient translucides. Il fit asseoir Aliide au milieu de la pièce et il se retira.

« Camarade Aliide, vous me décevez. »

La voix était la même que la première fois. L'homme était le même. *Êtes-vous sûre, camarade Aliide ?* Il se leva de son bureau caché dans l'obscurité, regarda Aliide, secoua la tête, soupira profondément, très chagriné.

« J'ai fait tout mon possible pour vous. Je ne peux plus rien. »

L'homme fit un signe aux gars qui se tenaient derrière lui, lesquels avancèrent vers Aliide. Quant à lui, il quitta la pièce.

Les mains d'Aliide furent attachées dans son dos et un sac fut mis sur sa tête. Les gars se retirèrent. À travers le jute, elle ne voyait rien. Quelque part, de l'eau gouttait par terre. L'odeur de la cave passait à travers. La porte s'ouvrit. Des bottes. Le chemisier d'Aliide fut déchiré, les boutons projetés sur les dalles, sur les murs, les boutons de verre allemands, et puis… elle se transforma en souris dans un coin de la pièce, en mouche dans la lampe, elle s'envola, en clou dans le carton mural, en punaise rouillée, elle était une punaise rouillée dans le mur. Elle était une mouche et elle allait avec une poitrine de femme dénudée, la femme était au milieu de la pièce avec un sac sur la tête, et elle surmontait la récente contusion, le sang s'était accumulé sous la peau de sa poitrine, les bleus étaient traversés par une fissure qui laissait passer une mouche, les hématomes des mamelons gonflés comme des continents. Quand la peau nue de la femme toucha les dalles, la femme ne bougeait plus. La femme la tête dans le sac au milieu de la pièce était une étrangère et Aliide était partie, son cœur se tortillait dans les fentes trous rainures, se confondait en une racine qui s'enfonçait dans la terre sous la pièce. *Si on en faisait du savon ?* La femme au milieu de la pièce ne bougeait pas, n'entendait pas, Aliide était devenue un crachat sur le pied de la table, à côté d'un trou de termite, à l'intérieur d'un trou rond dans le bois, le bois d'aulne, d'aulne issu de la terre d'Estonie, qui sentait encore la forêt, qui sentait encore l'eau et les racines et les taupes. Elle plongea au loin, elle était une taupe, qui poussait un tas de terre dans la cour, la cour sentait la pluie et le vent, la terre humide respirait et remuait. La tête de la femme qui se trouvait au milieu de la pièce avait été plongée dans un seau à ordures. Aliide était dehors dans la terre humide, de la terre dans les narines, de la terre dans les cheveux, de la terre dans les oreilles et les chiens lui couraient par-dessus, leurs pattes pressaient la terre, qui respirait et gémissait, et la pluie fondait sur elle et les fossés se remplissaient et l'eau battait et creusait ses propres voies et quelque part des bottes de cuir chromé, quelque part un manteau de cuir, quelque part l'odeur froide de l'eau-de-vie, quelque part le russe et l'estonien se mêlaient et les langues pourries sifflaient.

La femme au milieu de la pièce ne bougeait pas.

Malgré les efforts du corps d'Aliide, malgré la terre qui essayait de la garder en elle, qui caressait tendrement la chair bleuie, qui léchait le sang sur ses lèvres, qui baisait les cheveux rabattus sur sa bouche, la terre avait beau faire tout son possible, elle ne pouvait rien, Aliide fut tirée en arrière. Une boucle de ceinture tinta et la femme au milieu de la pièce remua. Une porte retentit, une botte retentit, un verre retentit, une chaise gratta le sol, une lampe oscilla au plafond, et elle essaya de s'échapper – elle était la mouche dans la lampe, agrippée au fil de tungstène – mais la ceinture l'arracha à sa fuite, une ceinture tellement bien perforée qu'on ne pouvait pas l'entendre, d'un cuir encore mieux perforé que la tapette à mouches. Elle essaya, certes, elle était une mouche, volait en fuite, volait au plafond, volait loin de la lumière de la lampe, les ailes transparentes, cent yeux, mais la femme sur le sol de pierre émit un râle dans un spasme. La tête de la femme était dans un sac et le sac sentait le vomi et le tissu du sac n'avait pas de trou pour laisser passer une mouche, la mouche ne trouvait pas son chemin vers la bouche, la mouche n'aurait pas pu essayer d'étouffer la femme, de la faire vomir à nouveau et suffoquer. Le sac sentait l'urine, il était humide d'urine, le vomi était plus ancien. Une porte claqua, des bottes claquèrent, par-dessus les bottes on faisait claquer la langue et craquer les mâchoires, des miettes de pain tombaient par terre comme des cailloux. Le claquement de langue cessa.

« Ça pue. Sortez ça de là. »

Elle revint à elle dans un fossé. C'était la nuit – quelle nuit ? Était-ce un jour qui avait passé, ou deux, ou seulement une nuit ? Un hibou hulula. Les nuages noirs défilaient dans le ciel de lune. Ses cheveux étaient mouillés. Elle s'assit, se traîna sur la route, elle devait regagner la maison. Le tricot de peau, le jupon, la robe et le porte-jarretelles étaient à leur place. Pas de foulard. Les bas manquaient. Elle ne pourrait pas aller à la maison sans bas, jamais de la vie, car Ingel… Est-ce qu'elle était à la maison, au moins, Ingel ? Est-ce qu'elle allait bien, Ingel ? Et Linda ? Aliide voulut courir, ses jambes ne la portaient pas, elle remonta en rampant, à quatre pattes, en grimpant, elle chancela, vacilla, flageola et tituba, mais vers l'avant, chaque mouvement vers l'avant. Ingel était sûrement à la maison, cette fois c'était elle seule qu'ils avaient voulue, Ingel serait à la maison. Mais comment expliquerait-elle à Ingel qu'elle avait des bas à l'aller et pas au retour ? Pour le foulard, elle pourrait toujours dire qu'elle l'avait oublié au village. Sur la route il y avait des flaques, il avait plu. Bien. Elle aurait enlevé son foulard mouillé et elle l'aurait oublié quelque part. Mais les bas, sans bas elle ne pourrait pas aller à la maison.

Une femme convenable ne peut pas déambuler les jambes nues, même dans sa propre cour. La remise. Dans la remise il y avait des bas. Elle devrait aller chercher les bas dans la remise. Mais la porte de la remise était fermée et c'était Ingel qui avait la clef. Il n'y avait pas moyen qu'elle accède à la remise. À moins que la porte ne fût restée ouverte par inadvertance.

Aliide s'efforça de penser aux bas pendant tout le trajet du retour, pas à Ingel, pas à Linda, pas à ce qui s'était passé. Elle inventoria à voix haute les différentes sortes de bas : les bas de soie, les bas de coton, les bas bruns, les bas noirs, les bas beiges, les bas gris, les bas de laine, les bas en accordéon, la remise se profila devant elle, l'aube poignait, les bas d'enfant, elle avait fait un détour par le pâturage derrière la maison, les bas brodés, les bas industriels, les bas qu'on payait deux kilos de beurre, les bas à trois pots de miel, deux jours de salaire. Ingel et elle avaient travaillé deux trois jours pour d'autres fermes et avaient reçu une paire de bas de soie chacune, des bas de soie noirs, aux pointes renforcées de coton. Les saules pleureurs bruissaient sur la route de la maison, la ferme transparaissait derrière les bouleaux de la cour, à l'intérieur les lumières étaient allumées, Ingel était à la maison ! Le chien n'aboya pas, les bas écrus, les bas en *kapron*[1], elle atteignit la remise, essaya la porte. Fermée. Elle allait devoir entrer sans bas, rester à l'écart de la lampe, s'asseoir à table tout de suite avec les jambes en dessous. Peut-être que personne ne remarquerait. Un miroir, aussi, n'aurait pas été superflu. Aliide se tapota les joues, peaufina ses cheveux, se palpa la tête, mais elle était poisseuse, les bas de soie, les bas de coton, les bas de laine, les bas en nylon. Au puits, elle tira un seau d'eau, se lava les mains, les frictionna avec une pierre, comme il n'y avait pas de brosse, les bas bruns,

1. Nylon de fabrication soviétique.

les bas noirs, les bas gris, les bas écrus, les bas brodés, à présent il fallait y aller. En serait-elle capable ? Poserait-elle le pied sur le perron, serait-elle capable de parler ? Avec un peu de chance, Ingel serait encore si ensommeillée qu'elle n'aurait pas la force de parler. Linda serait peut-être encore endormie, l'aube était assez précoce.

Aliide poussa son propre corps dans la cour, comme si elle se tenait derrière et le regardait marcher, la jambe qui se levait, la main qui saisissait la poignée, sa voix qui criait « C'est moi ». La porte s'ouvrit. Ingel la fit entrer. Hans, heureusement, était dans le cagibi. Aliide soupira. Ingel regardait fixement. Aliide leva la main pour faire signe à Ingel de ne rien dire. Les yeux d'Ingel descendirent sur les jambes d'Aliide dépourvues de bas et Aliide détourna la tête, se baissa pour caresser Lipsi. Linda accourut de la chambre à la cuisine et s'arrêta en voyant les commissures des lèvres d'Ingel profondément repliées. Ingel envoya Linda se laver. Linda ne bougea pas.

« Tu vas obéir, oui ! »

Linda obéit. La cuvette émaillée résonnait, l'eau éclaboussait, Aliide se tenait toujours au même endroit et elle puait. Linda épiait-elle ses jambes nues ? Elle se détacha encore de son corps, juste assez pour le pousser dans son lit, et retourna à l'intérieur au moment où elle sentit la paillasse familière sous son flanc. Ingel passa la porte en disant qu'elle lui préparerait un bain dès que Linda serait partie pour l'école.

« Brûle les vêtements.

– Tout ?

– Tout. Je leur ai rien raconté.

– Je sais.

– Ils reviendront nous chercher.

– Linda doit partir.

– Hans commencerait à se douter de quelque chose. Il ne faut rien lui dire.

– Il ne faut rien lui dire, répéta Ingel.

– On devrait partir.

– Où ? Et Hans… »

1947, ESTONIE OCCIDENTALE

Ils entrèrent comme les maîtres des lieux

Ce soir d'automne, elles fabriquaient du savon. Linda jouait avec des oiseaux en châtaigne et avec la broche allemande d'Ingel, dont elle lustrait la verroterie bleue, et elle faisait tout pour échapper à l'abécédaire, comme d'habitude. La série de pots de confiture de pommes cuites la veille s'entassait sur la table en attendant d'être apportée dans le garde-manger et à côté il y avait une cruche de jus de pommes pressées par la même occasion, le reste était déjà en bouteilles. Ç'avait été une bonne journée, la première après la nuit qu'Aliide avait passée à la cave de la mairie, alors à son réveil elle n'avait pas pensé tout de suite à ce qui s'était passé, elle avait eu le temps de regarder un instant le soleil matinal se déverser par la fenêtre, avant de se rappeler. Même si personne ne les avait poursuivies après qu'Aliide était rentrée de la mairie toute seule à la maison, elles sursautaient toujours dès qu'on frappait à la porte, mais les autres en faisaient autant, à cette époque. Ce matin-là, cependant, Aliide avait ressenti un petit grain d'espoir : peut-être qu'ils les laisseraient en paix. S'ils croyaient maintenant qu'elles ne savaient rien. S'ils les laissaient maintenant faire en paix leur travail, leurs confitures et leurs conserves, ils les laisseraient tomber.

Aino était venue les voir et s'était assise à la table pour papoter. Elle s'était fait voler le tonneau de viande qu'elle gardait pour faire son savon, aussi lui avait-on promis une part de la production. Le bavardage d'Aino faisait du bien, les interlocuteurs extérieurs détendaient l'atmosphère muette et hurlante qui régnait autrement dans la cuisine. Les mots banals d'Aino avaient un écho chaleureux et même l'histoire du destin de son cochon de cent kilos atteint de la peste porcine était familière, car l'atmosphère donnait à chaque phrase un son doux. La peste porcine avait emporté la truie d'Aino et Aino l'avait abattue en urgence, saignée, et elle avait salé la viande. Le tonneau avait néanmoins disparu de la cave pendant qu'Aino était en visite chez sa mère.

« Vous vous rendez compte ! Maintenant y a quelqu'un qui mange ça ! Ça devait devenir mon savon ! » Aino secoua la tête.

« Ça devait être quelqu'un d'ailleurs. Tout le monde au village est au courant que ta truie est morte.

– Heureusement qu'il y avait rien d'autre, là, dans la vieille cave. »

Les ingrédients du savon étaient mis à tremper et lavés pendant plusieurs jours, ce soir-là ils bouillaient enfin dans une grande marmite à feu doux et Ingel entreprit d'ajouter la soude caustique. C'était le travail d'Ingel, parce que Aliide n'avait pas la patience pour cela, et qu'Ingel était compétente pour préparer le savon, elle qui avait toujours fait les travaux ménagers. Le savon fabriqué par Ingel avait toujours été le plus épais et de la meilleure qualité, un sujet de fierté, mais ce soir-là Aliide ne s'en formalisa pas, car c'était le premier jour qui semblait un tant soit peu ordinaire. Ce matin-là,

Väri-Joosep était venu vendre des teintures, que quelqu'un lui fournissait en secret de l'usine d'Orto, une teinture pure sans additifs, les ragots de tous les villages voisins avaient été colportés par la même occasion, et maintenant la marmite de savon moussait, Ingel remuait le mélange avec une louche en bois, Aino bavardait, s'en prenait aux exploitations collectives – comment arriverait-elle à suivre les quotas qui augmentaient tout le temps ? La même préoccupation affectait aussi les sœurs, mais ce soir-là Aliide avait décidé de ne pas se faire trop de mouron à ce sujet, on aurait bien assez de temps plus tard pour pleurer sur les quotas. La conversation des femmes fut interrompue par un glapissement derrière la table ; l'aiguille de la broche d'Ingel avait piqué le doigt de Linda. Ingel saisit le bijou et l'attacha au chemisier de Linda en lui interdisant de jouer avec. Linda resta à pleurnicher dans le coin de la cuisine où elle s'était réfugiée avec ses oiseaux en châtaigne, car Ingel lui avait fait peur, une fois, en lui racontant que l'eau de soude qui éclaboussait pouvait lui ronger la main. L'agitation domestique faisait sourire Aliide, et elle invita Linda à faire coucou avec elle quand Aino partit pour la traite du soir. Elle reviendrait le lendemain. Alors le savon serait prêt à être découpé et elle emporterait les morceaux chez elle pour les faire sécher. Aliide étira les jambes. Bientôt Aliide irait à l'étable avec Linda pour donner à manger aux animaux et Hans sortirait dans la cuisine pour mettre la lourde marmite à refroidir par terre.

Les hommes étaient quatre.

Ils ne frappèrent pas, ils entrèrent comme les maîtres des lieux.

Ingel était en train de verser la soude dans la casserole.

Aliide nia savoir quoi que ce soit à propos de Hans.

Ingel renversa tout le contenu du flacon dans la casserole.

Le savon déborda sur le fourneau.

Elle ne dit pas où était Hans.

Linda ne prononça pas un mot.

Du fourneau s'éleva une odeur de brûlé, le feu s'éteignit, la marmite continuait de mousser.

À la mairie, Linda fut séparée d'elles, on l'emmena ailleurs.

Au plafond de la cave pendaient deux lampes sans abat-jour.

Il y avait là aussi deux gars de son village, le fils du vieux Leemet et Armin Joffe, qui, avant l'arrivée des Allemands, s'était enfui du côté de l'Union soviétique. Tous deux regardèrent vers elle.

À la mairie, les soldats fumaient de la *makhorka* et buvaient de l'eau-de-vie. Dans des verres. Et ils reniflaient sur leur manche, à la manière russe, même s'ils parlaient estonien. Ils les servirent. Elles ne burent pas.

« Nous savons que vous savez où est Hans Pekk », dit l'un des hommes.

Quelqu'un, soi-disant, avait vu Hans dans la forêt. Quelqu'un qui avait été interrogé avait affirmé que Hans était dans le même groupe que lui et dans le même blockhaus.

« Vous pourrez rentrer chez vous dès que vous aurez raconté où est Hans Pekk.

– Vous avez une petite fille si mignonne », ajouta un autre.

Ingel dit que Hans était mort. Un crime crapuleux, en 1945.

« Comme s'appelle votre fille ? »

Aliide dit qu'un ami de Hans, Hendrik Ristla, avait vu la scène. Hans et Hendrik Ristla étaient allés sur la route forestière à cheval, mais soudain ils s'étaient fait attaquer et Hans avait été tué, comme ça. Ingel commença à perdre patience. Aliide le flairait, bien qu'elle n'en laissât rien paraître. Ingel se tenait fière et droite. L'un des hommes marchait tout le temps derrière elles. Il marchait, marchait, et un autre marchait dans le couloir. Le son de leurs bottes…

« Quel joli nom pour une jolie petite fille. »

Linda avait tout juste sept ans.

« Bientôt on posera les mêmes questions à votre fille. »

Silence. Et puis un autre homme entra. Et celui qui les avait interrogées dit à celui qui entrait : « Va discuter avec la gamine. C'est une conne qui dit pas un mot. Perds pas ton temps. Dévisse l'ampoule de la lampe, fais gaffe à pas te brûler. Ou bien non. Amène la gamine ici. Puis tu descendras cette lampe, le fil comme ça, qu'il arrive à la table, là. On installe la gamine ici sur la table et après on commence.

Le type venait de manger, il mastiquait encore. Ses mains et ses lèvres luisaient de graisse. Les portes allaient et venaient, les bottes marchaient, les manteaux de cuir couinaient. La table fut déplacée. Linda fut amenée. Son chemisier n'avait plus de boutons, elle le maintenait fermé d'une main.

« Sur la table, la fille. »

Linda était si calme, ses yeux…

« Jambes écartées. Tenez-la bien. »

Ingel gémissait dans un coin.

« Aliide Tamm va faire le boulot. Amenez-la près de la table. »

Elles ne dirent rien. Elles ne dirent rien.

« Faites-lui prendre la lampe. »

Elles ne dirent rien elles ne dirent rien rien rien.

« Prends-la, salope, cette lampe. »

1948, Estonie occidentale

Le lit d'Aliide commence à puer l'oignon

Aliide choisit Martin quand celui-ci ne savait encore rien d'elle. Elle le vit à la laiterie par hasard. Elle venait de descendre les marches après avoir contemplé, sur le mur du bureau de la laiterie, les échantillons de coton qui témoignaient de la pureté du lait de leurs vaches. Les cotons des autres étaient plus jaunes, les traces de leur lait à elles étaient toujours aussi blanches. Ou plutôt c'était le mérite d'Ingel, c'était Ingel qui s'occupait le plus de ces vaches, mais quoi qu'il en soit, c'étaient tout de même les vaches de leur ferme. Aliide avait bombé le torse et, le torse bombé, elle était sortie du bureau, quand elle entendit cette voix, sur les marches, la voix d'un inconnu. C'était une voix passionnée et résolue, tout à fait différente de celles des autres hommes du village, qui étaient soit effritées par la vieillesse soit ramollies par l'eau-de-vie du matin au soir – qu'aurait bien pu faire d'autre un gars de la campagne qui avait survécu, à cette époque, sinon boire ? Aliide alla vers la route et chercha l'homme qui possédait une telle voix, et l'homme lui apparut. Il était en train de marcher vers la laiterie et trois ou quatre hommes le suivaient comme un chef, et Aliide vit les basques de leurs manteaux flotter comme portées par le vent, et ceux qui suivaient l'homme tourner la tête vers lui pour lui parler, mais l'homme ne faisait pas de même, en répondant, il regardait devant lui, le front haut, il regardait vers l'avenir. Et alors Aliide sut que c'était là l'homme qu'il fallait pour la sauver, pour protéger son existence. *Martin. Martin Truu.* Aliide savourait consciencieusement ce nom qui courait au village, il avait bon goût, et *Aliide Truu* encore davantage, ça fondait fraîchement sur la langue comme la première neige. Aliide devina où elle ne manquerait pas de trouver Martin, ou plutôt où Martin la trouverait : dans le « coin rouge[1] » à l'étage du manoir transformé en maison de la culture.

Aliide commença à faire le pied de grue entre le buste de Lénine et le panneau d'affichage. Elle consultait les ouvrages à couverture rouge dans l'ombre du puissant drapeau rouge et, tout en lisant, elle observait pensivement la cheminée, dont les moulures incongrues avaient été éradiquées. Les fantômes des châtelaines germano-baltes grinçaient sous ses pieds, leurs soupirs humides maculaient le papier peint, et parfois, lorsque Aliide était seule, la fenêtre couinait comme si on essayait de l'ouvrir, le châssis craquait et un courant d'air soufflait vers Aliide, alors que la fenêtre demeurait fermée. Elle ne se laissa pas déconcerter, même si cela lui donnait la sensation d'être dans la maison de quelqu'un d'autre, au mauvais endroit, dans la salle des seigneurs. C'était un peu la même sensation que dans cette église russe qui avait été transformée en grange à céréales. Alors elle s'était attendue à ce que la foudre de Dieu lui tombe dessus, parce qu'elle ne s'était pas insurgée contre les hommes qui avaient pris les icônes pour

1. Espace d'une maison de la culture consacré à la propagande communiste.

en faire des caisses, et Aliide avait essayé de se rappeler que ce n'était pas son église, on ne pouvait pas s'attendre à ce qu'elle fît quoi que ce fût, qu'est-ce qu'elle aurait bien pu faire. Maintenant il n'y avait plus qu'à se ressasser que le manoir était une maison du peuple, à l'usage du peuple, au cas où on voudrait des précisions. Aussi regardait-elle rêveusement ses mains, appuyée au buste souriant de Lénine, se levait de temps à autre pour examiner les tableaux de quotas de production et retournait feuilleter studieusement le *Pentagone** et le *Communiste estonien**. Une fois, son livre tomba par terre. En le ramassant sous la table, elle remarqua les noms gravés sous le plateau : Agnes, un cœur, William. Parmi les nervures du bois, un œil était ouvert au centre du cœur. L'année 38. Ici, il n'y avait pas d'Agnes ni de William. La magnifique table en bois de rose avait été volée, les fioritures éliminées. Agnes et William s'en étaient-ils tirés, filaient-ils le parfait amour quelque part à l'Ouest ? Aliide se rassit à la table et se dépêcha d'apprendre par cœur « Le chant du tractoriste » :

Hardi, tracteur de fer ! Hardi, mon camarade !
Le champ, comme la mer, sans bornes s'offre à nous.
Nous parcourons tous deux l'immensité des terres…
*Notre chant de victoire emplit champs et forêts**.

Il ne suffirait pas qu'elle le sache par cœur. Il fallait qu'elle le sache au point d'y croire. Au point qu'il passe pour une confession sincère. En serait-elle capable ? Bien obligée. Elle envisagea d'étudier Marx et Lénine – mais ne valait-il pas mieux laisser Martin les lui enseigner ? Le chant du tractoriste était assez simple. Martin ne la trouverait pas trop sagace.

Quelqu'un la vit dans le coin rouge et le rapporta à Ingel. Ingel le rapporta à Hans et Hans n'adressa plus la parole à Aliide pendant une semaine. Mais Aliide ne se sentit pas concernée. Que pouvait-il savoir de sa vie, Hans, que savait-il de sa vie à l'extérieur de la ferme, que connaissait-il au fait d'être couchée sur le sol pavé de la cave de la mairie avec l'urine des manteaux de cuir qui coule entre les omoplates ? Ou bien si, Aliide se sentit un peu concernée par l'opinion de Hans, peut-être même davantage, mais elle avait besoin de quelqu'un comme Martin, et Martin commençait à faire les yeux doux à la jeune fille studieuse du coin rouge. Une fois, après que Martin eut tenu un discours, Aliide alla à lui, attendit que la foule se fût dissipée autour, et elle lui dit :

« Apprenez-moi. »

La veille, Aliide avait rincé ses cheveux au vinaigre, ils brillaient dans la pénombre, et elle essaya de donner à ses yeux l'air innocent du veau nouveau-né, sans défense et sans repères, de nature à allumer tout de suite chez Martin le désir de lui apprendre à voir, pour que Martin trouve en elle un terrain fertile où semer ses paroles.

Martin Truu tomba dans les cils humides du veau, baissa sa large main de leader sur ses reins, il s'étendit sur elle, et il puait.

1948, ESTONIE OCCIDENTALE

Comment le pas d'Aliide est devenu léger

Quand Aliide rentra du bureau de l'état civil, son pas était plus léger qu'à l'aller, et son dos était plus droit, parce que sa main tenait maintenant le bras de Martin et que Martin était son mari, son époux légitime, et qu'elle était l'épouse légitime de Martin, Aliide Truu. Quel joli nom ! Si elle recevait, en se mariant avec Martin, une sorte de garantie pour sa sécurité, il y avait une autre chose importante qu'elle obtenait par le mariage. Elle devenait tout à fait comme n'importe quelle femme, ordinaire. Les femmes ordinaires se mariaient et faisaient des enfants. Elle en était une.

Si elle était restée célibataire, tout le monde aurait pensé qu'elle avait un problème. C'est ce qu'auraient pensé les gens, alors qu'il y avait peu d'hommes disponibles. Les rouges se seraient demandé si elle avait un amant dans la forêt. Les autres auraient cherché à deviner pourquoi elle n'était au goût de personne. S'il y avait une raison qui faisait d'elle une sous-femme, une femme qui n'était pas au goût des hommes ou qui n'était pas capable d'être avec un homme. Quelque chose qui faisait d'elle une femme délaissée. Quelqu'un aurait peut-être trouvé une raison. Mais surtout, personne ne pourrait affirmer qu'il se soit passé quelque chose pendant les interrogatoires, si elle se mariait avec un homme comme Martin. Personne n'imaginerait qu'une femme serait capable, après une chose pareille, d'épouser un communiste. Personne n'oserait dire d'Aliide qu'elle avait cédé à leurs avances. Ou qu'il faudrait peut-être la mettre à l'épreuve. Personne n'oserait, parce qu'elle était l'épouse de Martin Truu et une femme ordinaire.

Et ça, c'était important. Que personne, jamais, ne le sache.

Dans la rue, elle reconnaissait les femmes dont elle flairait qu'il leur était arrivé le même genre de choses. À chaque main tremblante, elle devinait : celle-là aussi. À chaque sursaut que provoquait le cri d'un soldat russe, ou à chaque tressaillement causé par le bruit des bottes. Celle-là aussi ? Toutes celles qui ne pouvaient pas s'empêcher de changer de trottoir dès qu'elles croisaient des miliciens ou des soldats. Toutes celles dont on apercevait, à la taille de leur blouse, qu'elles portaient plusieurs paires de culottes. Toutes celles qui n'étaient pas capables de regarder droit dans les yeux. Avaient-ils dit la même chose à celle-là, lui avaient-ils dit : « Chaque fois que tu iras au lit avec ton mari, tu te souviendras de moi » ?

Si elle se retrouvait en présence d'une de ces femmes, elle essayait de s'en tenir le plus loin possible. Afin que la similarité de leurs conduites ne se remarque pas. Afin que leurs gestes et leur nervosité ne s'amplifient pas mutuellement. Aux soirées communes du village, Aliide les évitait, parce que à tout moment pourrait passer l'un de ces hommes, qui se souviendrait d'elle éternellement. Et peut-être que l'un de ces hommes serait le même que pour cette autre femme semblable. Elles ne pourraient pas s'empêcher de jeter un coup d'œil dans la même direction, celle d'où viendrait l'homme. Elles ne pourraient pas s'empêcher non plus de sursauter en même temps, si elles entendaient une voix connue. Elles ne pourraient pas s'empêcher, en levant leur verre, de le renverser en même temps. Elles se trahiraient. Quelqu'un se rendrait compte. L'un de ces hommes se rappellerait qu'Aliide était l'une de ces femmes qui avaient été dans la cave de la mairie. Qu'Aliide en était une. Et tout l'effacement de la mémoire qu'Aliide avait accompli en épousant Martin Truu aurait été vain. Et peut-être qu'ils se diraient que Martin ne savait pas et qu'ils iraient le lui raconter. Martin, bien sûr, prendrait cela pour de la calomnie et se fâcherait. Et qu'arriverait-il ensuite ? Non, cela ne devait pas arriver. Personne ne devait jamais savoir.

Quand l'occasion se présentait, elle trouvait toujours du mal à dire de ces femmes, elle critiquait et calomniait, afin de s'en distinguer encore plus nettement.

Êtes-vous sûre, camarade Aliide ?

Ils déménagèrent pour une pièce commune de la ferme de Roosipuu. Les Roosipuu ne se moquaient pas ouvertement de Martin, ils craignaient Martin, mais Aliide dut faire attention en permanence aux croche-pieds et aux objets qui tombaient. Les enfants mettaient du sel à la place du sucre dans le sucrier d'Aliide, faisaient tomber les vêtements qu'elle mettait à sécher sur une corde, introduisaient des vers dans son bocal de farine, collaient leur morve sur les anses du bocal et, à côté de leur mère qui faisait tourner le rouet, ils observaient Aliide qui buvait son thé salé et empoignait les anses du bocal de farine sans broncher, alors qu'elle sentait la morve séchée sous ses doigts et qu'elle savait très bien que des vers grouillaient à l'intérieur du bocal. Il était hors de question qu'elle se montre affectée par leurs farces, par leurs moqueries, par rien. Elle était l'épouse de Martin et fière de l'être, et elle s'efforçait de s'en souvenir à chaque pas, elle s'efforçait d'avoir la même démarche fière que Martin, de passer la porte de telle façon que ce soient les autres qui cèdent le passage. Mais en général, ça finissait toujours que les Roosipuu passaient et lui claquaient la porte au nez, et elle devait la rouvrir derrière eux. Les soldats rouges qui passaient la nuit à la ferme avaient appris aux Roosipuu comment on dit bonjour et bonsoir en russe. Les Roosipuu saluaient Aliide avec ces mots appris tout récemment.

Martin avait toujours des restes d'oignon entre les dents, et il était de constitution robuste. Il avait des muscles lourds, à ses bras pendait de la peau molle, les pores étaient plus gros à l'endroit des aisselles et presque jusqu'aux épaules. Les longs poils des aisselles étaient jaunâtres de sueur et, malgré leur épaisseur, mouchetés comme des champignons, comme du fil de fer rouillé. Le nombril caverneux et les testicules qui pendaient presque jusqu'aux genoux. Il était difficile d'imaginer qu'il ait jamais eu de fermes testicules de jeune homme. Ses pores étaient pleins de graisse, dont l'odeur variait selon ce qu'il avait mangé. Ou bien c'était Aliide qui se faisait des idées. Elle essayait quand même de préparer des plats sans oignon. Avec le temps, elle aussi fit de son mieux pour apprendre à regarder Martin comme une femme regarde un homme, pour apprendre à être une épouse, et peu à peu elle y parvint en observant comment l'auditoire écoutait Martin lorsqu'il tenait un discours. Martin avait de la force et de la fougue. Il amenait les gens à l'écouter et à croire en lui presque autant qu'en Staline. Les mots de Martin étaient tranchants comme la faucille et percutants comme le marteau. La main de Martin s'élevait dans l'air, quand il parlait, se comprimait en poing et brandissait sa sentence aux fascistes, aux saboteurs, aux bandits, et ce poing était large, comme une tête de taureau, le pouce puissant, une main sous la protection de laquelle on se sentirait bien. Les oreilles de Martin pendaient grossièrement, il savait les bouger, on aurait dit que rien ne leur échappait. Et si rien ne leur échappait, elles ne manqueraient pas de détecter les présages d'éventuels dangers. Martin saurait faire attention à temps.

Le matin, les cheveux et la peau d'Aliide étaient imprégnés de l'odeur de l'aisselle de Martin, et l'homme lui restait dans le nez toute la journée. Il voulait dormir avec son « petit champignon » étroitement enlacé dans ses bras. C'était bien comme ça, Aliide menait une vie sûre, elle dormait mieux que depuis toutes ces années, elle s'endormait facilement et avec avidité comme si elle avait voulu rattraper toutes les nuits sans sommeil des années passées, car elle n'avait plus à craindre que quelqu'un frappe à la porte au milieu de la nuit. Personne ne l'arracherait à cette aisselle. Il n'y avait pas d'organisateur du parti plus irréprochable que Martin, dans aucun village de tout le pays.

Martin se réjouissait de voir que les nuits passées à ses côtés embellissaient Aliide, dont le tempérament craintif, au début, l'avait étonné. Du fait de la présence de Martin, Aliide sursautait un peu moins de jour en jour, son regard furtif se faisait plus serein, ses yeux sans sommeil injectés de sang s'éclaircissaient, et tout cela faisait de Martin un mari parfaitement heureux. Ce mari heureux procura aussi à sa femme un poste de perceptrice, travail qui consistait à collecter les paiements et à établir les quittances en main propre. La tâche était facile, même si elle n'allait pas sans quelques tracas – les Roosipuu n'étaient plus les seuls à claquer leur porte en voyant le vélo d'Aliide approcher de leur ferme. Martin promit cependant de trouver à Aliide une occupation plus agréable, dès qu'elle progresserait dans sa carrière.

Mais cette odeur. Au début, Aliide essaya de respirer toute la journée par la bouche. Puis elle s'habitua.

Ingel disait qu'Aliide s'était mise à puer le Russe. La même odeur que les gens qui avaient fait leur apparition à la gare, assis parmi tous leurs ballots. Les trains en vomissaient sans cesse, et les nouvelles usines les avalaient.

1949, Estonie occidentale

Les tribulations d'Aliide Truu

Martin n'avait pas dit pourquoi il voulait qu'Aliide vienne à la mairie ce soir-là, aussi le trajet fut-il pénible. *Êtes-vous sûre, camarade Aliide ?* La voix de l'homme allait et venait dans sa tête et Aliide n'était sûre de rien d'autre que du fait qu'il fallait s'accrocher à Martin. Sur le portail des Roosipuu, en tâtant ses *papirossa*, elle remarqua que l'étui était presque vide, elle retourna à l'intérieur, même si c'était un mauvais présage, essaya de rouler des *papirossa*, n'y parvint pas, le papier se froissait, ses mains tremblaient, elle avait envie de pleurer, son chemisier était mouillé de sueur, elle avait froid, elle avait tellement, tellement froid. Elle réussit à refouler ses hoquets, réussit à bourrer le tabac dans quelques feuilles, réussit à passer le portail. Un gamin lui jeta une pierre et s'enfuit derrière un buisson, où elle l'entendit pouffer. Aliide ne tourna pas la tête. Heureusement, les autres Roosipuu travaillaient à la ferme · personne, excepté le gamin, ne l'avait vue se démener et la sueur perler sur sa lèvre supérieure, mais la cuisine des Roosipuu aussi était plus attirante que la mairie et sur la grand-route Aliide fit demi-tour à deux reprises, revint sur ses pas, repartit encore vers la mairie, continua, et cracha trois fois par-dessus son épaule quand un chat noir traversa la route. *Êtes-vous sûre, camarade Aliide ?* À mi-chemin, elle alluma une *papirossa*, la fuma, eut peur des oiseaux et poursuivit son chemin en mordant ses paumes qui démangeaient. En grattant, elle ne réussit qu'à les faire saigner, si bien qu'elle essaya d'apaiser sa peau en mordillant les endroits qui chatouillaient sur ses mains. *Êtes-vous sûre, camarade Aliide ?* Avant la mairie, elle fuma une deuxième *papirossa*, ses dents s'entrechoquaient, elle avait froid, il fallait aller de l'avant, sa langue se crevassait de sécheresse, en avant dans la cour de la mairie. Là, ça fourmillait, une voiture pétaradait, Aliide tressaillit, ses genoux partaient en compote, elle s'accroupit, fit mine de nettoyer son ourlet. Ses caoutchoucs de l'époque de l'Estonie étaient boueux, elle les rinça dans une flaque et fourra ses mains tremblantes dans ses poches, mais elle s'y coupa les doigts aux quittances des ménages sans enfants. Elle retira ses mains. Dans la journée, elle était allée frapper chez deux ménages sans enfants et trois familles peu nombreuses, mais personne ne l'avait laissée entrer. À l'entrée de la mairie s'affairaient des hommes, qui transportaient à l'intérieur des sacs de sable – ils en avaient déjà couvert une fenêtre à mi-hauteur. À un grommellement qu'elle saisit au passage, elle comprit qu'il fallait s'attendre à une attaque de bandits.

La maison était pleine de monde, bien qu'il fût déjà sept heures passées. Quelque part retentissait le tapotement ininterrompu d'une machine à écrire. Des pas pressés et fougueux allaient et venaient. Dans le coin de l'œil filait une basque de manteau de cuir noir. Une porte s'ouvrait et se fermait. Des ricanements, un rire enivré. Des gloussements de jeune fille. Une femme un peu plus âgée enlevait ses galoches dans le couloir. Les caoutchoucs se changèrent en mignons escarpins à talons. La femme secoua la tête en arrangeant ses mèches, ses boucles d'oreilles étincelèrent dans la pâle lumière du couloir comme une épée tirée d'un fourreau.

Êtes-vous sûre, camarade Aliide ?

Le couloir sentait les armes.

Quelqu'un cria : « Pour Lénine, hip hip hip, hourra ! »

Dans les murs clairs, les fissures avaient l'air floues, comme si elles bougeaient. Du bureau de Martin émanait une puanteur froide de vieille eau-de-vie. La pièce était obscurcie par la fumée de cigarette, on n'y voyait pas bien.

« Assieds-toi. »

À la voix, Aliide localisa Martin, debout dans un coin de la pièce, qui s'essuyait les mains avec une serviette comme s'il venait de se les laver. Aliide s'assit sur la chaise tendue par Martin, la sueur gouttait sous ses aisselles et elle s'essuya la lèvre avec la main. Martin vint à côté d'elle et se pencha pour l'embrasser sur le front en même temps que sa main se posait sur un sein en le serrant légèrement. La laine de la veste de Martin gratta l'oreille d'Aliide. Sur son front resta une trace humide.

« J'ai quelque chose à faire voir à mon petit champignon. »

Aliide s'essuya à nouveau la lèvre et enroula ses chevilles autour des pieds de la chaise.

Martin relâcha le sein d'Aliide, et il alla chercher des papiers sur la table. Il en tendit un à Aliide, dont les mains n'arrivèrent pas à supporter le poids. Elle regardait droit devant elle. Martin se tenait à côté. Le papier tomba sur les genoux d'Aliide, ses cuisses se voyaient à travers, alors que le froid continuel avait rendu sa peau insensible et les bouts des doigts blancs. Le souffle de Martin tourbillonnait dans la pièce comme un vent glacial. Aliide avait la salive qui s'accumulait dans les joues, mais elle n'osait pas avaler. Déglutir trahirait sa nervosité.

« Regarde. »
Aliide posa son regard sur le papier.
C'était une liste. Une liste de noms.
« Parcours-les. »
Martin observait Aliide sans interruption.
Aliide commença à organiser les lettres en mots.
Sur une ligne se trouvaient les noms d'Ingel et de Linda.
Les yeux d'Aliide s'arrêtèrent. Martin le remarqua.
« Elles s'en vont.
– Quand ?
– La date est en haut de la page.
– Pourquoi tu me montres ça à moi ?
– Parce que je ne cache rien à mon petit champignon. »
La bouche de Martin s'élargit en sourire, ses yeux luisaient. Martin posa la main sur le cou d'Aliide et le caressa.
« Mon petit champignon a un si joli cou, fin et gracieux. »

Quand Aliide sortit de la mairie, elle s'arrêta pour saluer l'homme qui fumait à la porte. L'homme s'étonna de ce printemps particulier.
« Il est très précoce. Allez comprendre. »
Aliide hocha la tête et se faufila derrière un arbre pour fumer elle aussi une *papirossa*, afin que le fait de fumer en public ne lui attire pas d'autres jacasseurs. Un printemps particulier. Les printemps particuliers et les hivers particuliers, elle en avait toujours eu peur. 1941 avait été un hiver particulier, il avait fait très froid. Et 1939, et 1940. Des années particulières, des saisons particulières. Sa tête bourdonnait. Il y en avait encore une, maintenant. Une saison particulière. La répétition des années particulières. Son père avait raison, les saisons particulières présageaient des événements particuliers. Elle aurait dû savoir. Aliide essayait d'éclaircir sa tête en la secouant. À présent

il n'y avait plus de temps pour les vieilles histoires, parce qu'elles ne disaient rien sur ce qu'il fallait faire quand une saison particulière arrivait. Sinon préparer ses bagages et s'attendre au pire.

Il était clair que Martin voulait la mettre à l'épreuve et tester sa fiabilité. Si Ingel et Linda s'enfuyaient maintenant ou si elles n'étaient pas à la maison la nuit prévue, Martin saurait qui était responsable.

Ingel et Linda se feraient emmener. Pas elle. Ni Hans. Il fallait penser clairement, penser clairement à Hans. Aliide allait devoir demander à Martin de s'arranger pour qu'ils emménagent dans la ferme d'Ingel, quand celle-ci serait emmenée, aucune autre ferme ne conviendrait à Aliide, pas une plus belle, pas une plus grande, pas une plus petite, aucune autre. Aliide allait devoir se montrer resplendissante et épanouie, les jours suivants, et faire chavirer Martin la nuit sur le matelas de telle sorte qu'il fasse tout son possible pour leur procurer la ferme. Et il fallait que les animaux restent dans la ferme ! Elle ne voulait pas d'autres bêtes. Maasi était sa vache ! Si on retrouvait l'étable vide, il faudrait que Martin lance une enquête et envoie tous les voleurs en Sibérie. Aliide avait peur de la colère qui jaillirait à l'instant où elle apprendrait que quelqu'un touchait à ses animaux. Car à présent c'étaient les siens, Ingel n'en avait plus pour longtemps à les traire. Une vache devrait être amenée à l'étable de l'exploitation collective qu'on était en train de mettre sur pied, pour respecter les quotas. Mais Martin pourrait s'arranger pour la récupérer plus tard. Personne ne viendrait compter les animaux dans l'étable de l'organisateur du parti.

Mais les questions fondamentales, Aliide n'avait pas voulu les aborder en premier : comment cacher Hans, quand Martin dormirait sous le même toit ? Hans n'était pas un ronfleur, mais que faire s'il se mettait à ronfler ? Ou s'il éternuait la nuit ? Et s'il avait une quinte de toux ? Du temps où il y avait des visiteurs, Hans savait se tenir silencieux, mais que faire maintenant que Martin allait habiter dans la même maison ? Martin ne se laisserait pas conter les histoires du fantôme de la mamie. Aliide tripotait son front et ses joues. Combien de temps était-elle restée plantée là ? Elle se mit en route vers la maison. Sa bouche avait un goût de sang. Elle s'était mordu les joues. Le grenier. Hans pourrait aller au grenier. Ou à la cave. Il faudrait construire une cave, sous le garde-manger ou la petite chambre. Ou au grenier. Il se prolongeait au-dessus de l'étable et de l'écurie, et au niveau de l'étable et de l'écurie il était plein de foin, les balles étaient si compactes que le grenier était impossible à fouiller. Si on y construisait un cagibi, personne ne le remarquerait. On pourrait en construire un derrière les balles de foin. Là-haut, au-dessus de l'étable. Comme Aliide donnerait à manger aux vaches, elle devrait aller continuellement au grenier pour dispenser du foin aux vaches depuis la trappe. Martin, vraisemblablement, ne mettrait jamais les pieds du côté de l'étable, il ne savait pas traire et n'aimait pas les poules parce que, quand il était enfant, une poule avait failli lui picorer un œil, et une vache lui avait marché sur les pieds. Pas étonnant que Martin ait fini dans la propagande, il n'aurait jamais pu se débrouiller avec les animaux. Et les animaux faisaient du bruit, en plus. Hans pourrait éternuer et tousser en toute tranquillité. Au-dessus de l'étable, les poutres étaient plus épaisses, il y avait trente centimètres de sable entre les planches. On n'entendrait rien.

Aliide construirait le cagibi dès qu'Ingel et Linda seraient emmenées, et elle serait capable de le faire toute seule. Dans la partie des vieilles affaires, il y avait des planches toutes prêtes. Et pour finir, du foin devant. On pourrait en faire des balles, faciles à déplacer mais auxquelles personne ne prêterait attention, quand bien même on monterait au grenier.

Lorsque Aliide allait rendre visite à Ingel, soit elle regardait Ingel, soit elle était absolument incapable de lui jeter un coup d'œil. Depuis cette première nuit à la mairie, Aliide avait cherché à esquiver son regard, de même qu'Ingel avait commencé à éviter le regard de sa sœur ; mais après avoir vu les listes, Aliide se trouva dans le besoin impérieux d'aller chez Ingel juste pour la voir. Elle se faufilait parfois chez Ingel pendant la journée de travail, il fallait qu'elle puisse observer sa sœur comme on essaye d'observer une personne affaiblie qu'on ne verra bientôt plus jamais. Aliide faisait cela en cachette, lorsque Ingel surveillait les animaux, qu'elle apportait le trèfle aux vaches venues pour la traite, tout à son travail.

De même avec Linda. Depuis la nuit à la mairie, Linda était devenue quasi muette. Elle disait seulement oui ou non, et encore, seulement quand on l'interrogeait, et les étrangers n'obtenaient même pas ces réponses. Ingel avait dû expliquer aux villageois que Linda avait failli rester dans les pattes d'un cheval emballé et qu'elle avait eu si peur qu'elle avait cessé de parler. Qu'elle surmonterait sûrement ce choc, avec le temps. Dans la cuisine, Ingel bavardait et riait pour deux, afin que Hans ne remarque pas le silence de Linda.

Une fois, Aliide surprit Linda en train de se planter une fourchette dans la main. La fillette semblait à la fois absente et concentrée, les tresses serrées sur les tempes, et elle ne remarquait pas Aliide. Elle visait au milieu de la paume et frappait. Son regard était figé, son expression ne changeait pas quand la fourchette atteignait sa paume, seule sa bouche s'ouvrait sans voix.

Pendant un instant fugace, une voix à l'intérieur d'Aliide incita Linda à frapper encore, frapper plus fort, frapper de toutes ses forces, mais dès que la voix eut rejoint la conscience, l'effroi la fit taire. On ne pouvait pas penser des choses pareilles, de mauvaises pensées, des pensées de mauvaises choses, c'était mal en soi, elle devrait plutôt aller vers Linda, la prendre sur ses genoux et la bichonner, mais elle ne pouvait pas. Elle ne voulait pas toucher à cette créature, et elle était dégoûtée, dégoûtée par son propre corps et par le corps de Linda et cette mince pellicule de cire apparue sur sa peau. Et Linda frappait avec la fourchette, et levait la main, et frappait de plus belle, et Aliide regardait, et la paume rougissait. Les mains d'Aliide se recroquevillaient en poings. Lipsi jappait dans la cour. Le jappement s'introduisait dans la cuisine d'Aliide. Linda aux yeux de verre ne bougeait pas, elle tenait la fourchette, mais elle ne frappait plus. Aliide lui prit la fourchette, Ingel entra, Linda sortit en courant.

« Qu'est-ce qui lui est arrivé ?

– Rien. »

Ingel ne questionna pas davantage, rétorqua seulement que c'était un printemps particulier.

« Bientôt on ira au champ en bras de chemise. »

Le jour approchait. Deux semaines, treize jours, douze, onze, dix nuits, neuf, huit, sept soirées. D'ici une semaine elles seraient parties. La ferme ne serait plus à Ingel. Ingel ne ferait plus cette vaisselle ni ne donnerait à manger à ces poules. Elle ne ferait pas de nourriture pour poules dans cette cuisine, ni de teinture pour fil. Elle ne touillerait pas la sauce pour Hans, ne laverait pas les cheveux de Linda à l'eau de cendre de bouleau. Ne dormirait plus dans ces lits. C'était Aliide qui y dormirait.

Aliide était poursuivie par son propre halètement. Elle haletait sans cesse, aspirait l'oxygène par la bouche, car ses narines n'avaient pas assez de force pour tirer l'air à l'intérieur. Et si l'un de ceux qui décidaient de ces choses changeait d'avis ? Pourquoi le ferait-il ? Ou si quelqu'un d'autre en avait vent, quelqu'un qui préviendrait Ingel ? Qui ferait cela ? Qui voudrait aider Ingel ? Personne. Pourquoi était-elle si inquiète ? Qu'est-ce qui la tracassait ? Tout était déjà décidé. Elle allait avoir la paix. Elle n'avait qu'à attendre, attendre encore une semaine, et après cela, déménager.

Le soir, Martin chuchotait qu'on irait bientôt dans une nouvelle maison, et sa main se posait sur le cou d'Aliide, ses lèvres sur ses seins, ils étaient couchés côte à côte dans une petite chambre et les enfants des Roosipuu chahutaient, des voix étrangères, le temps tournait inéluctablement, six jours, cinq nuits, les aiguilles de l'horloge tournaient comme des meules et réduisaient en poudre les Noëls de quinze ans en arrière, les bougies du sapin et les couronnes de Noël faites de coquilles d'œufs, les gâteaux d'anniversaire, les cantiques qu'Ingel chantait à la chorale et les comptines qu'Ingel chantait depuis son enfance et qu'elle avait apprises à Linda, *notre chat aux yeux malicieux**. Dans les yeux d'Aliide, il y avait de la poussière, les vaisseaux crépitaient comme de la glace, elle n'aurait plus jamais besoin d'être assise à la même table qu'Ingel et Linda. Il n'y aurait plus un seul matin comme celui où elles étaient rentrées ensemble de la mairie, où elles avaient parcouru les kilomètres, l'aube avait point, l'air du matin était frais et calme. Un kilomètre avant la maison, Ingel avait arrêté Linda en l'attrapant par l'épaule et elle s'était mise à lui refaire les tresses. Elle avait peigné les cheveux de Linda avec les doigts, elle les avait lissés, et elle les avait tressés fermement. Elles se tenaient au milieu de la route du village, le soleil se levait et quelque part une porte battait, Ingel tressait les cheveux de Linda et Aliide s'était accroupie pour attendre, les mains appuyées sur la route, elle sentait les petits cailloux, sans regarder ailleurs, et sa gorge avait soudain failli s'étrangler dans une abominable soif et elle avait bondi du côté du fossé, aspiré de l'eau dans sa bouche, ça avait un goût de terre, recueilli plus d'eau. Ingel et Linda s'étaient mises en route en se donnant la main, leurs dos s'étaient éloignés. Aliide avait marché derrière, en regardant vers elles, en regardant leurs dos, les observant jusqu'à la porte de la maison. À la porte, Ingel s'était tournée vers elle et lui avait dit : « Lave-toi la figure. »

Aliide avait porté la main à sa joue pour l'essuyer, d'abord elle n'avait senti ni sa peau ni sa main, mais ensuite elle avait réalisé que le bas du visage était couvert de morve, son cou était trempé. Avec sa manche, elle s'était essuyé le nez, le menton et le cou. Ingel avait ouvert la porte et elles étaient entrées dans la cuisine familière, où elles s'étaient senties étrangères.

Ingel avait préparé des pancakes.

Linda avait apporté sur la table le pot de confiture de framboises.

Les framboises sombres ressemblaient à du sang coagulé.

Aliide avait envoyé Lipsi dehors, elles s'étaient mises à table et avaient servi les pancakes dans leurs assiettes. Linda y avait étalé du miel, et le pot de confiture avait fait le tour, les assiettes étincelaient comme le blanc de l'œil, les couteaux entaillaient, les fourchettes cliquetaient, elles avaient mangé leurs crêpes avec des lèvres en caoutchouc, des yeux de verre brillants et secs, des peaux lisses et sèches comme la toile cirée.

Plus que cinq jours. Aliide se réveilla le matin avec dans la tête *notre chat aux yeux malicieux, assis en forêt sur un tronc.* C'était la voix d'Ingel. Aliide s'assit au bord du lit, la chanson ne disparaissait pas, la voix ne s'éteignait pas. Aliide était sûre qu'elles reviendraient.

Elle arracha sa chemise de nuit de flanelle, *la pipe au bec et canne en main**, s'emmêla dans le jupon et les jarretelles, la robe par-dessus, la veste, le foulard à la main, et elle sortit en courant par la cuisine, saisit le guidon de son vélo, le laissa, elle irait à travers champs, le chemin le plus rapide vers la mairie, où Martin était déjà parti un peu plus tôt. Elle remua ses cheveux en chemin, ne s'arrêta pas, noua son foulard sur la tête et courut, ses galoches claquaient, sa veste flottait. Elle courait par les champs printaniers, traversait les routes, enjambait le clapotis des fossés pour couper au plus court, et Ingel chantait à ses oreilles *celui qui ne savait pas lire, il le tirait par les cheveux**, chantait par-dessus la terre engourdie, et les premiers oiseaux migrateurs volaient en cadence avec la voix d'Ingel, poussaient Aliide en avant, elle courait sans cesse, longeant les milliers de chatons de saule sur le point d'éclore, la volée d'oiseaux devant elle, et elle ne s'arrêta que lorsqu'elle trouva Martin qui discutait avec un homme vêtu d'un manteau de cuir sombre. Les yeux de Martin firent taire un peu la voix d'Ingel. Martin dit à l'homme qu'ils continueraient plus tard, et il prit Aliide par l'épaule en lui demandant de se calmer.

« Que s'est-il passé ?

– Elles reviendront. »

Martin attrapa une flasque, ouvrit le bouchon et la tendit à Aliide, qui avala goulûment et toussa. Martin l'attira à l'écart, observa Aliide, qui serrait la flasque, et Martin la lui prit des mains et la porta de nouveau à ses lèvres.

« Tu as parlé avec quelqu'un ? demanda Martin.

– Non.

– Tu as parlé.

– Non !

– Alors quoi ?

– Elles reviendront !

– Staline ne laissera pas une chose pareille arriver. »

Martin l'attira sous la protection de sa veste, et les convulsions des jambes d'Aliide s'apaisèrent.

« Et moi, je ne les laisserai pas revenir faire peur à mon petit champignon. »

Aliide alla à la maison d'Ingel, s'arrêta sur le chemin de la cour sous les saules pleureurs, entendit les chiens et les moineaux, le murmure du printemps particulièrement précoce, et elle s'imprégna de l'humidité de la terre. Comment pourrait-on abandonner un endroit pareil, jamais, elle ne le pourrait jamais. Cette terre était sa terre, elle en était issue et elle y resterait, elle n'en partirait pas, elle n'y renoncerait pas, pas à cela, ni à Hans ni à cela. Aurait-elle réellement désiré s'enfuir, quand elle en avait la possibilité ? Ne restait-elle réellement que parce qu'elle avait promis à Hans de s'occuper d'Ingel ?

Elle donna un coup de pied dans la bordure du champ. La bordure céda. Sa bordure.

Elle alla près de la clôture de la cour, les branches nues des bouleaux pendaient, Linda était dans la cour, jouait et chantait :

Vieux pépé de soixante-six ans,
Dans la bouche, même pas deux dents.
Il a peur des souris, des rats,
Peur du sac de farine là-bas.*

Linda la remarqua. Aliide s'arrêta. La chanson s'interrompit. Le regard fixe de Linda la tint à distance, de grands yeux froids marécageux. Aliide retourna sur la route du village.

Il a peur des souris, des rats.*

Le soir, Martin ne voulut pas parler de ses projets, il dit seulement qu'il s'occuperait de l'affaire le lendemain. Il restait trois jours. Martin lui ordonna de se calmer. Aliide ne trouva pas le sommeil.

Avant le soleil, le tétras-lyre commença son glouglou et sa parade nuptiale.

Aliide se rendit à la mairie comme sur le fil d'une hache. Quand elle saisit la poignée, elle se rappela soudain avoir eu la langue qui restait collée à du métal par le froid. Elle ne se souvenait pas du contexte, ni ne se rappelait comment elle s'en était sortie, ce qui était arrivé, elle avait seulement la même sensation sur sa langue, quand elle entra tout droit vers les genoux de Martin qui l'attendaient et qu'elle reçut à la main un papier et un stylo. Elle comprit tout de suite. Elle devait signer de son nom un témoignage si solide qu'aucun retour ne serait jamais possible.

Ça sentait l'eau-de-vie froide, le motif en arête de poisson de la veste de Martin remuait dans l'œil d'Aliide. Quelque part un chien aboyait, une corneille croassait derrière la fenêtre, une araignée arpentait un pied de la table. Martin l'écrasa et l'envoya sur la dalle.

Aliide Truu signa.

Martin tapota l'épaule d'Aliide Truu une fois ou deux.

Martin devait rester encore pour gérer des affaires après avoir signé le témoignage. Aliide rentra seule à la maison, bien que Martin lui eût dit qu'elle pouvait rester en attendant qu'il ait fini ce travail. Aliide ne voulait pas, mais elle ne voulait pas non plus aller à la maison, traverser la cour des Roosipuu, marcher dans la cuisine des Roosipuu, où la conversation s'interromprait dès qu'elle ouvrirait la porte. On lui jetterait quelques mots en russe et même si leur contenu serait poli, ils sonneraient comme des sarcasmes. Le fils Roosipuu lui tirerait la langue de derrière l'armoire et dans son pot de thé crisserait le sel jeté dedans par les Roosipuu.

Elle s'arrêta sur la bordure du chemin et regarda le paysage serein. Ingel irait bientôt à la traite du soir. Hans lisait peut-être les journaux dans le cagibi. Les mains d'Aliide ne tremblaient pas. Une joie soudaine, honteuse, se répandit dans sa poitrine. Elle était en vie. Elle s'en sortait. Son nom n'était pas sur les listes. On ne pourrait pas porter de faux témoignage à son sujet, pas au sujet de la femme de Martin, tandis qu'elle pouvait envoyer les Roosipuu là où la campagne estonienne ne serait plus qu'un lointain souvenir. Aliide sentit ses pas s'allonger, sa jambe battre la terre avec force, et elle fila à la ferme des Roosipuu, faillit renverser la mère Roosipuu sur les marches, la dépassa et lui claqua la porte au nez. Elle fit du thé avec le thé des Roosipuu, prit le sucre dans le sucrier des Roosipuu et coupa la moitié de leur pain pour l'emporter dans sa chambre, sur le seuil de laquelle elle se tourna vers la famille Roosipuu pour leur dire qu'elle leur donnait un conseil d'amie, parce qu'elle était quelqu'un d'indulgent et ne voulait que du bien à tous ses camarades : ce serait sage si les Roosipuu retiraient l'image de Jésus du mur de leur chambre à coucher. Le camarade Staline n'aimerait pas que les citoyens du nouveau monde des travailleurs récompensent son bon travail en ayant ce genre de chose au mur.

Le lendemain, la gravure du fils de Dieu avait disparu.

Quatre jours. Puis plus que trois. Ces deux jours-là, Aliide avait dit qu'elle passerait chez Ingel, mais elle n'y alla pas.

Notre chat aux yeux malicieux,
Assis en forêt sur un tronc,
La pipe au bec et canne en main.*

Deux jours. Trois nuits.

Invitait les enfants à lire.
Celui qui ne savait pas lire,
Il le tirait par les cheveux.
Mais celui qui pouvait comprendre,
Il le caressait gentiment.*

Plus un seul jour. Plus une seule nuit.

1949, Estonie occidentale

Hans ne frappe pas Aliide, alors qu'il pourrait

Le vent dans les bouleaux chassait les moineaux. La tête d'Aliide bourdonnait comme après dix nuits sans sommeil. À la porte d'entrée, elle ferma les yeux et bondit vers la petite chambre sans y voir, saisit la poignée à tâtons, fit tomber la scie pendue au mur, entra dans la chambre et ouvrit les yeux dans l'obscurité.

Devant le cagibi de Hans, l'armoire était à sa place.

C'est alors que la poitrine d'Aliide se mit à palpiter, sa lèvre supérieure était gercée, du sang lui jaillissait dans la bouche, ses doigts en sueur glissaient sur les flancs de l'armoire et elle entendait en même temps des bruits qui résonnaient dans la cuisine : le pas d'Ingel, le toussotement de Linda, le choc d'un bol, les pattes de Lipsi. L'armoire ne voulait pas bouger, Aliide dut la pousser avec les épaules et les hanches, elle grinça, une lamentation résonnait formidablement dans la maison vide. Aliide s'arrêta pour écouter. Le silence bourdonnait. Les bruits imaginés dans la cuisine se taisaient dès qu'Aliide arrêtait de bouger. Le plancher était déjà marqué par les déplacements continuels de l'armoire. Il allait falloir cacher cela. Sous les pieds de l'armoire, il y avait quelque chose. Aliide se pencha pour mieux voir. Une cale. Deux cales. Sous ces pieds, qui rendaient l'armoire un peu bancale. Quand Ingel les avait-elle fichées là ? Aliide les retira. L'armoire alors glissa facilement.

« Hans, c'est moi. »

Aliide essaya d'ouvrir la porte du cagibi, mais sa main en sueur n'avait pas prise sur les petites fentes pratiquées dans les plinthes.

« Hans. Tu m'entends ? »

Dans le cagibi, il n'y avait pas un bruit.

« Hans, aide-moi. Pousse la porte, je n'arrive pas à l'ouvrir. »

Aliide frappa, puis tapa sur la porte avec le poing.

« Hans ! Dis quelque chose ! »

Quelque part au loin, un coq cria. Aliide tressaillit et s'affola, cogna la porte. La douleur qu'elle ressentit à ses jointures résonna jusqu'à la plante des pieds, le mur fléchit, mais le silence du cagibi persistait. Finalement, Aliide alla chercher un couteau dans la cuisine, l'enfonça entre la porte et le chambranle et put enfin avoir prise sur les fentes des plinthes pour tirer. Elle ouvrit la porte. Hans était accroupi dans un coin du réduit, la tête sur les genoux. Ce n'est que lorsqu'elle le toucha qu'il leva la tête. Ce n'est que lorsqu'elle lui demanda pour la troisième fois de sortir qu'il tituba dans la cuisine. Et ce n'est que lorsqu'elle lui demanda ce qui s'était passé qu'il dit :

« Elles ont été emmenées. »

Un silence pareil, on n'en entendait pas dans une maison de campagne en plein jour. À peine un grattement de souris quelque part. Ils se tenaient au milieu de la cuisine, remplis d'un bourdonnement, leur respiration crépitait dans le silence et Aliide dut s'asseoir et appuyer sa tête sur ses genoux, car elle ne supportait pas le visage de Hans strié par les larmes de la nuit.

Le silence et les murmures augmentèrent, jusqu'à ce que Hans arrache soudain son sac à dos du clou : « Il faut que je les rattrape.

– Ne sois pas fou.

– Bien sûr qu'il le faut ! »

Il ouvrit violemment la porte inférieure du buffet pour prendre des provisions, mais le meuble était à peu près vide. Il bondit dans le garde-manger.

« Elles ont emporté la nourriture.

– Hans, c'est peut-être les soldats qui l'ont volée. Peut-être qu'on les a juste amenées à la mairie pour les interroger. Hans, rappelle-toi, c'est déjà arrivé. Peut-être qu'elles vont bientôt rentrer à la maison. »

Hans se précipita dans la chambre de devant et ouvrit la porte de l'armoire à vêtements. « Tous les vêtements d'hiver, tous les vêtements chauds ont été emportés. En tout cas Ingel est partie avec l'or.

– L'or ?

– Il était cousu dans le manteau en fourrure.

– Hans, elles vont bientôt rentrer. »

Mais Hans était déjà sur le départ. Aliide se précipita derrière lui, s'empêtra dans ses bras, la table se renversa. Hans essaya de lui faire lâcher prise en la secouant. Elle ne le laisserait pas sortir, non, non et non. Aliide se serra de toutes ses forces autour de la jambe de Hans et ne la lâcha pas quoiqu'il se débattît et la tirât par les cheveux. Aliide ne le lâchait pas, mais elle le fatiguait. Et finalement, tandis qu'ils étaient étendus en sueur, haletants et exténués sur le sol froid, Aliide faillit se mettre à rire. Hans ne l'avait pas frappée, même dans cette situation. Il aurait pu, elle s'était attendue à ce qu'il le fît, qu'il arrache une bouteille de la table et la lui assène sur la tête ou qu'il lui donne un coup de pelle, mais il ne l'avait pas fait. Il était si bon, Hans, il tenait quand même tellement à elle. Jamais Aliide ne pourrait en avoir de preuve plus sûre.

Personne n'était aussi bon que Hans, le beau Hans d'Aliide, le plus beau de tous.

« Pourquoi, Liide ?

– Ils n'ont pas besoin de raisons.

– Moi j'en ai besoin ! »

Hans regarda Aliide dans l'expectative. Aliide avait espéré qu'il se contenterait du fait que c'étaient des choses qui arrivaient, à présent. Tout le monde savait qu'ils n'avaient besoin d'aucune raison particulière. Et encore moins de preuves pour des dénonciations arbitraires, fût-ce les plus farfelues.

« Tu n'as rien entendu ? Ils ont sûrement dit quelque chose, quand ils sont entrés. »

ILS. Le mot avait gonflé démesurément dans la bouche d'Aliide. Quand elle était enfant, elle se faisait remonter les bretelles, si elle disait tout haut des mots comme Dieu, Satan, le tonnerre, la mort. Aliide avait parfois essayé en cachette, elle les avait tous répétés à tour de rôle. Au bout de quelques jours, une poule était morte.

« Je n'ai pas tout entendu. Il y avait tellement de cris et de bruit. J'ai essayé d'ouvrir la porte du cagibi, je les aurais surpris avec mon Walther, mais la porte ne s'est pas ouverte, et ensuite tout le monde était déjà parti. Ça s'est passé si vite et moi j'étais seulement dans le cagibi. Lipsi aboyait tellement... »

La voix de Hans s'effilocha.

« Peut-être que ça vient du fait que... » Les mots d'Aliide s'évanouirent dans sa gorge. Sa tête sembla se détourner d'elle-même et elle repensa à cette poule morte. « Qu'elle était ta veuve. Et Linda ton enfant. Donc des ennemis du peuple. »

Dans la cuisine il faisait froid. Aliide avait des élancements dans les dents. Elle s'essuya le menton. Sa main devint rouge, de la lèvre gercée avait coulé du sang.

« À cause de moi, alors. C'est ma faute.

– Hans, Ingel avait mis des cales sous les pieds de l'armoire. Elle voulait que tu restes caché.

– Donne-moi de l'eau-de-vie.

– Je vais t'arranger une meilleure cachette.

– Pourquoi meilleure ?

– Ce n'est pas bon, de rester trop longtemps au même endroit.

– Tu insinues qu'Ingel pourrait parler ? Mon Ingel ?

– Mais pas du tout ! »

Aliide sortit de sa poche une demi-bouteille d'alcool maison.

Quant à Lipsi, Hans ne s'en enquit pas.

« Va traire les vaches », dit Hans avec lassitude.

Aliide était sur ses gardes. Peut-être que l'ordre de Hans était sincère, et qu'il fallait traire, mais elle ne pouvait pas le laisser dans cet état tout seul dans la cuisine. Il risquait de se précipiter à la mairie.

1949, Estonie occidentale

Aliide récupère un morceau de la couverture de mariage d'Ingel

Deux semaines après qu'Ingel et Linda eurent été emmenées, Martin, Aliide et le chien emménagèrent dans la ferme. L'aube scintillait, le chargement bringuebalait, Aliide avait passé toute la longue matinée à faire en sorte que rien ne puisse aller de travers, surveillant chaque mouvement pour que rien ne s'emmêle par inadvertance, se levant du lit de telle sorte que le pied droit touche le sol en premier, franchissant le seuil de la chambre du pied droit, ainsi que la porte d'entrée, ouvrant les portes de la main droite et se dépêchant de les ouvrir avant Martin de peur qu'il porte malchance avec sa main gauche. Dès qu'ils furent arrivés à la ferme, elle s'était précipitée pour saisir le portail en premier de la main droite, de même pour la porte, et pour entrer du pied droit. Tout s'était bien déroulé. La première personne croisée par le chargement était un homme. Bon signe. Si ç'avait été une femme et qu'elle l'avait vue de loin, elle aurait demandé à Martin de s'arrêter et elle se serait cachée dans les broussailles en prétextant avoir mal au ventre, et elle aurait attendu que la femme soit passée, mais bien que de cette manière elle eût repoussé d'elle le mauvais œil, c'est tout de même une femme que le chargement aurait rencontrée en premier, de même que Martin. Et si la deuxième personne rencontrée avait également été une femme ? Elle aurait dû encore demander à Martin de s'arrêter et encore courir dans les buissons, et il aurait commencé à se faire du souci pour son épouse. Elle ne pouvait quand même pas lui parler de porte-bonheur ni de mauvais œil, Martin aurait seulement rigolé, comme quoi son épouse avait trop écouté les vieux radotages populaires. Alors qu'ils étaient protégés l'un par l'autre, ainsi que par Lénine et Staline. Mais heureusement, tout le trajet s'était bien déroulé. Les orteils se repliaient d'espoir et les cheveux brillaient de joie. Hans ! Aliide les avait sauvés, elle et Hans ! Ils étaient ensemble et en sécurité !

Aliide se considéra dans le miroir de la chambre, tandis que Martin déballait les affaires des charrettes, et elle minauda peut-être un peu devant son reflet fringant. Eh bien, comme elle aurait voulu que Martin s'absente pour une nuit, au travail, n'importe où, qu'elle puisse aller chercher Hans au grenier et rester assise toute la nuit avec lui. Mais Martin ne s'en allait pas, Martin voulait passer la première nuit dans son nouveau foyer avec sa femme, sa camarade et sa bien-aimée – elle –, même si Aliide essayait de demander s'il n'était pas attendu quelque part et faisait comprendre qu'elle ne se fâcherait pas si d'autres devoirs passaient avant elle, mais Martin ne faisait que rire à de pareilles folies. Le parti se passerait bien de lui pour une nuit, mais pas sa femme !

La maison sentait toujours Ingel, sur la vitre il y avait les marques de ses doigts ou de ceux de Linda, apparemment ceux de Linda, les traces étaient assez basses. Sous la fenêtre, par terre, il y avait un oiseau en châtaigne de Linda, avec ses yeux de bois vides, la queue tendue. Rien n'indiquait un départ soudain ou un emballage affolé : il n'y avait pas de tiroirs laissés ouverts, d'armoires fouillées. Seule bâillait la porte de l'armoire que Hans avait ouverte. Aliide la referma.

Ingel avait tout laissé en ordre, pris décemment ses robes et celles de Linda dans l'armoire blanche et fermé la porte comme il faut, alors que celle-ci forçait et qu'il fallait toujours la pousser à la fois lentement et vigoureusement pour qu'elle ne se rouvre pas. Ingel avait appuyé sur la porte comme si elle n'avait pas été pressée le moins du monde. La commode avait été dépouillée de ses sous-vêtements et chaussettes, mais le napperon dessus était bien droit, de même que les tapis par terre, à l'exception de celui qui était allé de travers quand Aliide avait essayé d'empêcher Hans de partir. Aliide n'avait pas relevé la chose plus tôt, car tandis qu'elle construisait le cagibi du grenier pour Hans, elle avait évité d'aller dans les chambres, elle grimpait seulement tout droit au grenier, n'était pas restée lambiner dans la cuisine ni n'avait préparé à Hans de plats chauds. Hans avait voulu venir l'aider à construire, mais elle avait rejeté sa demande. L'état d'esprit de Hans lui avait semblé trop instable, il ferait mieux de rester dans son vieux cagibi à pleurnicher et à boire l'eau-de-vie qu'elle lui avait apportée.

C'est alors qu'Aliide réalisa que tout le désordre de la maison venait des traces de Hans et de sa lutte, de sa première sortie après l'arrestation d'Ingel et Linda. Il n'y avait aucun signe que les hommes de la Tchéka eussent cherché des armes, le garde-manger était net. Peut-être que Martin avait dit aux hommes que dans cette ferme on devait se tenir bien, que sa femme et lui allaient y emménager. Les hommes l'avaient-ils écouté ? Quand même pas, les tchékistes n'en faisaient qu'à leur tête. Leur visite n'avait laissé de traces que par terre : sur le sol de chaque pièce, il y avait de la boue tombée des bottes des hommes. Aliide nettoya la terre séchée avant de ranger les affaires à leur place. Plus tard, il faudrait encore inspecter la cour, Lipsi y avait vraisemblablement été abattu.

Aliide mit ses robes dans l'armoire – de la main droite – et elle retrouva sa bonne humeur, bien qu'elle n'ait pas obtenu que Martin passe la nuit dehors. Elle mit sa brosse sous le miroir sur la table, à côté de la brosse d'Ingel. Le rangement de ses propres affaires donna à la maison l'aspect d'un petit nid douillet, à elle et Hans. *Notre chez-nous*. Aliide pourrait s'asseoir à cette table de cuisine, Hans s'assiérait en face, et ils seraient presque comme mari et femme. Liide préparerait à manger à Hans et ferait chauffer l'eau du bain et tendrait la serviette quand Hans se raserait la barbe. Liide ferait toutes ces choses qu'Ingel avait faites auparavant, toutes les tâches d'épouse dans cette ferme. Liide serait presque comme une épouse. Hans pourrait constater qu'elle faisait mieux le pain, tricotait mieux les chaussettes et cuisinait plus délicieusement. Enfin, Hans aurait la possibilité de voir comme Aliide était gracieuse, comme elle pouvait être mignonne, maintenant qu'il n'y avait plus le balancement des tresses d'Ingel pour détourner son attention vers sa tête à elle. À présent, il serait obligé de parler à Aliide et non à Ingel. Et avant tout, à présent, Hans allait enfin remarquer les qualités de Liide, sa brillante connaissance des secrets des plantes et des recettes médicinales. Dans ce domaine, Liide avait toujours était plus douée qu'Ingel, mais qui donc l'aurait remarqué, quand on attendait plutôt d'une bonne ménagère estonienne qu'elle sache pétrir la pâte et traire avec dextérité, qui donc aurait remarqué, tandis qu'Ingel ne faisait qu'assaisonner les concombres avec du raifort, qu'Aliide, avec la même racine, guérissait les maux de ventre ! Maintenant Hans allait s'en rendre compte ! Aliide se mordit la lèvre. Les remèdes, il ne faut pas les étaler au grand jour : l'orgueil est la fin de chaque remède, et l'humilité son commencement, le silence est sa force.

Mais alors, Martin interrompit les réflexions d'Aliide et, dans son dos, il la prit par les hanches et chuchota à l'oreille de son petit champignon, comme quoi il était fier de son épouse, plus fier que jamais, et il leva la main à sa taille, la fit tournoyer dans la chambre et la renversa ensuite sur le lit en lui demandant : si c'est ici le lit du maître, qu'est-ce qu'on fait dans le lit du maître ?

La nuit, Aliide fut réveillée par un bruit qui était comme un cri de courlis. Martin ronflait à côté. Son aisselle puait. Le cri de courlis était une lamentation de Hans. Martin ne se réveilla pas. Aliide fixa dans l'obscurité les décorations germaniques de la tapisserie à rayures – c'était fait par maman, brodé de sa main. Combien Ingel avait-elle d'or avec elle ? Assez pour acheter sa libération ? Quand même pas, en tant que fille aînée, Ingel avait reçu des parents peut-être vingt roubles d'or, et encore. Peut-être qu'avec ça elle aurait assez de pain pour vivre.

Le lendemain matin, Aliide mit la brosse d'Ingel dans le tiroir inférieur de la commode, celui dont la poignée était cassée et qu'il fallait ouvrir au couteau. Elle ne toucha la brosse que de la main gauche.

Dans le tiroir, elle trouva la couverture de mariage d'Ingel. Sur son fond rouge ressortaient une église et une maison brodée aux murs arrondis, un mari et une épouse. Les étoiles à huit branches, Aliide les découpa aux ciseaux, arracha avec les doigts la bordure en zigzag de la couverture autour de la carte de vœux, le mari et l'épouse disparurent de la carte, là, comme ça, la vache partit en pelote, la croix de l'église en touffe ! Aliide aussi figurait sur la couverture – une brebis à son nom y était brodée ; Ingel avait présenté le fruit de sa virtuosité en attendant de l'admiration, mais Aliide ne s'était pas du tout réjouie de la brebis à son nom sur la couverture de noces d'Ingel, Ingel l'avait remarqué et était sortie en courant pleurer derrière la remise. Aliide avait couru derrière elle pour la consoler, que c'était une magnifique brebis, une belle attention, et qu'alors qu'on ne faisait plus beaucoup de couvertures de noces, Ingel en avait fait une et elle était magnifique. Ç'avait beau être vieux jeu pour d'autres, pour Aliide ça ne l'était pas. Elle avait bercé Ingel, et Ingel s'était calmée et n'avait pas renoncé à sa couverture de noces, mais s'y était attelée pendant des soirées entières. Maman aussi avait eu une couverture de noces, et on n'avait jamais vu d'épouse plus heureuse que maman, ou bien Aliide pouvait-elle prétendre le contraire ? Non, mais à présent elle pouvait arracher les pattes de fil de la brebis à son nom, à présent s'en allait le sapin, et bientôt il n'y eut plus de carte de vœux, plus que le fond rouge, de bonne laine, de sa propre brebis. Martin jeta un œil par la porte, vit Aliide à genoux dans un chaos de fil, des ciseaux à la main, un couteau à côté, les narines rougeoyantes et les yeux illuminés. Martin ne dit rien, mais regarda par la porte. La vapeur produite par la respiration d'Aliide s'élevait en une brume dans la chambre et se répandait par le trou de la serrure dans toute la maison.

Martin partit au travail, la porte s'ouvrit et se ferma. Aliide le suivit du regard par la fenêtre jusqu'à la grand-route, puis elle but une grande chope d'eau froide et s'aspergea le visage, calma sa respiration enflammée. C'était maintenant sa maison, sa cuisine à elle. L'hirondelle qui avait fait son nid dans l'étable était son propre porte-bonheur et elle avait la permission d'apporter bien du bonheur, en bonne et due forme, de l'apporter pour tous ces sortilèges et pour les coupes levées sous le blason des trois lions d'Estonie et pour les vieux trucs de grands-mères, tout ce qui n'avait pas été fait pour son union. Elle pourrait le faire, et elle le ferait sûrement, car les oiseaux porte-bonheur ne se trompent pas. C'était elle qui avait sauvé cette ferme, elle qui avait sauvé la ferme de ses parents de la botte des Russes, et elle qui avait sauvé le maître de sa ferme. Non pas Ingel, mais elle. Les terres de la ferme partiraient, mais la ferme resterait. Les étrangers prendraient les céréales des champs de la ferme, mais le maître resterait, ainsi qu'Aliide, la nouvelle maîtresse de la ferme. Tout ne partirait pas.

Aliide nettoya les vestiges de la couverture de noces, jeta le hachis de fils dans le poêle, mais elle en mit de côté un petit tas à fumer. Peut-être qu'il aurait suffi de le brûler, mais on n'est jamais trop prudent, et on parlait toujours de fumer, pas de brûler. Les vêtements des prétendants désespérés, ou les morceaux taillés dedans, on les fumait toujours, et ainsi étaient partis en fumée tel ou tel de ce village au cours des siècles passés. On avait bien vu la comtesse allemande d'un manoir fourrer une chemise d'homme dans une bouche de fumée, mais Aliide ne se rappelait pas le contexte, à quelle fumée la chemise avait été exposée, dans le poêle d'une grange-séchoir ou dans la suie d'un feu de la Saint-Jean. Elle aurait dû mieux écouter dans sa jeunesse les bavardages des personnes âgées, elle ne se retrouverait pas maintenant à tirer au sort quelle fumée convenait ou non. Elle pourrait bien sûr demander à Maria Kreel, voire lui apporter le tas de fil, elle saurait s'occuper de la chose, mais alors elle saurait que ce tas de fil serait fumé, et dans le fumage l'important était justement de n'en parler à personne. Il y avait autre chose à faire, dans cette opération, mais Aliide ne se rappelait pas quoi. Peut-être qu'un sortilège partiellement réussi marcherait. Aliide mit le tas de fil dans la poche de son tablier et s'assit un instant en silence, écouta la maison, sa maison, sentit la robustesse du sol sous ses pieds. Bientôt elle verrait Hans, s'assiérait à table avec lui, enfin tous les deux.

Aliide se lava les cheveux, se pinça les joues, se brossa les dents au charbon et se rinça longtemps. C'était un truc d'Ingel, c'est pour ça que les dents de sa sœur avaient toujours été si blanches. Auparavant, Aliide n'avait pas voulu trop imiter Ingel, aussi avait-elle laissé le charbon de côté. À présent c'était différent. Elle ferma les rideaux de la cuisine, ainsi que la porte de la chambre, pour que par la fenêtre de celle-ci on ne voie pas dans la cuisine. Pelmi tournait dans la cour et aboyait s'il venait des visiteurs, il aboyait bien avant que quiconque arrive dans l'enceinte de la cour. Pendant ce temps, Hans pourrait rentrer dans le cagibi du grenier. Pelmi avait appris à être agressif et c'était tant mieux.

Aliide voulait créer dans la cuisine une ambiance douillette et elle mit la table pour le petit déjeuner de Hans, apporta les immortelles de la chambre sur la table. Elles mettent de bonne humeur, parlent d'amour et des actes d'amour. Pour finir, elle ôta ses boucles d'oreilles et les cacha dans le tiroir de la chambre. C'était un cadeau de Martin, et Hans risquait de faire des insinuations obscènes. Quand elle eut tout mis en ordre, elle alla dans l'étable par le garde-manger, ouvrit la trappe du grenier, y grimpa et déplaça les balles de foin de devant le cagibi secret. Le nouveau mur était parfait. Elle y frappa et ouvrit la porte. Hans sortit en rampant, ne regarda pas vers Aliide, ne fit que s'étirer.

« Viens déjeuner. Martin est parti au travail.

– Et s'il rentre à la maison au milieu de la journée ?

– Mais non. C'est jamais arrivé. »

Hans suivit Aliide dans la cuisine. Aliide lui tendit une chaise, disparut et versa un bol de café bien chaud, mais Hans ne s'assit pas et déclara : « Ça pue le popov, ici. »

Avant qu'Aliide ait eu le temps de l'en empêcher, Hans avait craché trois fois sur la veste pendue au dossier de la chaise. Puis il renifla dans la cuisine les autres traces de Martin – l'assiette, le couteau, la fourchette – et s'arrêta à la planche de toilette, poussa le morceau de savon mouillé après la toilette du matin de Martin à côté de la cuve, tripota la pierre d'alun sur laquelle les fraîches taches de sang étaient en train de brunir. Hans flanqua le bol d'eau savonneuse encore chaude dans le seau à ordures, la pierre d'alun suivit, puis ce serait bientôt le blaireau et le rasoir. Aliide se précipita pour retenir son bras.

« Arrête. »

La main de Hans resta en l'air.

« Sois raisonnable. »

Aliide détacha la brosse des doigts de Hans, la remit à sa place, le couteau aussi.

« Les instruments de rasage de Martin sont encore dans une caisse. Je les déferai aujourd'hui et j'en sortirai ceux de Martin, ainsi que le miroir de rasage. Sois raisonnable et assieds-toi à table pour manger.

– Quelles sont les nouvelles d'Ingel ?

– J'ai ouvert aussi une bouteille de jus de mûres sauvages.

– Il a dormi sur l'oreiller d'Ingel ? »

Hans ouvrit à toute volée la porte de la chambre avant qu'Aliide ait eu le temps de répondre, bondit près du lit et arracha du lit l'oreiller d'Ingel.

« Sors de là, Hans. Quelqu'un pourrait venir à la fenêtre. »

Mais Hans s'assit par terre en écrasant l'oreiller d'Ingel sur son ventre, se recroquevilla autour et appuya son visage sur l'oreiller, et jusqu'à la cuisine on l'entendit s'imprégner de l'odeur d'Ingel.

« Je veux aussi le bol d'Ingel, dans le cagibi. »

La voix de Hans était étouffée par l'oreiller.

« On peut pas entasser dans ce cagibi toutes les affaires d'Ingel !

– Pourquoi pas ?

– Non ! Sois raisonnable, quoi. Ça te suffit pas, cet oreiller ? Je vais cacher le bol dans le buffet, là, derrière les autres affaires. Martin n'ira pas fouiller là-bas. Ça te va, comme ça ? »

Hans vint dans la cuisine, s'assit à table, mis l'oreiller sur la chaise d'à côté et versa de l'eau-de-vie de raifort d'Aliide dans le verre, plus qu'il n'aurait fallu pour un usage médicinal. Dans ses cheveux, il y avait des brins de paille du grenier. Les doigts d'Aliide brûlaient d'envie de lui saisir la crinière, de toucher ses cheveux. Puis Hans annonça de but en blanc qu'il voulait partir pour la forêt. Là où se trouvaient les autres hommes de l'Estonie. Là où était sa place.

« Qu'est-ce que tu as dit ? » Aliide n'en croyait pas ses oreilles. Le serment, soi-disant, tenait toujours. Le serment ! Un serment militaire d'Estonie ! Parler maintenant du serment d'un pays qui n'existait plus ! Hans s'assit à la table d'Aliide, remua la cuillère dans son pot de miel ; et tout ce qu'il pouvait encore y remuer, c'était grâce à Aliide. Ceux qui tenaient des propos pareils parcouraient la forêt, traqués, affamés, les vêtements raides de crasse, glacés de terreur avant même la dernière balle. Au lieu de quoi celui-ci, ce monsieur-ci, pouvait remuer sa cuillère dans un pot de miel !

Hans dit qu'il ne pouvait pas tolérer l'odeur de Martin dans sa propre maison.

« Ça t'a embrouillé la tête, de rester assis dans ce cagibi ? As-tu seulement pensé à ce qui serait arrivé si c'était quelqu'un d'autre qui était arrivé ici ? Tu as vu ce que les autres font aux maisons ? Tu aurais voulu des Russes ? Tu aurais voulu que le sol de ta maison se couvre de coquilles de graines de tournesol tellement qu'on ait l'impression de marcher sur des scarabées ? Et comment tu t'imagines aller là-bas dans ta jolie forêt ? Cette maison est surveillée. Oui, oui, surveillée. Nous sommes si près de la forêt que le NKVD est persuadé qu'un des frères de la forêt va venir ici chercher de la nourriture. »

Hans cessa de touiller le miel, prit l'oreiller et la bouteille d'eau-de-vie médicinale sous son bras et se leva pour retourner dans le cagibi du grenier.

« Tu n'es pas obligé de partir tout de suite, Martin ne rentre pas encore. »

Hans n'écouta pas, mais donna un coup de pied à son propre tonneau de bière à côté de la porte de la petite chambre, celui-ci se renversa, le bois de chêne cogna contre le pas de la porte, et Hans disparut par le garde-manger vers l'étable et le grenier. Aliide redressa le tonneau de bière, passa derrière au grenier, derrière le nouveau mur. Elle avait envie de dire que presque aucun des meilleurs amis de Hans n'était encore vivant, mais elle se contenta de chuchoter : « Hans, ne gâche pas tout par tes bêtises. »

Aliide éternua. Elle avait quelque chose dans le nez. Elle se moucha et recueillit dans le mouchoir une touffe rouge, de la couverture de noces d'Ingel.

Au même moment, elle réalisa qu'elle n'avait pas une seule fois regardé Hans dans les yeux, alors qu'elle en avait rêvé pendant des années, alors qu'elle avait observé interminablement Hans et Ingel qui se fondaient l'un dans l'autre entre les travaux, les cils de Hans qui se mouillaient de désir et l'envie qui battait dans les vaisseaux sous ses yeux. Aliide avait rêvé de la sensation que ça ferait si elle pouvait éprouver quelque chose de tel, et si elle pouvait regarder Hans sans craindre qu'Ingel remarque que sa petite sœur regardait son mari avec ces yeux, et quelle sensation ça ferait si Hans répondait à son regard. Maintenant qu'elle en avait la possibilité, elle ne l'avait pas fait. Maintenant qu'elle avait besoin du regard de Hans pour être forte, pour devenir pure, pour rester debout, elle n'avait même pas essayé. Son nez était chatouillé par les poils de la couverture de noces d'Ingel, un oiseau en châtaigne de Linda la scrutait, muet, dans un coin de l'armoire et Hans pensait encore et toujours à Ingel sans voir en Aliide sa sauveuse. Hans ne faisait que ressasser que, oui, l'Angleterre va venir nous sauver, les choses vont s'arranger, l'Amérique va venir, Truman va venir, l'Angleterre va venir, le salut va venir avec des voiles si blanches que seul le drapeau de l'Estonie est d'un blanc plus blanc.

« Roosevelt va venir !

– Roosevelt est mort.

– L'Ouest ne nous oubliera pas !

– Ils nous ont déjà oubliés. Ils ont gagné et oublié.

– Tu as tellement peu de confiance. »

Aliide ne prétendit pas le contraire. Un jour, Hans se rendrait compte que son salut ne venait pas d'outre-mer, mais qu'il était ici, devant lui et prêt à tout pour continuer indéfiniment par la force d'un simple regard. Aliide était maintenant la seule personne dans la vie de Hans, et pourtant il ne la regardait pas. Un jour, il faudrait bien qu'il en soit autrement. Nécessairement. Car seul Hans donnait du sens aux choses. Aliide n'existait qu'à travers Hans.

Les murs craquaient, le feu crépitait dans le poêle, les rideaux fermés sur les yeux de verre de la maison haletaient, et Aliide enterrait sa propre attente. Elle lui ordonnait de rester là-dessous et d'attendre le moment propice. Aliide avait été trop prompte, trop impatiente. Il ne fallait pas se hâter, car une maison construite à la hâte ne tient pas debout. Patience, Liide, patience, ravale ta déception, balaye du chemin ta vanité, qui voulait voir naître l'amour dès que le chat est parti. Ne sois pas sotte. Bientôt, tu enfourcheras la selle du vélo, tu t'occuperas de la tournée du jour et tu rentreras pour la traite, tout est pour le mieux. Aliide tempéra son cœur et comprit combien elles étaient enfantines, ces idées filées pendant quelques jours. Bien sûr, Hans avait besoin de temps. Il lui était arrivé trop de choses en trop peu de temps, naturellement son esprit était ailleurs, Hans n'était pas quelqu'un d'ingrat, Aliide avait le temps d'attendre des mots gentils. Cependant, ses yeux larmoyaient comme ceux d'un enfant pas sage et les cendres de la colère se dispersaient dans sa bouche. Les petits déjeuners d'Ingel faisaient toujours l'objet d'éloges avec moult baisers tendres et mots doux. Combien de temps Aliide devrait-elle attendre ne serait-ce qu'un petit merci ?

Le corps de Lipsi fut trouvé sur le chemin de la cour. Dans ses yeux se promenaient déjà des asticots.

Aliide s'était imaginé qu'après avoir pris la place d'Ingel elle n'aurait plus besoin de se torturer en pensant à ce qu'Ingel et Hans faisaient à la maison pendant qu'elle prenait le repas du soir ailleurs avec Martin. Qu'elle n'aurait pas besoin de se tracasser en imaginant Ingel le soir qui posait le pied sur le rouet et Hans qui faisait de la menuiserie à côté d'Ingel, pendant qu'Aliide, dans la maison des Roosipuu, essayait de divertir Martin.

Mais le supplice revêtit une nouvelle forme dans la nouvelle maison, et elle se demandait à tout moment si Hans était éveillé, ou bien s'il dormait. Lisait-il le journal, le nouveau, qu'elle lui avait apporté, ou les anciens, qu'il avait voulu prendre avec lui dans le cagibi ? Il faut dire qu'il n'y avait guère d'autre lieu où conserver les journaux de l'époque de l'Estonie. Ou un livre, lisait-il un livre ? Les livres qui intéressaient Hans étaient difficiles à se procurer. Même la bible, Hans l'avait voulue dans le cagibi, la bible de famille. Tant mieux, parce que sinon il aurait fallu l'utiliser pour allumer le poêle.

Les soirées de Martin et Aliide continuèrent dans la nouvelle maison selon les mêmes rituels qu'auparavant : Martin lisait le journal, se curait le dessous des ongles avec un poignard et lisait en même temps à voix haute des bouts des nouvelles en les agrémentant de ses commentaires. À la campagne il fallait obtenir de meilleurs revenus ! Oui, acquiesçait Aliide, oui oui. Des villages kolkhoziens ! Que les dimanches d'été soient ouvrés ! Absolument, acquiesçait Aliide, mais elle ne pensait qu'à Hans qui se trouvait à quelques mètres de là et elle mastiquait le charbon pour rendre ses dents aussi blanches que l'étaient celles d'Ingel. Les jeunes bâtisseurs du communisme, à la campagne ! Oui, Aliide était toujours d'accord, tous les gens sains d'esprit avaient migré en ville.

« Aliide, je suis si fier que tu ne t'enfuies pas de la campagne. »

Elle acquiesçait, oui oui.

« Ou bien mon petit champignon aurait-il voulu aller à Tallinn ? Tous mes vieux camarades sont déjà là-bas, et pour des gars comme eux, le boulot n'y manque pas. »

Aliide secoua la tête. De quoi Martin parlait-il donc ? Il ne pouvait pas partir.

« Je veux seulement être sûr que mon petit champignon est satisfaite.

– Ici c'est bien ! »

Martin emporta Aliide dans ses bras et la fit virevolter dans la cuisine.

« On ne pourrait avoir de meilleure preuve du fait que mon petit champignon doré veuille construire cette campagne. C'est dans cette campagne qu'il faut faire le travail fondamental, pas vrai ? Je compte proposer que le kolkhoze achète un nouveau camion. On pourrait amener encore des gens à la maison de la culture pour regarder des films sur les accomplissements de notre grande patrie et bien sûr pour l'école du soir. Ça développera l'esprit de corps. Qu'est-ce que tu en dis ? »

Martin refit tourner Aliide sur sa chaise et redoubla d'ardeur pour ses nouveaux projets. Aliide hochait la tête aux bons moments et ramassait sur la table la fléole des prés tombée de la manche de Hans pendant la journée. Assurément, Martin n'insinuait pas qu'on lui aurait proposé un poste à Tallinn ? Il l'aurait dit sans détour, non ? Aliide se saisit à nouveau des cardes, elles crépitèrent, le feu grésilla, elle surveilla son mari du coin de l'œil, mais le comportement de celui-ci n'était autre que ce bouillonnement ordinaire. Aliide avait eu peur pour rien. Martin avait seulement imaginé que sa femme rêvait de Tallinn. Évidemment qu'elle en aurait rêvé, s'il n'y avait eu Hans. Rien que les tournées à vélo pour courir après les paiements étaient de trop, même si elle n'était pas obligée d'y aller tous les jours. Pourtant, quand elle rentrait à la maison, c'était toujours avec la peur sifflant sur les nerfs : la maison n'avait-elle pas été fouillée en son absence ? Alors que personne n'aurait osé entrer par effraction dans la maison d'un homme du parti, bien sûr que non. Martin pourrait se débrouiller pour qu'elle partage les tournées à vélo avec quelqu'un d'autre. Il comprendrait bien que sa femme veuille s'occuper de leur foyer et de leur jardin plus soigneusement.

Pendant ce temps, l'or confisqué aux déportés en Sibérie se changeait en nouvelles dents dans de nouvelles bouches, les sourires d'or brillaient à qui mieux mieux avec le soleil et, dans leur ombre, tout le pays engendrait une quantité prodigieuse de regards furtifs, d'airs fugitifs. On les croisait sur les places, sur les routes et dans les champs en flot infini, l'iris terni et le blanc rougeâtre. Quand les dernières fermes furent aussi pendues aux kolkhozes, les mots francs s'évanouirent entre les lignes – et parfois Aliide pensait que cette ambiance s'était peut-être infiltrée à travers les murs de la maison jusqu'à Hans. Que Hans se conformait à ce même modèle muet selon lequel les gens évitent de se regarder, le même auquel Aliide obéissait aussi. Peut-être qu'il s'était emparé de Hans par l'intermédiaire d'Aliide. Peut-être qu'il s'était emparé de Hans en s'emparant d'elle à l'extérieur de la maison.

La seule différence entre Hans et les autres aux yeux évasifs était que Hans parlait toujours à mots francs. Son esprit croyait toujours en la même chose qu'avant, mais son corps se changeait pour s'adapter au monde extérieur, qu'il ne rencontrait même pas véritablement.

1950, ESTONIE OCCIDENTALE

Même une fille de projectionniste a un avenir

« Pourquoi ta mère ne va jamais au cinéma ? Notre mère a dit qu'elle n'y est jamais allée. »

La claire voix juvénile résonnait dans la cour du bureau du kolkhoze. Le fils de la première tractoriste du kolkhoze, Jaan, observait le fils de la volailleuse, qui se mit à donner des coups de pied dans le sable. Aliide était sur le point d'intervenir, pour dire que tout le monde n'est pas obligé d'aimer les films, mais elle s'avisa qu'elle ferait mieux de tenir sa langue. L'épouse de Martin ne pouvait certainement pas parler ainsi, pas de ces films-là. Elle avait d'ailleurs un nouveau travail, à mi-temps, un menu travail de comptabilité au bureau.

Le fils de la volailleuse observait les grains de sable sur les pointes de ses chaussures.

« Ou bien ta mère c'est une fasciste ? »

Jaan prit son élan et donna un coup de pied dans le gravier vers le garçon.

Aliide tourna la tête et s'éloigna. Elle avait montré le chemin du kolkhoze aux projectionnistes, ensuite Martin amènerait les gens sur place avec le nouveau camion du kolkhoze, dans les coins de la remorque il avait mis des bouleaux, paraît-il. C'était magnifique à voir et en même temps ça protégeait du vent les passagers, Martin s'était emballé à ce sujet quand il était parti le matin au travail. Le soir, il y aurait le spectacle, d'abord les *Actualités « Estonie soviétique »** présenteraient *Les beaux jours staliniens* et puis viendrait le film *La bataille de Stalingrad*, énième partie, à moins que ce soit *Les lumières du kolkhoze* ?

Un machiniste présenta les appareils de cinéma aux gosses qui tournoyaient autour de sa voiture comme des toupies, leurs yeux ronds fixaient avec un enthousiasme ininterrompu, l'un avait déjà raconté que quand il serait grand il voulait être projectionniste, qu'il conduirait une voiture et qu'il verrait tous les films. La comptable installait les bancs, il fallait couvrir les fenêtres de la salle avec des couvertures de l'armée. Le lendemain il y aurait à l'école un spectacle gratuit : *L'histoire d'un homme véritable – récit héroïque.* La mère de Jaan traînait sur place dans sa salopette, s'essuyait le front, expliquait quelque chose à propos d'une brigade de femmes tractoristes. C'était une famille d'Estoniens venus de Russie, ils avaient conservé la langue là-bas, même si par ailleurs ils étaient tout ce qu'il y a de plus russes. Ils étaient arrivés au kolkhoze sans aucun bagage, mais à présent le sourire de la mère de Jaan brillait d'or et le fils chassait le fasciste. Dans la chambre de la maison qui leur avait été allouée, ils avaient aménagé une bergerie. Quand Aliide leur avait rendu visite, les brebis étaient fermement attachées aux pieds du piano qui était resté dans la chambre. Un beau piano allemand.

Des filles étaient venues très en avance au bureau pour attendre l'arrivée des projectionnistes. Dans le groupe, il y avait une trayeuse que connaissait le projectionniste, lequel allait la faire rire et lui demander de rester pour les danses après le film. Le projectionniste ferait jouer le gramophone et on ferait danser les jolies filles si bien que le lendemain leurs jambes ne les porteraient pas. Hihi, la trayeuse essayait de pouffer mignonnement, hihi, mais ce son ne s'accordait pas du tout avec ses joues paysannes rouges comme le drapeau, hihi. Aliide était agacée par l'enthousiasme de cette fille de seize ans, son regard optimiste dirigé vers le garçon qui fumait des *papirossa* sous sa casquette en biais. Le projectionniste remontait son pantalon à bottes, sifflait des chansons de films et brillait comme une star sous les feux de la rampe de la trayeuse. Dans la chaude journée d'été, la sueur perlait sous les seins de la trayeuse. Aliide avait envie de gifler cette idiote, de lui dire que le projectionniste faisait rire ainsi la trayeuse dans tous les villages, toutes les filles de seize ans, et toutes avaient le même regard avide, le même frétillement des seins et un décolleté aussi attirant, aussi attirant chaque fois à chaque endroit, paf, fillette, paf, tu comprends ? Aliide s'appuya à la voiture et vit du coin de l'œil comment le projectionniste frôlait secrètement le bras grassouillet de la trayeuse, et même si Aliide savait ce que la trayeuse ne savait pas – que le garçon racontait les mêmes trucs à toutes les propriétaires de jeunes seins –, elle éprouva pourtant de la douleur à l'idée que la trayeuse ait ne fût-ce qu'un petit instant cru en un avenir où elle et le projectionniste seraient en train de danser tous les deux et de regarder des films et peut-être qu'un jour la trayeuse lui préparerait le dîner dans leur petit foyer commun. Si mince que fût la probabilité que la trayeuse et le projectionniste aient un avenir commun, elle était plus grande que pour Aliide et Hans. Bon Dieu, même le couple le plus invraisemblable de tous avait une plus grande probabilité.

Le fils de la volailleuse passa devant Aliide en courant. Jaan filait à ses trousses. Le sable poudroyait, Aliide éternua, et elle entendit des pas familiers, marchant à un rythme familier. Un salut retentit comme un trombone, Aliide n'avait pas besoin de lever la tête, elle connaissait la voix, c'était la voix de l'homme qui était allé chercher Linda dans la pièce d'à côté à la cave de la mairie.

« Bienvenue au travail, cria-t-on dans le bureau. Voici notre nouveau chef comptable. »

Aliide dut s'asseoir. La force s'écoulait de ses jambes dans le sable. Le machiniste remarqua son vertige et lâcha le moteur électrique, le mécanicien faisait toujours rire la trayeuse, le machiniste mena Aliide sur un banc, demanda ce qui s'était passé et se pencha sur elle. Un accroc de son pantalon de laine pendait devant le nez d'Aliide, son regard curieux se baladait plus haut. Aliide répondit que la chaleur lui faisait tourner la tête, que ça lui arrivait de temps en temps. Le machiniste alla lui chercher de l'eau. Aliide appuya la tête sur les genoux, les bras croisés sur les genoux tremblaient, les genoux se convulsèrent à leur tour. Les bottes de cuir chromé de l'homme passèrent à un bras de distance, elle aspira une bouffée de sable. Aliide serrait ses jambes de ses bras et pressait ses cuisses fermement sur le banc, afin que le tremblement cesse. Le sable lui assécha les poumons, l'humidité des organes s'écoula en sueur par les aisselles sur le banc, de l'intérieur d'elle sortit un petit grincement quand elle essaya d'avoir de l'air, mais ses poumons ne firent que remuer du sable, une poudre sèche lui tournait dans les bronches. Le machiniste apporta un verre d'eau. La main d'Aliide renversa la moitié de l'eau, et le machiniste dut tenir le verre pendant qu'Aliide buvait. L'homme cria à quelqu'un que tout allait bien, que c'était juste un coup de chaleur. Aliide essaya de hocher la tête, bien que sa peau rayonnât tellement qu'elle la sentait rétrécir, se ratatiner, et en même temps les oisillons dans les arbres piaillaient et arrachaient de leurs petits becs avides des morceaux de ciel bleu et de nuages blancs, arrachage, piaillement, arrachage, piaillement, arrachage, piaillpiaill, arrach, avalement, arrach, crachement, leurs yeux noirs tournoyaient et chacune de ses bouffées sableuses les faisait sautiller.

Les projectionnistes la ramenèrent chez elle en voiture. La trayeuse les accompagna, comme quoi les garçons avaient besoin de quelqu'un pour les guider en retournant au bureau. Dans la voiture, la sueur de la trayeuse était suffocante et le pan de sa veste collait à la jambe d'Aliide. Tout à son enthousiasme, la fille n'était pas capable de retenir son piaillement de rire, entre-temps le hihi se changea en râle, et alors sa tête oscilla tout à fait contre Aliide, l'oreille touchait presque la sienne. La trayeuse avait du poil aux oreilles. Aux poils étaient collées des boules de cérumen. Elles bougeaient dans le vent tandis que la trayeuse, tout en pouffant, s'étonnait de ce qui était arrivé à la fille de Theodor Kruus, elle s'était pendue, une fille jeune, on n'a pas idée, ou bien c'était ses parents qui lui manquaient, pour eux finalement ça avait plutôt mal tourné, des gens compliqués, même si la fille était vraiment sympa et qu'elle avait pas été arrêtée, on n'aurait jamais cru qu'une fille si sympa avait des parents pareils. Hihi.

Quand la voiture disparut sur la grand-route, Aliide sentit un peu diminuer le poids sur sa poitrine et elle s'appuya au soubassement de pierre de l'étable. Il fallait traire, oui elle en aurait la force, après cela elle réfléchirait à ce qu'elle ferait. Un courlis cria sa solitude, elle sentait un regard fixe à la lisière de la forêt et elle alla chercher sa veste de traite, l'enfila, se lava les mains et se rendit à l'étable en titubant. Il fallait se concentrer sur les choses quotidiennes, sur la paille qui bruissait, les yeux compatissants des animaux qui l'encourageaient et le seau qui était agréable à tenir à la main, oh, quel bois lisse. Aliide cacha ses pieds dans la paille, Maasi l'accueillit gaiement. Aliide gratta Maasi entre les cornes. Peut-être que l'homme ne l'avait pas remarquée. C'est vrai, elle avait baissé la tête si rapidement. Et il y avait tellement d'interrogatoires, continuellement, qu'aucun de ces hommes ne se rappellerait tous les noms et visages. Dans l'étable, elle se sentait bien : il n'y avait pas besoin d'éviter les regards des animaux et sa main ne tremblait jamais avec eux, Maasi n'avait pas l'occasion de se plaindre de ses gestes, à l'oreille de Maasi elle pouvait débattre de n'importe quoi, Maasi ne parlerait jamais la langue des hommes, les pieds de genévrier du tabouret de traite semblaient solides, la vache soufflait dans le seau de farine, flic-floc, le lait giclait dans le baquet, flic-floc, la vie continuait, les animaux avaient besoin d'elle. Il ne fallait pas se décourager. Il fallait trouver un moyen.

À l'extérieur de l'étable, ses poumons se ratatinèrent à nouveau et Aliide ne put fermer l'œil de la nuit. Et si l'homme l'avait tout de même reconnue ? Le sifflement de sa respiration semblait celui d'une souris prise au piège. Martin veillait à côté d'elle. Elle priait son mari d'aller dormir, mais non, Martin restait là, surveillait le cours laborieux de l'oxygène dans les poumons d'Aliide. La nuit rampait, l'air ne passait pas, sur la poitrine d'Aliide reposait une botte de cuir chromé, qu'elle n'arrivait pas à soulever.

Elle n'osait pas dormir, parce qu'elle avait peur de parler dans son sommeil, de s'évanouir, de crier, de délirer, de se dévoiler, de suffoquer en dormant de la même manière qu'elle avait suffoqué dans la cave de la mairie, quand sa tête avait été enfoncée dans le seau à ordures. Et si l'homme avait entendu son nom au bureau et qu'il s'était souvenu d'elle ainsi ? Non, quand même pas, elle était maintenant Aliide Truu, non plus Aliide Tamm.

Le matin, Martin regarda sa femme avec inquiétude et roucoula longuement à la porte, il ne voulait vraiment pas la laisser seule. Aliide le chassa vers son devoir en grimaçant que la conception du centre de radio du kolkhoze avait plus besoin de Martin qu'elle, comment pourrait-on informer les gens sur la bombe atomique si on n'avait pas de radio à fil, il n'y avait pas à s'inquiéter qu'elle soit malade ici à la maison. Quand elle eut obtenu que Martin soit en route, Aliide arracha de son visage le sourire forcé, se lava les mains, plongea son visage dans la cuve de toilette et vacilla jusqu'à l'étable. Elle aurait voulu passer la journée à la traite, mais elle n'en fit rien, versa seulement le lait en éclaboussant dans le bidon de réfrigération, il restait le filtrage, elle avait oublié. Et elle n'eut pas la force de sortir à la laiterie apporter le lait ni d'aller travailler au bureau du kolkhoze. Elle alla dans la chambre, but une demi-bouteille d'eau-de-vie et sanglota toute la matinée. Puis elle se prépara un bain et se lava les cheveux, chauffa l'eau, alors qu'il faisait si chaud qu'on n'aurait pas pu allumer le poêle. Les pores de sa peau haletaient, son souffle sifflait. Mais l'homme ne tarderait pas à se souvenir d'elle. Elle ne pourrait plus aller travailler au bureau. Elle se ferait faire un certificat médical, n'importe quoi, Martin pourrait l'aider. L'homme ne connaissait quand même pas Martin ? Les mouches bourdonnaient et elle les claquait avec la tapette, la sueur coulait à flots, Aliide chassait les mouches de la lampe, des chaises, du tonneau de bière, de la tondeuse, de la cuve de toilette et de la scie suspendue au mur.

Elle ne pourrait pas y aller, jamais.

Hans n'eut pas de plat chaud, ce jour-là.

Au fond du bac à viande du garde-manger, on trouva des œufs de mouche.

Le certificat du conseil médical exempta Aliide de son travail, quelque léger qu'il fût, pour une durée d'un an. Après un an d'exemption, on pourrait le prolonger, au cas où la situation l'exigerait.

Quand Aliide reçut ses papiers d'asthmatique, l'air s'engouffra dans ses poumons à toute allure, l'oxygène l'enivra, de même que l'arôme grisant des pivoines, l'herbe fraîche et les légères matricaires bouillonnaient dans sa poitrine. Le piaillement perçant des oisillons ne lui cassait pas les oreilles, ni le croassement des corneilles à côté du fumier. Aliide tournoya dans la cour, jusqu'à ce qu'elle vît les étoiles et se rappelât comment la vie avait été jadis, quelle sensation procurait la légèreté, puisse-t-elle toujours la sentir. Pelmi était assis les oreilles dressées avec sa gamelle à la porte de l'étable et attendait de recevoir, après la traite, le fond du seau et la mousse du lait. Le temps allait vers le beau. Par mauvais temps, le lait de Pelmi tournait toujours.

Années 1980, Estonie occidentale

Diagnostic

Tandis qu'approchait le défilé du 1er Mai en 1986, Aliide était certaine que la jambe de Martin ne supporterait pas une marche de ce genre, mais Martin n'était pas d'accord et il prit part à la célébration énergiquement avec Aliide à son bras. Lénine flottait majestueusement sur le tissu rouge, le regard vers l'avenir, et Martin avait le même air décidé orienté vers l'avant. Un bon vent flottait sur les drapeaux et sur les gens, l'air était compact de fleurs et de roulements de tambours.

Le lendemain, Talvi appela de Finlande.

« Maman, reste là-bas.

– Quoi ? Pourquoi ? Qu'est-ce qui s'est passé ?

– Est-ce que tu as de l'iode ?

– Non.

– Un réacteur nucléaire a explosé en Ukraine.

– Mais non.

– Si. En Finlande et en Suède on a mesuré des taux de radiation élevés. Tchernobyl. Là-bas on vous a sûrement rien raconté.

– Non.

– Garde papa à l'intérieur et procure-toi de l'iode. Ne dis rien à papa. De toute façon il le croira pas. Ne mangez pas de champignons ou de baies. Et plus tard vous n'en cueillerez plus.

– C'est plus la saison.

– Sérieusement, maman. Plus tard en automne. Vous allez rester à l'intérieur quelques jours, là. Alors le plus gros des retombées sera passé. En Finlande on ne peut plus sortir les vaches, pour qu'elles ne broutent pas d'herbe contaminée. On n'utilise plus la hotte aspirante, non plus… »

La communication fut coupée.

Aliide raccrocha le combiné. Talvi semblait effrayée, ce qui n'était pas dans ses habitudes. En général, elle avait une voix monotone. Ça lui était venu depuis qu'elle avait déménagé pour s'installer chez son mari en Finlande. Et elle n'appelait pas souvent, très rarement, ce qui était compréhensible, bien sûr, parce qu'il fallait demander une autorisation pour téléphoner et on ne l'obtenait pas toujours, et si oui, c'était à grand-peine qu'il fallait attendre des heures qu'une ligne audible soit établie. Ce qui était d'autant plus répugnant quand on savait que les communications étaient écoutées.

Martin cria dans le séjour : « C'était qui ?

– Talvi.

– Pourquoi elle appelait ?

– Comme ça. On a été coupées. »

Aliide alla regarder les nouvelles. On n'y disait rien à propos de Tchernobyl, bien que l'explosion se fût déjà produite depuis plusieurs jours. L'appel de Talvi ne semblait pas intéresser Martin plus que ça. Et si cela l'intéressait, il n'en laissait rien paraître. La distance entre Martin et Talvi s'était particulièrement creusée après que Talvi avait quitté le pays. Pour sa fille, brillante pionnière, Martin avait projeté une belle carrière au parti. Il n'accepterait jamais que Talvi soit passée à l'Ouest.

Le lendemain, le magasin du village reçut un arrivage de marchandises. Aliide alla faire la queue à vélo, mais elle passa aussi à la pharmacie pour prendre de l'iode, que bien d'autres étaient en train d'acheter aussi. C'était donc vrai. Quand Aliide rentra à la maison, Martin avait eu vent de l'affaire par ses amis.

« Toujours le même genre de mensonges. La propagande de l'Ouest. »

Aliide avait pris le flacon d'iode et elle était sur le point d'en verser dans l'assiette de Martin quand elle décida de laisser courir.

À partir du 9 mai, les hommes du kolkhoze reçurent des convocations du commissariat de la guerre. « Pour des manœuvres de réserve », c'était formulé comme ça. Du Printemps de la Victoire partirent quatre conducteurs. Puis le médecin et les pompiers. On ne racontait encore rien d'officiel sur Tchernobyl. Toutes sortes de bruits circulaient, et d'aucuns racontaient que ceux qui avaient été emprisonnés pour leurs opinions étaient envoyés en direction de Tchernobyl. Aliide eut peur.

« Pas mal de gens sont appelés », dit Martin, rien d'autre, mais il mit en sourdine ses protestations sur la propagande des fascistes de l'Ouest.

Les aînés étaient sûrs que ces appels étaient un signe de guerre. Le fils Priks se cassa la jambe, il se débrouilla pour sauter du toit afin d'obtenir un certificat médical d'exemption. Et le fils Priks n'était pas le seul à procéder ainsi. À la place de chaque exempté, on envoyait quelqu'un d'autre.

Et Aliide non plus ne pouvait être sûre que tout cela ne signifierait pas que la guerre éclatait. Le printemps avait-il été anormal, d'une façon ou d'une autre ? Et l'hiver ? Le printemps, en tout cas, avait été un peu plus précoce – aurait-elle dû en déduire quelque chose ? Aurait-elle dû comprendre, quand elle triait les pommes de terre à semer, dans le champ, que la terre était plus sèche que d'ordinaire à la même époque ? Que la neige avait fondu un peu trop tôt ? Quand la pluie de printemps bruinait et qu'elle ne portait dans le champ qu'un chemisier à manches courtes, aurait-elle dû pressentir que quelque chose allait de travers ? Pourquoi n'avait-elle rien remarqué ? Ou bien était-elle seulement devenue si vieille que son instinct défaillait ?

Une fois, Aliide vit Martin qui cueillait une feuille sur un arbre et l'observait des deux côtés pour la déchirer ensuite, sentait ses mains, sentait la feuille, allait examiner le compost, ramassait le pollen à la surface du baquet à eau de pluie et l'examinait.

« Martin, ça se voit pas à l'œil nu. »

Martin sursauta comme s'il avait été surpris en train de faire quelque chose qu'il n'aurait pas dû.

« Qu'est-ce que tu radotes ?

– En Finlande ils gardent les vaches à l'intérieur.

– Ils sont fous. »

Le ciment disparut de toute l'Estonie, parce qu'on en avait besoin en Ukraine, et d'Ukraine et de Biélorussie commença à arriver en Estonie plus de nourriture qu'avant. Talvi interdisait à sa mère d'en acheter. Aliide disait oui oui. Mais qu'est-ce qu'on aurait pu acheter d'autre ? La nourriture saine d'Estonie allait à Moscou et on donnait aux Estoniens les provisions de là-bas, dont Moscou, à cause de ce qui était arrivé, ne voulait pas.

Plus tard, Aliide entendit des histoires sur des champs couverts de dolomite et sur des trains bondés de gens évacués, d'enfants en pleurs, de soldats qui conduisaient des gens hors de chez eux et d'étranges flocons, bizarrement scintillants, qui remplissaient les cours, et que les enfants essayaient d'attraper et dont les petites filles voulaient décorer leurs cheveux, mais les flocons disparaissaient, comme plus tard les cheveux sur la tête des enfants. Un jour, la femme de Priks prit Aliide par la main sur la place du village et soupira que, Dieu soit loué, son fils s'était cassé la jambe, Dieu soit loué, il avait été bien inspiré. La femme de Priks répéta ce que les amis de son fils, ceux qui avaient dû partir, avaient raconté de ce qui se passait là-bas. Et ils ne se réjouissaient plus du tout de l'augmentation de salaire accumulée à l'époque de Tchernobyl, car leur peau rayonnait de peur. Ils avaient vu comment les gens avaient enflé jusqu'à devenir méconnaissables. Comment les gens avaient pleuré leurs maisons et comment les agriculteurs retournaient en cachette travailler dans les champs de la zone interdite. Comment les maisons désertées étaient pillées et comment les affaires étaient vendues au marché, les télévisions, magnétophones et radios se répandaient dans tout le pays, les motos et les astrakans. On avait abattu des chiens et des chats et on en avait rempli des fosses interminablement. La puanteur de la chair en putréfaction, les maisons, arbres et terrains enterrés, les couches de terrain pelées et les choux, oignons et buissons ensevelis. On leur avait demandé si c'était la fin du monde, ou la guerre, ou les deux. Et contre qui on faisait la guerre, qui fallait-il vaincre ? Des vieilles qui faisaient des signes de croix, interminablement. De la vodka et de l'eau-de-vie, interminablement.

Avant tout, la femme de Priks soulignait comment un des garçons avait donné un conseil important à ceux qui avaient pu se sortir de là : ne racontez jamais que vous avez été à Tchernobyl, ou bien toutes les filles vous rejetteront. Ne le racontez jamais, parce que personne ne voudra d'enfants avec un contaminé. La femme de Priks raconta comment un ami de son fils avait été quitté par sa femme, qui était partie avec les enfants, parce qu'elle ne voulait pas qu'ils soient touchés par un homme contaminé. La femme de Priks avait aussi entendu parler d'un autre mari-Tchernobyl quitté par sa femme qui avait commencé à faire des cauchemars. Elle y donnait naissance tour à tour à des veaux à trois têtes, à des chats avec des écailles en guise de poils, et à des porcs sans pattes. La femme ne supportait plus ces rêves ni la proximité de son mari, et elle était partie pour un avenir plus sain.

En entendant parler de femmes qui quittaient leur mari, Aliide tressaillit, son tressaillement s'adoucit en tremblement, et elle regarda d'un œil neuf les jeunes hommes qu'elle croisait dans la rue, elle cherchait parmi eux ceux qui revenaient de là-bas et elle reconnaissait en eux quelque chose de familier. Elle le voyait dans leur regard, plus ou moins ombrageux, et alors elle sentait le désir de porter la main sur les joues de ces garçons, de les toucher.

Martin Truu s'affaissa finalement dans la cour tandis qu'il examinait à la loupe une feuille de bouleau. Quand Aliide trouva son mari et retourna le corps pour lever le visage vers le ciel, elle vit la dernière expression de Martin. C'était la première fois qu'elle voyait Martin étonné.

Troisième partie

Tu as trouvé ton bonheur ?
demandent les mères quand nous allons les voir

Paul-Eerik Rummo

30 mai 1950

Pour une Estonie libre !

Liide a arrêté son travail, celui où elle allait embêter les gens avec les paiements et les quotas. Elle n'a pas voulu me dire pourquoi. C'est peut-être mes paroles qui lui pesaient. Quand je lui ai dit qu'avec ce travail elle n'est rien d'autre qu'un serviteur du diable. À moins qu'elle se soit fait tabasser. Une fois on lui a crevé les pneus de son vélo. Elle a amené le vélo à l'étable et elle m'a demandé d'y mettre des rustines, ce que j'ai refusé. J'ai dit qu'un tel instrument de travail saurait bien être réparé par ceux qui sont déjà au service de cet empire de Satan. Le soir même, Martin fit la réparation.

Quand Liide m'a raconté qu'elle avait arrêté ce travail, on aurait dit qu'elle attendait un remerciement, ses yeux brillaient comme ça. J'avais envie de lui cracher dessus, mais je me suis contenté de gratter Pelmi. Je les connais, ces ruses.

Elle a soudain voulu savoir si j'avais rencontré des connaissances dans la forêt.

Je n'ai pas répondu.

Elle voulait savoir aussi comment c'était dans la forêt. Et comment c'était en Finlande, et pourquoi je devais aller là-bas.

Je n'ai pas répondu.

Liide a essayé de me questionner longuement : pourquoi on ne pouvait pas rester avec les Allemands, alors que j'avais justement commencé par les suivre.

Je n'ai pas répondu.

Ce ne sont pas des histoires pour les femmes.

Je suis retourné dans le cagibi.

Liide ne veut pas me laisser aller dans la forêt. Elle ne veut pas l'admettre, mais je suis le seul à qui elle puisse parler sans être obligée d'entonner les rengaines communistes, et tout le monde a besoin de quelqu'un à qui pouvoir parler franchement. C'est pour ça qu'elle ne veut pas me laisser sortir.

Les céréales poussent dans mes champs et je ne les vois pas.

Où sont ma fille Linda et Ingel ? L'inquiétude est éprouvante.

Hans fils d'Eerik Pekk, paysan estonien

1992, Estonie occidentale

La solitude d'Aliide Truu

Aliide n'arrivait pas à comprendre comment une photo d'elle et Ingel s'était retrouvée dans les mains de Zara. La fille parlait de papier peint et de buffet, mais Aliide ne se rappelait pas avoir caché quoi que ce soit derrière les tapisseries. Elle avait éliminé toutes les photos – Ingel en avait-elle dissimulé lorsqu'elle était encore à la maison ? Ça ne tenait pas debout, pourquoi Ingel aurait-elle fait ça, cacher une photo avec les sœurs ensemble ? Sur la poitrine d'Ingel, certes, il y avait l'insigne des Jeunesses rurales. Mais non, il était si petit, qui d'autre qu'Ingel aurait pu le remarquer ?

Après avoir envoyé Zara se coucher, Aliide se lava les mains et alla tapoter entre le mur et le buffet, donna de petits coups au papier peint, fourra un couteau entre le meuble et la plinthe, sans rien trouver. Seule la vaisselle tintait dans le meuble, et le stock de bouteilles accumulé avec les coupons d'alcool.

La fille endormie dans la chambre avait une respiration régulière, la radio grésillait sur les élections et Ingel, sur la photo, était éternellement belle. Aliide se rappelait le jour où elles étaient allées se faire photographier à l'atelier Modern de B. Veidenbaum. Ingel en avait fait douze. Elles étaient allées au café Dietrich, Ingel avait bu un café varsovien, Aliide un chocolat chaud. Le *moorapea* fondait dans la bouche et le jasmin sentait bon. Ingel avait acheté des tartelettes à pâte feuilletée à emporter, Helene Dietrich les avait emballées dans du carton blanc, avec une baguette de bois en guise de poignée, c'était leur spécialité, des paquets élégants et pratiques. La fumée de cigarette, le froissement des journaux. À cette époque, elles faisaient encore tout ensemble.

Aliide rectifia l'épingle dans ses cheveux. Sa main en sortit humide, elle avait le front et la racine des cheveux trempés de sueur.

La braise dans le poêle fit ratatiner la photo. Aliide mit d'autres bûches dans le fourneau.

Son oreille la démangeait. Elle y passa la main. Une mouche s'en échappa.

Le soleil du matin qui lui scintillait dans l'œil entre les rideaux réveilla Zara. La porte de la cuisine était ouverte, Aliide y était assise à la table et regardait dans sa direction. Quelque chose n'allait pas. Pacha ? Est-ce qu'à la radio on la recherchait ? Quoi ? Zara s'assit et souhaita le bonjour.

« Talvi ne viendra pas.

– Quoi ?

– Elle a appelé et elle a dit qu'elle a changé d'avis. »

Aliide leva la main à ses yeux et répéta que Talvi ne venait pas.

Zara ne savait que dire, ses projets radieux étaient brusquement anéantis. L'espoir, dans un craquement, tombait en poussière derrière ses globes oculaires. Talvi n'amènerait pas de voiture. Les aiguilles du cadran s'ébranlaient, Pacha approchait,

Zara sentait déjà les flammes lui brûler les talons, les jumelles de Pacha lui picotaient la nuque, la voiture vrombissait sur l'autoroute, le gravier giclait, Zara ne bougeait pas, la lumière vacillait dehors, elle restait sur place, sa connaissance d'Aliide et de tout ce qui était arrivé jadis n'avait pas augmenté, mais elle restait sur place, maigre et sans réponses. *Raadio Kuku* donnait l'heure, les nouvelles commençaient, bientôt elles se termineraient, la journée passait, Talvi et la voiture de Talvi ne venaient pas, mais Pacha ne tarderait pas à arriver.

Zara alla dans la cuisine et remarqua qu'Aliide avait des sanglots. On aurait dit qu'elle pleurait, mais elle était silencieuse, les mains posées sur ses genoux, et Zara vit que ses yeux étaient secs.

« Bon, pardon, je suis désolée. Quelle déception pour vous », dit rapidement Zara.

Aliide soupira, Zara soupira, prit un air compatissant, mais en même temps elle écarta sa pensée, à présent il n'y avait pas le temps pour l'étonnement. Aliide pourrait-elle encore l'aider, Aliide aurait-elle encore une carte dans sa manche ? Si oui, Zara devait faire plaisir à la femme et il ne fallait pas qu'elle se mêle de la photo ou de la grand-mère, auxquelles Aliide avait réagi hostilement. La photo de Zara était rangée hors de vue et elle n'osait pas la demander. Ou bien Zara devait-elle abandonner toute idée d'évasion et se résigner à attendre la suite des événements ?

Bien sûr, la grand-mère aurait déjà reçu les photos envoyées par Pacha. Pour ça, Pacha n'avait pas traîné. Peut-être que Sacha aussi les avait reçues. Peut-être aussi la mère, et Dieu sait qui encore. Peut-être que Pacha avait fait autre chose – est-ce que tout le monde allait bien, au moins, à la maison ? Non, il ne fallait pas penser à ça maintenant. Il fallait échafauder un nouveau plan. Aliide s'appuya à sa canne, sans se lever, et dit : « Talvi a prétendu qu'elle avait des choses à faire, mais qu'est-ce qu'elle peut bien avoir à faire maintenant ? À la maison elle est couchée toute la sainte journée comme une femme au foyer, ce qu'elle a toujours voulu. Et toi, qu'est-ce que tu voulais devenir ?

– Docteur. »

Aliide parut surprise. Zara expliqua qu'elle voulait une bourse d'études et qu'elle était partie à l'Ouest dans ce but. Elle voulait rentrer dès qu'elle aurait assez d'argent de côté, mais alors Pacha était arrivé, et beaucoup de choses avaient échoué. Aliide fronça le front et demanda à Zara de lui parler de Vladivostok. Zara sursauta. Est-ce que c'était le bon moment pour les souvenirs du monde entier ? Aliide semblait avoir complètement oublié les hommes qui poursuivaient Zara. Peut-être qu'Aliide ne voulait pas trahir ses émotions, ou peut-être qu'elle était plus sage que Zara. Peut-être qu'il n'y avait rien d'autre à faire ici que rester assises et bavarder. Peut-être que c'était le plus raisonnable qu'on pût faire maintenant, jouir de cet instant où Zara finalement se remémorait Vladik. Zara se força à s'asseoir calmement à la table, à tendre sa tasse à café vers Aliide, quand celle-ci servit de l'ersatz, et à prendre un morceau de tartelette à la crème aigre, paraît-il la préférée de Talvi. Aliide l'avait faite pendant la nuit au cas où Talvi serait arrivée aujourd'hui.

« Vous n'avez pas du tout dormi ?

– À quoi bon dormir, pour une vieille dame. »

Peut-être que le tempérament évasif d'Aliide venait de là ? Aliide se tenait avec le percolateur à la main au bord de la table et avait l'air de ne pas savoir où le mettre. Aliide Truu paraissait esseulée. Zara s'éclaircit la gorge.

« Alors, Vladivostok. »

Aliide sursauta, mit le percolateur par terre et s'assit sur la chaise.

« Allez, raconte. »

Zara commença en parlant de la statue qui pavoisait en faveur des glorieux militants du pouvoir soviétique en Extrême-Orient, et des ports, de l'odeur de la mer du Japon dans les planches des murs, des ornements de bois des maisons, de la neige dans les rues Fokine et Svetlanskaïa, de la cuisine arménienne, de l'amie de sa mère qui faisait les meilleures spécialités arméniennes du monde, *dolma*, *pickles*, préparait des aubergines tellement succulentes et faisait des biscuits tellement célestes que, lorsque le biscuit *shakarishee* touchait le palais, alors la neige qui tourbillonnait dehors semblait être du sucre jusqu'au lendemain. À côté, le lait concentré pouvait aller se rhabiller ! À la maison, le tourne-disque jouait Zara Doloukhanova, des chansons populaires arméniennes en arménien et Puccini en italien, toutes sortes de langues, Zara tenait son prénom de Doloukhanova. Sa mère était folle de la voix d'ange de Doloukhanova, elle avait toujours été à l'affût d'anecdotes sur les voyages de Doloukhanova à l'Ouest, tous ces endroits, ces villes et ces pays ! Avec une voix aussi magique, on pouvait aller n'importe où ! Pour une raison inconnue, le chant de Doloukhanova était la seule chose à quoi la mère s'intéressât. Zara s'était lassée de cette femme et du fait qu'il ne fallait pas parler quand Doloukhanova chantait, et elle avait préféré aller chez sa copine écouter la cassette de Moumi Troll *Novaïa louna aprelia*, le chanteur Ilia Lagoutenko était super et il était allé à la même école que Zara. Une fois, la grand-mère avait amené Zara regarder les bateaux qui partaient pour le Japon ; à part le potager, elle ne consentait à sortir que pour aller voir les bateaux, c'est tout, et le vent de la mer lui battait le front, la poussait vers les terres. La gare ferroviaire était à neuf mille kilomètres de Moscou, mais on n'était jamais allé là-bas, même si Zara aimerait bien y aller un jour. Et l'été, l'été de Vladik, tous ces étés de Vladik ! Un été, quelqu'un avait découvert que le vernis à ongles pouvait se mettre à scintiller quand on y ajoutait de la poudre d'aluminium, et bientôt toutes les filles de la ville avaient des ongles qui scintillaient dans le soleil d'été.

Une fois lancée, Zara s'était enthousiasmée pour raconter son histoire. Les mots avaient bon goût. Elle eut même la nostalgie de Zara Doloukhanova. Et de Moumi Troll.

Katia aussi avait voulu entendre parler de Vladik, mais malgré ses tentatives, Zara n'avait pas réussi à lui raconter quoi que ce soit sur la ville. À travers la tête de Zara passaient seulement des images isolées de Vladik, puis d'autres qui lui étaient venues à l'esprit en parlant avec Katia mais qu'elle ne voulait pas mentionner devant elle, comme celles de la grand-mère qui avait commencé, l'année de Tchernobyl, à sécher des tranches de pain en prévision d'une guerre, et après l'accident, quand elles avaient regardé la télé sans savoir encore qu'il s'était passé quelque chose, et à la télé les gens dansaient dans les rues de Kiev. Tchernobyl était un sujet sensible, car Katia était originaire de là-bas et c'était pour ça que Katia avait voulu un mari étranger et qu'elle s'était intéressée à Vladik. Parce que Katia voulait avoir des enfants. À son mari potentiel, elle avait l'intention de raconter qu'elle venait d'ailleurs, pas de Tchernobyl. C'était un bon projet, selon Zara, et elle aurait eu envie de poser d'autres questions, Katia ne brillait pas dans le noir et elle n'avait l'air nullement différente des autres filles. À part cela, Katia avait dit qu'à son avis il valait mieux qu'on parle moins de Tchernobyl, qu'on écrive moins sur Tchernobyl et qu'on en sache moins. Katia avait raison. Zara non plus n'avait pas voulu embrasser Katia, même quand celle-ci avait pleuré parce que sa famille lui manquait ou après un client difficile. Elle préférait consoler Katia en bavardant d'autre chose, de n'importe quoi d'autre que de Vladik. La pensée de sa ville natale semblait étrangement déplacée. Comme si Zara n'était pas digne de souvenirs de sa ville natale. Comme si tous les beaux souvenirs auraient été souillés si elle les avait laissés sortir de sa tête à cet endroit-là, dans cette situation, et encore plus si elle en avait parlé. La photo qu'elle cachait dans ses vêtements, elle la tâtait seulement de temps en temps à travers le tissu, pour s'assurer de sa présence. Pacha savait bien sûr que Katia était une fille de Tchernobyl, parce qu'il était allé la chercher près de Kiev, mais il lui avait ordonné de raconter qu'elle était de Russie, au cas où un client lui poserait la question, car aucun client ne voudrait fourrer sa bite dans la mort.

Zara essaya de se secouer Katia de la tête, elle ne voulait pas parler de Katia à Aliide, il fallait s'en tenir à Vladik. Le bavardage de Zara avait presque fait sourire Aliide, et elle lui offrit un second morceau de tartelette à la crème aigre. Zara l'accepta et se sentit devenir insolente. Non seulement elle oubliait qu'elle avait l'habitude de demander l'autorisation à Pacha pour la moindre chose. Elle était insolente parce qu'elle avait accepté la tartelette à la crème aigre sans l'autorisation de Pacha. Elle était insolente de raconter des histoires sur sa région natale sans avoir été autorisée par Pacha à parler. Elle était insolente parce qu'elle n'aurait pas dû être ici, dans un endroit où elle n'avait pas besoin de demander l'autorisation pour aller faire pipi. Si elle se mettait maintenant à avoir mal à la tête, Aliide lui proposerait sûrement un médicament sans même qu'elle le demande. Si ses règles commençaient, Aliide lui donnerait tout de suite quelque chose, elle lui ferait couler un bain, lui apporterait une bouillotte au lit, et Zara ne serait pas en dette pour autant. À n'importe quel moment, cette irréalité pourrait se briser et Zara pourrait dégringoler en arrière pour sentir la réalité, les clients, les dettes, à n'importe quel moment Pacha et Lavrenti pourraient débarquer dans la cour, à n'importe quel moment, et alors elle ne pourrait plus penser à Vladik, souiller ses souvenirs de sa région natale avec ce monde. Mais elle pouvait y penser maintenant.

« Tu avais trouvé ton bonheur, là-bas, observa Aliide, l'air étonné.

– Carrément.

– Comment ça, carrément ? »

Soudain Aliide se réjouit comme si elle venait d'apprendre une grande nouvelle :

« Eh bien mais alors c'est formidable ! »

Zara pencha la tête.

« Oui. Et c'était sympa d'être une pionnière. »

Elle n'avait jamais été bonne à marcher en rang et tout ça. Mais c'était sympa quand on s'asseyait autour du feu et qu'on chantait. Et son insigne de pionnière, elle en était fière. Elle en admirait le fond rouge et elle caressait le front radieux et doré de Lénine, ses oreilles dorées.

Tandis qu'elle bavardait à propos de Vladik, Katia refaisait quand même surface dans la tête de Zara à tout instant. Elle ne pourrait plus jamais parler de Vladik à Katia. À l'égard de Katia, elle n'était pas arrivée à temps, et pourtant Katia ne demandait pas grand-chose. Zara avait pensé qu'un jour viendrait où elle ferait de Katia une fille de Vladivostok, mais ce jour n'était jamais venu. Devrait-elle prendre le risque, interroger Aliide sur ses secrets, même si cela pouvait impliquer qu'Aliide ne l'aiderait pas vis-à-vis de Pacha ?

1991, Berlin

Une fille comme un jour de printemps

Pacha mit la cassette vidéo en marche. Sur l'écran apparut d'abord une bite rouge dressée, puis le ventre rebondi et poilu d'un type d'âge mûr, puis les seins d'une fille. Le type ordonna à la fille de se comprimer les seins et elle les pétrit et les malaxa, et il commença à se secouer la bite. Dans le champ apparut un deuxième type, qui fit pivoter les cuisses de la fille, les déploya, et avança un rasoir jetable, qu'il promena sur les poils de la fille.

Pacha s'assit sur le canapé et prit une position confortable, défit sa braguette.

« Viens voir ici. »

Zara n'obéit pas assez rapidement, si bien que Pacha l'entraîna par les cheveux devant l'écran, jura et retourna sur le canapé et sortit son gland. La vidéo tournait. Pacha se branlait. La veste en cuir crissait. Dehors il faisait jour. Les gens faisaient leurs courses, achetaient des *bratwurst* et de la choucroute et parlaient allemand et une mouche dans la lampe du magasin bourdonnait…

« Regarde ! »

Pacha la frappa sur le crâne et s'assit à côté pour surveiller qu'elle regardait vraiment la vidéo. Il lui arracha le peignoir et lui ordonna de se mettre à quatre pattes, le cul vers lui, le visage vers l'écran.

« Écarte les jambes. »

Elle les écarta.

« Plus que ça. »

Elle obéit.

Pacha se branlait derrière elle.

Sur l'écran, l'homme bedonnant tendait sa bite vers le visage de la fille et commençait à jouir sur son visage.

La fille avait son visage.

Le visage de la fille se couvrit de sperme. L'autre homme enfonça sa bite dans la fille et se mit à gémir. Pacha jouit, sa chaude semence coula le long des cuisses de Zara. Pacha remonta son pantalon et alla prendre une bière. La canette s'ouvrit avec un clic. Les longues gorgées de Pacha produisaient presque un écho dans la chambre vide. Zara était toujours à quatre pattes devant la vidéo. Elle avait mal aux genoux.

« Tourne-toi vers ici. »

Zara obéit.

« Frotte-toi la chatte. Écarte bien. »

Zara s'étendit sur le dos et fit pénétrer le sperme de Pacha.

Pacha prit un appareil photo et fit un cliché.

« Tu comprends bien ce que deviendront ces photos et ces vidéos, des fois qu'il te viendrait l'idée de manigancer quelque chose. »

Zara arrêta de frotter.

« Elles seront envoyées à ta grand-mère. Et puis elles seront envoyées à Sacha et aux parents de Sacha. On a leurs noms et adresses. »

Était-ce Oksanka qui leur avait parlé d'eux ? Zara ne voulait plus jamais penser à Sacha. Malgré cela, il lui revenait à l'esprit sous la forme d'une voix qui prononçait le nom de Zara et qui la réveillait la nuit. Parfois c'était seulement comme ça qu'elle se rappelait qu'elle était Zara, et non pas Natacha. Aux confins du sommeil, notamment, dans les sables mouvants de l'alcool et d'autres substances, elle sentait soudain Sacha qui se blottissait autour d'elle, mais elle chassait aussitôt cette sensation. Elle ne fonderait jamais de nid douillet avec Sacha, et ils ne célébreraient pas la fin des études au champagne, de sorte qu'il valait mieux ne pas penser à ces choses-là, il valait mieux prendre un verre d'eau-de-vie, se cuiter, réclamer un bécot à Lavrenti et le bécoter. Pas la peine autrement de trop gamberger, c'était mieux comme ça et c'était plus facile comme ça. Il n'y avait qu'une chose à se rappeler : même si le visage de Zara était sur la bande de Pacha, la vidéo ne racontait pas l'histoire de Zara, mais celle de Natacha, et celle-ci, elle ne la laisserait pas devenir l'histoire de Zara. L'histoire de Zara était ailleurs, sur une bande de Natacha.

1992, Estonie occidentale

Un chien ne rompt pas avec ses crocs la chaîne de l'hérédité

Quand la fille commença à parler de Vladik, ses sourcils saccadés s'apaisèrent, elle oublia de se frotter les oreilles, une fossette rebondit sur la joue, disparut, et revint à nouveau. Le soleil tombait dans la cuisine.

La fille avait un joli nez. Le genre de nez qu'on a plaisir à regarder depuis la naissance. Aliide essaya d'imaginer Talvi à la place de Zara, en train de bavarder à la table de la cuisine, de scintiller et de raconter sa vie, mais elle n'y arrivait pas. Quand Talvi était venue en visite après avoir emménagé, elle s'était toujours hâtée de repartir. Si Aliide avait été une mère différente, est-ce que Talvi serait devenue différente ? Peut-être que Talvi ne sifflerait pas dans le téléphone qu'en Finlande on trouvait tout le nécessaire dans les magasins, quand Aliide demandait si sa fille cultivait quelque chose dans le potager. Si Aliide avait été différente, Talvi serait-elle venue l'aider pendant la récolte des pommes, au lieu de lui envoyer seulement des photos brillantes de sa nouvelle cuisine, de son nouveau séjour, de son nouveau mixeur, jamais de photos d'elle ?

Peut-être que Talvi n'aurait pas commencé à admirer, dès sa jeunesse, la tante de son amie, qui avait une voiture en Suède et qui envoyait à la fille des exemplaires du magazine *Burda*. Peut-être que Talvi n'aurait pas commencé à jouer au bureau de change, à danser sur du disco. Peut-être que Talvi, alors, n'aurait pas voulu aller ailleurs. Encore que les autres aussi voulaient aller ailleurs, de sorte que ce n'était peut-être pas la faute d'Aliide. Mais pourquoi cette fille qui racontait des histoires pétillantes sur Vladik n'avait-elle pas voulu déménager à l'Ouest ? La fille avait seulement voulu aller gagner de l'argent. Peut-être que l'Estonie était seulement pleine de ces gens qui étaient restés à ressasser qu'il aurait fallu partir pour la Finlande ou la Suède du temps de la guerre, et cette rengaine s'était transmise sur le berceau aux générations suivantes. Ou peut-être que Talvi inventait le désir d'un homme étranger, parce que le modèle offert par ses propres parents était quelque chose dont elle ne voudrait jamais pour elle-même. Cette fille-ci voulait devenir docteur et rentrer chez elle, mais lorsque Talvi était sortie de l'adolescence elle avait seulement voulu aller à l'Ouest avec un mari occidental. Cela avait commencé avec des poupées de papier auxquelles on dessinait des vêtements selon les patrons de *Burda*, et continué en frottant un jean Sangar porté tout l'été. Talvi avec sa copine l'avait frotté avec une brique à n'en plus finir, pour qu'elles aient le même genre de pantalons qui avaient l'air usé qu'à l'Ouest. Le même été, les gars du voisinage avaient joué à des jeux « allons en Finlande », ils avaient construit un radeau, sur lequel ils avaient traversé le fossé et puis ils étaient revenus, parce qu'ils ne savaient pas ce qu'ils auraient pu aller faire en Finlande. Martin avait été plus déçu de jour en jour. Aliide, alors, n'avait pas pu partager la déception de Martin, mais maintenant que la restitution des terres était à l'ordre du jour, elle devait reconnaître qu'elle avait le même ressentiment envers Talvi, car celle-ci ne s'était pas intéressée le moins du monde au déroulement du procès des terres, à la paperasse. Si Aliide avait été une mère différente, Talvi aurait-elle été ici pour l'aider à mener les affaires ?

La veille de l'arrivée de la fille, Aino était venue discuter de l'affaire des terres encore une fois et Aliide avait répété son conseil pour la énième fois : Aino devrait mettre les papiers des terres en commun avec ses frères, même si c'étaient des poivrots. S'il arrivait quelque chose à quelqu'un de la fratrie, il resterait toujours les autres pour s'occuper des affaires. C'est qu'Aino voulait attendre au moins que l'armée ait quitté le pays – elle craignait que les Russes ne reviennent complètement et alors quoi, est-ce qu'on se retrouverait encore à rassembler les wagons à bétail à la gare ? Même Aliide devait reconnaître que ces soldats n'avaient pas l'air d'être en train de partir où que ce soit, ils passaient juste leur temps à voler au village, à emmener des taurillons et à vider les magasins de tabac. Le bénéfice qu'on en tirait, certes, était qu'on obtenait d'eux de l'essence payée par l'armée.

Les yeux d'Aliide s'étrécirent, son larynx se serra. Même cette fille russe assise sur la chaise aux pieds branlants s'intéressait davantage aux affaires de cette cuisine que sa propre fille. Talvi ne parlerait jamais aussi joliment de son enfance que cette fille. Et Talvi n'aurait jamais demandé comment on fait le baume de souci. Cette fille voulait savoir quels ingrédients il fallait. Cette fille pourrait s'intéresser à tous les trucs appris par Kreel, quelles plantes il fallait cueillir le matin, lesquelles à la nouvelle lune. Dans la mesure du possible, cette fille partirait sûrement avec elle cueillir le millepertuis et l'achillée, quand ce serait le bon moment pour cette tâche – Talvi ne ferait jamais cela.

1953-1956, Estonie occidentale

Aliide veut dormir la nuit en toute tranquillité

Quand Aliide vint à la maternité, les femmes russes criaient : « *Batiouchka Lénine, pomogui ménia*[1] *!* » Et c'est toujours Batiouchka Lénine qu'elles appelaient à l'aide quand elle sortit de là avec Talvi, et c'est Lénine que Martin remercia quand le nourrisson pleurant arriva à la maison. Martin avait attendu l'enfant longtemps, et cette attente avait été pour lui brûlante – il avait fini par se persuader qu'il ne serait jamais père d'un enfant. Aliide ne s'en était pas plainte, elle ne voulait plus côtoyer des enfants et ne souhaitait pas élever de descendance dans ce nouveau monde, ce monde pour des gens nouveaux ; mais l'année de la mort de Staline, au milieu de la confusion causée par la disparition du Père, l'enfant s'était mis à pousser en elle. Martin avait causé à l'enfant dès avant sa naissance, Aliide ne savait pas parler à l'enfant même après qu'il fut venu au monde. Aliide laissait les babils à Martin et fabriquait des biberons en faisant bouillir des bouteilles d'eau-de-vie, regardait

1. « Père Lénine, aide-moi ! »

interminablement l'assombrissement des tétines dans la casserole, chauffait des aiguilles à coudre et perçait des trous au bout des tétines. Martin donnait à manger à Talvi. À l'heure de la tétée aussi, il venait s'occuper de cet important devoir – Aliide essayait parfois, sans succès, et l'enfant ne cessait de pleurer que lorsque le père arrivait.

Aliide ne se souciait d'aucune façon de l'enfance paisible de sa fille.

Un soir, Martin rentra à la maison en sentant l'alcool et lava des champignons, fuma entre-temps une cigarette Priima, et retourna au nettoyage des champignons. La radio à fil pérorait sur le cours du travail socialiste, par qui et où les quotas avaient été dépassés. Aliide était en train de faire du jus de fruits avec de la confiture Kosmos, elle exprimait le contenu du tube de confiture dans une cruche et ajoutait de l'eau bouillie et de l'acide citrique. L'eau se teignit en rouge, Aliide donna le tube à moitié vide à la fillette, qui suça la confiture de groseille à même le tube. « Ils sont en train de revenir. »

Aliide sut tout de suite de qui parlait Martin.

« Tu n'es pas sérieux. »

Mais Martin l'était.

« Ils ont commencé à les réhabiliter.

– Qu'est-ce que ça signifie ?

– Que Moscou les laisse revenir. C'est ce qu'on dit à Tallinn. »

Aliide faillit rétorquer que Nikita était fou à lier, mais elle se tut, parce qu'elle ne savait pas encore de quel avis était Martin au sujet de Nikita. À part que Nikita avait l'air d'un travailleur. Pour Aliide, il avait l'air d'un porc et sa femme d'une porchère. Beaucoup partageaient l'avis d'Aliide, bien qu'elle-même ne révélât jamais le sien à voix haute. Mais qu'ils reviennent ? Juste quand la vie était en train de reprendre son cours normal, Nikita inventait la plus folle des idées. Qu'est-ce qu'il imaginait, au juste ? Où imaginait-il tous les mettre ?

« Elles ne peuvent pas venir ici. Fais quelque chose.

– Quoi ?

– Je sais pas, moi ! Tant qu'elles viennent pas ici ! Pas dans toute l'Estonie. Il faut pas les laisser entrer ici !

– Calme-toi ! Ils ont tous signé une promesse de garder le silence conformément à l'article 206.

– Qu'est-ce que ça veut dire ?

– Qu'ils ne peuvent rien dire sur tout ce qui a trait à leur dossier. Et je ne serais pas surpris qu'on leur en fasse encore signer une autre quand ils sortiront. Sur ce qui a trait à leur séjour au camp.

– Ils ne pourront donc parler de rien de tout ça ?

– S'ils ne veulent pas retourner là d'où ils viennent, en tout cas. »

Les voix exaltées firent pleurer Talvi. Martin prit la fillette sur ses genoux et la berça. Aliide tâtonna dans le buffet à la recherche du flacon de Palderjan. Le sol se dérobait sous ses pieds.

« Je m'en occupe », dit Martin.

Aliide fit confiance à son mari, parce qu'il avait déjà fait des promesses par le passé. Et Martin ne manqua pas à sa parole cette fois non plus.

Elles ne revinrent pas.

Elles restèrent là-bas.

Non pas qu'elles seraient arrivées dans cette maison. Ni dans les environs. Mais où qu'elles fussent allées en Estonie, Aliide n'aurait pas eu la force…

Elle voulait dormir la nuit en toute tranquillité. Elle voulait marcher en toute tranquillité dans le noir et pédaler au clair de lune, se promener à travers champs après le coucher du soleil et se réveiller le matin dans une maison qui n'avait pas brûlé pendant la nuit avec elle et Talvi. Elle voulait puiser l'eau du puits et voir le bus du kolkhoze ramener Talvi de l'école à la maison, et elle voulait que Talvi soit en sécurité même quand elle ne la surveillait pas. Elle voulait vivre sans jamais les rencontrer. Ce n'était pas trop espérer. Il pourrait au moins faire cela pour le bien de sa fille ?

Quand ceux qui rentraient des camps arrivèrent et s'installèrent pour une nouvelle vie, elle les reconnut parmi les autres gens. Elle les reconnut à leur regard obscurci, le même qu'ils avaient tous, les jeunes comme les vieux. Elle les évitait dans la rue, de loin déjà elle les évitait, et elle avait peur avant même de les éviter. Elle avait peur avant même de tourner la tête. Elle avait peur avant même de réaliser que c'était l'odeur du camp qu'elle reconnaissait, et la conscience du camp qu'elle voyait dans leurs yeux. Elle était toujours dans leurs yeux, la conscience du camp.

N'importe laquelle de ces personnes pourrait être Ingel. Ou Linda. Cette pensée lui oppressait la poitrine. Linda aurait tellement grandi qu'Aliide ne la reconnaîtrait pas du tout. Et toute personne qu'elle croisait aurait pu avoir été dans le même camp qu'Ingel, dans la même baraque, Ingel lui avait peut-être parlé, elle avait pu lui parler de sa sœur. Peut-être qu'Ingel avait eu des photos avec elle, comment savoir. Peut-être qu'Ingel avait montré des photos de sa sœur à cette personne qu'Aliide croisait dans la rue, et peut-être cette personne la reconnaissait-elle. Peut-être cette personne savait-elle quelque chose sur les mauvaises actions d'Aliide, car dans les camps les rumeurs couraient comme feu de paille. Peut-être que cette personne allait la suivre, pour mettre le feu à sa maison la nuit suivante. Ou peut-être que cette personne se contenterait de la frapper avec une pierre sur le crâne, sur le chemin de la maison. Peut-être que cette personne la ferait s'affaisser sur la route qui traverse le champ. C'étaient des choses qui arrivaient. De mystérieux accidents, d'étranges agressions. Martin avait dit que dans les camps ils n'avaient pas pu voir leurs papiers, ils ne sauraient rien de rien, mais chaque baraque avait quand même des murs. Et là où il y a des murs, il y a des oreilles.

Ceux qui rentraient des camps ne se plaignaient jamais de rien, n'étaient jamais en désaccord et ne râlaient en aucun cas. C'était insupportable. Aliide sentait un puissant désir de leur arracher les rides des coins des yeux et les sillons des joues, de les enrouler en pelote et de les renvoyer dans le train qui passait par Narva.

1960, Estonie occidentale

Martin est fier de sa fille

Martin ne se fâcha qu'une fois contre Talvi, quand elle était enfant. Talvi s'était précipitée à la maison en courant, deux semaines avant le nouvel an. Aliide était seule à la ferme, si bien qu'elle dut faire l'affaire pour répondre à la question que la fille ne parvenait pas à contenir jusqu'à l'arrivée du père.

« Maman ! Maman, c'est quoi Noël ? »

Aliide continua de remuer la sauce calmement.

« Ma chérie. Il faut que tu demandes ça à ton père. »

Talvi alla dans le vestibule attendre son père et s'assit, adossée aux rondins, balançant ses pieds contre le seuil.

Quand Martin rentra à la maison, il enragea. Non pas à cause de Noël, parce que pour ça Martin aurait trouvé une explication valable. Il eut juste le temps de se mettre en colère avant de pouvoir raconter la chose, car en tout premier Talvi voulut savoir ce qu'était la guerre d'indépendance dont on parlait dans le livre.

« Quel livre ?

– Celui-là. »

Talvi tendit un livre à son père.

« Où tu as trouvé ça ?
– C'est tatie qui me l'a donné.
– Quelle tatie ? Aliide !
– Je suis pas au courant, cria Aliide dans la cuisine.
– Talvi ?
– La tatie de Milvi. On jouait là-bas. »

Martin repartit illico. Il ne prit même pas sa veste. Il emmena sa fille avec lui pour qu'elle lui montre où habitait Milvi.

Talvi arriva la première à la maison, en courant et en pleurant ; plus tard dans la soirée, elle vint se traîner vers son père pour faire la paix. La fumée de la cigarette s'écoulait dans la cuisine et bientôt vinrent les gloussements de rire de Talvi, Aliide était assise devant les pommes de terre tièdes. La nourriture pour les poules était prête, la sauce cuisinée pour le souper refroidissait sur la table, à sa surface se formait une pellicule, l'éclat se ternissait. Les chaussettes à repriser de Martin attendaient sur une chaise, sous la chaise un panier de laines à carder. Le lendemain, à l'école, Talvi taquinerait les enfants des familles qui fêtaient Noël, à coup sûr. Le lendemain soir, Talvi raconterait à son père comment elle aurait lancé une boule de neige sur le fils Priks et demandé à un autre exactement ce que son père était peut-être en train de lui ordonner de demander aux enfants de ces familles-là : « Quelqu'un l'a vu, Jésus ? Ça l'excite, ta mère ? » Et le père la féliciterait, Talvi ferait la fière et bouderait Aliide, parce qu'elle se rendrait compte qu'il manquait quelque chose aux louanges d'Aliide, comme toujours. Il leur manquerait toujours la sincérité. Sa fille grandirait dans les éloges de Martin, dans les histoires racontées par Martin, qui n'avaient rien d'estonien. Sa fille grandirait dans des histoires où rien n'était vrai. Aliide ne pourrait jamais raconter à Talvi les histoires de sa propre famille, celles qu'elle avait entendues de sa maman, celles avec lesquelles elle s'endormait, quand elle était enfant, la nuit de Noël. Elle ne pourrait rien raconter sur l'endroit où elle-même avait grandi, et sa mère, et la mère de sa mère, et la mère de la mère de sa mère. Elle ne transmettrait pas non plus son histoire, mais les autres, toutes celles sur lesquelles elle avait grandi. Quel genre d'adulte pourrait-il devenir, un enfant qui n'aurait pas d'histoires en commun avec sa mère, pas d'anecdotes communes, pas de blagues ? Comment être mère, quand il n'y avait personne à qui demander conseil, comment ça pourrait marcher dans une situation pareille ?

Talvi ne joua plus jamais avec Milvi.

Martin était fier de Talvi. D'après lui, elle était une merveille. Talvi fut une merveille toute particulière lorsqu'elle annonça qu'elle voulait être l'enfant du grand Lénine. Et Martin, cela ne lui faisait ni chaud ni froid que Talvi ne sache pas recueillir une goutte de rosée sur un plantain ou distinguer une amanite tue-mouche d'un lactaire toisonné, alors que pour Aliide une chose pareille ne devrait pas être possible, pas avec leurs gènes à elle et Ingel.

Années 1960, ESTONIE OCCIDENTALE

Les souffrances se lavent dans la mémoire

Tandis que Martin, dans la famille, s'occupait de ce qui concernait l'éducation de l'enfant, Aliide prenait en charge tout ce qui concernait les files d'attente. Après des années que Martin n'avait pas été appelé à Tallinn, les allusions aux possibles promotions de Martin cessèrent, et Aliide cessa de compter sur Martin pour se procurer des marchandises par l'intermédiaire du parti : elle fit la queue en tenant Talvi par la main, la formant ainsi à une vie d'honnête femme soviétique. La queue pour la viande, certes, elle y échappait, parce qu'elle avait une connaissance dans la boucherie, Siiri. Quand Siiri annonçait que de la marchandise était arrivée, Aliide se faufilait entre les poubelles débordantes à la porte de derrière de la boutique en traînant Talvi. Elle ne lui apprit jamais à marcher aussi lentement qu'une enfant : malgré ses bonnes intentions, elle accélérait toujours le pas, tellement que sa fille était obligée de courir. Aliide se rendait bien compte qu'elle se comportait comme si elle voulait échapper à son enfant en courant, mais elle n'était pas capable d'éprouver pour cela de mauvaise conscience, et tandis qu'elle essayait de jouer une mère comme il faut, elle se sentait au bord de la caricature. Aliide s'efforçait volontiers de vanter aux autres femmes le talent de Martin dans son rôle de père et, ce faisant, elle occultait complètement son propre rôle de mère. Puisque Martin était une perle de père, les autres femmes tenaient Aliide pour la plus chanceuse des femmes.

Heureusement, l'enfant grandit et commença à galoper lestement derrière sa mère, y compris à travers les nuées de mouches de l'arrière-cour de la boucherie de Siiri. Parfois les mouches vous entraient dans le nez et les oreilles, parfois on en retrouvait plus tard dans les cheveux, ou du moins le cuir chevelu d'Aliide grouillait tellement qu'elle aurait juré qu'elles y avaient pondu. Les mouches n'avaient pas l'air de gêner Talvi, elle ne les chassait même pas, mais les laissait déambuler sur ses bras et ses jambes, ce qui dégoûtait Aliide. Quand elles étaient reparties de chez Siiri, Aliide défaisait les tresses de Talvi et lui secouait les cheveux. Aliide savait que sa fille était idiote, mais elle n'y pouvait rien.

Le jour où Talvi raconta qu'il y avait eu un contrôle dentaire à l'école, Aliide était allée dans l'arrière-boutique de Siiri. Celle-ci était en train de laver des saucisses de Semipalatinsk à l'eau salée, une brosse à la main. Dans son dos attendaient, en plus des semipalatinsks, une montagne de saucisses de Tallinn et de Moscou. Tout cela grouillait de vers.

« Pas de panique. C'est pour le comptoir, mais il va bientôt y avoir un arrivage de marchandise fraîche. »

Quand la voiture fut arrivée, Aliide avait aussi accumulé dans son sac un butin considérable, deux ou trois chapelets de saucisses de Pologne, un saucisson de Cracovie et même des francforts. Elle était en train de les présenter à Martin lorsque l'étonnante nouvelle de Talvi interrompit l'inventaire de ses courses.

« Deux grosses caries.

– Qu'est-ce que ça veut dire ? » demanda Aliide, effrayée par sa propre voix. C'était un couinement de chien battu. Talvi avait aussitôt froncé les sourcils. Le morceau de francfort était tombé sur la table. Aliide appliqua ses mains contre la toile cirée, elles s'étaient remises à trembler. Elle sentait les entailles de couteau et les miettes de pain à la surface du tissu verni, et la crasse dans les entailles de couteau. Sous l'abat-jour orange du plafond semblait pleuvoir quelque chose, l'ampoule laissait tomber de sa surface des crottes de mouche sur sa nuque. Le flacon de Palderjan était dans le buffet. Arriverait-elle à s'en emparer et à en verser quelques gouttes dans son verre sans que Martin s'en aperçoive ?

« Qu'est-ce que ça veut dire… Ça veut dire qu'on va aller chez le camarade Boris ! Tu te souviens, Talvi, de tonton Boris ? » s'exclama Martin en riant.

Talvi hocha la tête. Aux coins des lèvres de Martin remuait de la graisse. Il en engloutit davantage. Les bouts de gras du saucisson de Cracovie brillaient. Les yeux de Martin s'étaient-ils toujours gonflés de cette façon ?

« Et ils en étaient sûrs ? Ceux qui t'ont vérifié les dents ? Que tu as deux caries ? Peut-être qu'il n'y a besoin de rien faire, suggéra Aliide.

– En fait j'ai envie d'aller en ville.

– T'as entendu ça, grimaça Martin.

– Après, papa t'achètera une glace, dit Aliide.

– Quoi ? s'étonna Martin. Talvi est assez grande pour prendre le bus toute seule.

– Papa t'achètera aussi de nouveaux jouets », ajouta Aliide.

Talvi sautillait devant Martin et le tirait par la main.

« Ouais ! Ouais ! Ouais ! »

Impossible de penser à quoi que ce soit, à présent. À quoi que ce soit d'autre que de faire accompagner la petite chez le dentiste par Martin. Avec lui, Talvi serait en sécurité. Aliide avait les oreilles qui bourdonnaient. Elle mit les francforts et autres saucisses dans le réfrigérateur et commença à entrechoquer la vaisselle dans le buffet en réussissant en même temps à verser le flacon de Palderjan en cachette dans le verre. De l'eau par-dessus. Et du pain, pour que l'odeur du médicament n'empeste pas son haleine.

« Et tu pourras aller saluer Boris, tant que tu y es. C'est pas super ?

– Oui oui, mais les travaux…

– Ouais ! Ouais ! Ouais ! » Le cri de Talvi interrompit Martin.

« D'accord, on trouvera quelque chose. On va faire une super excursion chez le dentiste. »

Talvi avait les mêmes yeux que Linda. Le visage de Martin et les yeux de Linda.

1952, ESTONIE OCCIDENTALE

L'odeur du foie de morue, la lumière jaune de la lampe

L'odeur du chloroforme flottait par la porte. Dans la salle d'attente, Aliide se cramponnait à un numéro tout corné de *Femme soviétique**, où Lénine était d'avis que la femme, dans le capitalisme, est doublement soumise, esclave du travail ordinaire du capital et du travail domestique. La joue d'Aliide avait enflé méchamment, la carie dans sa dent était si profonde qu'on voyait le nerf. Il aurait fallu s'en occuper plus tôt, mais qui voulait aller sur le fauteuil de ces charlatans ? Puisque les vrais médecins étaient passés à l'Ouest – à l'exception des Juifs, qui s'étaient tournés vers l'Union soviétique. Une partie de ces derniers en étaient revenus, mais ils étaient rares.

Aliide prenait les mots comme ils venaient, essayant de faire abstraction de ses élancements à la mâchoire : *Ce n'est qu'en Union soviétique et dans les démocraties populaires que la femme travaille en toute camaraderie au coude à coude avec l'homme dans tous les domaines, aussi bien l'agriculture ou le transport que dans le domaine de l'éducation et de la culture, et prend part activement à la vie politique et à l'administration de la société.* Quand vint le tour d'Aliide, elle baissa le regard vers le linoléum et l'observa fixement, jusqu'à ce qu'elle soit arrivée sur le fauteuil et cramponnée aux accoudoirs. L'infirmière cessa de faire bouillir les aiguilles et les fraises, lui fit une piqûre, puis alla préparer l'amalgame pour Aliide. La casserole bouillonnait sur la cuisinière électrique. Aliide ferma les yeux, l'insensibilité engourdit toute sa mâchoire et ses joues.

Les mains de l'homme sentaient l'oignon, le cornichon et la sueur. Aliide avait entendu dire que le nouveau dentiste avait des mains si poilues qu'il était encore heureux qu'on soit anesthésié, comme ça on ne sentait pas ses poils. Et qu'il valait mieux garder les yeux fermés, pour ne pas voir cette épaisse forêt noire. Ce n'était même pas un vrai dentiste, mais un prisonnier de guerre allemand qui avait essayé d'apprendre tant bien que mal.

L'homme commença à actionner la fraise avec son pied, celle-ci grinça et crissa, elle faisait mal aux oreilles, l'os grésillait, Aliide essayait de ne pas penser aux mains poilues. Un avion de chasse à l'entraînement passa en trombe tellement bas que la fenêtre trembla. Aliide ouvrit les yeux.

Le même homme.

Dans la même pièce.

Les mêmes mains poilues.

Dans cette cave de la mairie où Aliide avait disparu et d'où elle voulait réchapper en vie, même si la seule chose qui était restée vive était la honte.

En partant, Aliide ne leva pas les yeux du sol, ni de l'escalier, ni du trottoir. Un camion de l'armée passa en bringuebalant à vive allure et la couvrit de poussière, laquelle se colla aux gencives et aux yeux et se changea en cendres sur sa peau brûlante.

Par les fenêtres ouvertes de la maison de la culture, on entendait un chœur en répétition :

« *Que je chante ou travaille**. »

Un autre poids lourd passa en rebondissant. Du gravier fut projeté sur ses jambes.

« *Tu es auprès de moi, grand Staline**. »

Martin était face à elle, à la porte de la maison, et il tendit la tête vers la table. Là attendait un pot de foie de morue, un régal pour son petit champignon, au cas où elle pourrait manger. Une moitié d'oignon gisait sur la planche à découper, le hachis d'oignon en surplus des tartines puait, de même que le foie de morue, un autre pot de foie de morue, vidé, béait à côté de la planche, le bord dentelé du couvercle étamé entrouvert. Cela dégoûta Aliide.

« Moi j'ai déjà mangé, mais je ferai une tartine à mon petit champignon dès que tu pourras manger. Tu as eu mal ?

– Non.

– Et maintenant, tu as mal ?

– Pas du tout. Je ne sens rien du tout. Insensible. Complètement insensible. »

Le moignon de dent resté dans la cavité grinça. Aliide fixa la demi-tartine de foie de morue de Martin sur la table et ne put rien dire, alors qu'elle se rendait compte que Martin attendait un remerciement pour s'être procuré du foie de morue. Elle se serait bien passée de l'oignon.

« Il est sympa, Boris.

– Tu parles du dentiste ?

– De qui d'autre ? C'est pas la première fois que je parle de Boris.

– D'un Boris, peut-être. Mais tu n'avais pas dit qu'il était dentiste.

– Il vient d'être nommé là-bas.
– Qu'est-ce qu'il faisait, avant ça ?
– Mais le même travail, bien sûr.
– Et tu le connais ?
– On a bossé ensemble au parti. Il t'a pas dit de me passer le bonjour ?
– Pourquoi t'aurait-il passé le bonjour par mon intermédiaire ?
– Boris sait bien que nous sommes mariés.
– Ah bon.
– Qu'est-ce qu'il y a ?
– Rien. Faut que j'aille à la traite. »

Aliide alla rapidement dans la chambre, enleva sa nouvelle robe en bemberg, qui le matin était encore très mignonne avec ses pois rouges, mais qui avait maintenant un air désagréable, parce qu'elle était peut-être trop mignonne et trop seyante au niveau des seins. Les dessous-de-bras en flanelle aux aisselles clapotaient de sueur. Le bas du visage était toujours ankylosé et elle ne sentait pas les crochets des boucles d'oreilles qui lui égratignaient la chair. Aliide enfila la blouse de traite, noua un foulard sur sa tête et se lava les mains.

Près de l'étable, l'odeur d'oignon resta derrière, Aliide s'appuya au soubassement de pierre, ses mains étaient rouges d'avoir été frottées à la pierre ponce et à l'eau froide, elle était fatiguée, la terre sous elle était fatiguée, elle fléchissait et haletait comme la poitrine d'une personne proche de la mort. Elle entendit les voix des animaux dans son dos, ils l'attendaient et elle devait y aller, et elle se rendait compte qu'elle aussi avait attendu. Elle avait attendu quelqu'un, exactement comme elle avait attendu alors dans cette cave où elle s'était rétrécie en souris dans un coin de la pièce, en mouche dans la lampe. Et une fois sortie de cette cave, elle avait attendu quelqu'un.

Quelqu'un qui ferait quelque chose qui l'aiderait ou qui enlèverait au moins une partie de ce qui s'était passé dans cette cave. Qui lui caresserait les cheveux et qui dirait : « Ce n'était pas ta faute. » Et qui dirait encore : « Plus jamais. » Qui promettrait que « plus jamais », quoi qu'il arrive.

Et en même temps qu'Aliide se rendait compte de ce qui s'était passé, elle comprenait que ce quelqu'un ne viendrait jamais. Que personne ne viendrait jamais dire ces mots, ne les penserait même ni jamais ne prendrait soin d'elle, plus jamais. Qu'elle, Aliide, était la seule qui puisse prendre soin d'elle-même. Personne d'autre ne viendrait jamais faire cela pour elle, pas même Martin, malgré tout le bien qu'il pouvait vouloir à Aliide.

Dans la cuisine, le foie de morue séchait, l'intérieur du pain s'assombrissait sur les bords, Martin versa un verre d'eau-de-vie et attendit sa femme, versa un deuxième verre et un troisième, renifla sur sa manche à la manière russe et versa un quatrième verre, ne toucha pas aux tartines de foie de morue mais attendit sa femme et l'étoile rouge d'un avenir radieux brillait sur sa tête, la lumière jaune de la lampe, une famille heureuse.

Aliide le regarda de dehors par la fenêtre et fut incapable de rentrer.

1992, Estonie occidentale

Zara trouve un rouet et du levain de pain de seigle

Zara reprit son souffle. En parlant de Vladik, elle avait oublié le temps et le lieu, elle s'était enflammée comme jadis, il y avait longtemps, elle avait pu s'enflammer. Le bruit d'Aliide au fourneau la rappela à l'instant présent et elle remarqua un verre plein dans sa main. Le champignon de lait avait été lavé et mis dans du lait frais, l'ancien lait était dans le verre que tenait Zara. Elle avala d'un trait la boisson, docilement, mais le goût était si acide que ses paupières se contractèrent, et elle reposa le verre sur la table derrière les plats, tandis qu'Aliide passait dans la cour pour laver les raiforts. De la cuisinière s'élevait le parfum familier des tomates en train de mijoter et Zara le humait profondément tout en coupant d'autres tomates pour aider Aliide. C'était agréable, cette ambiance douillette dans la cuisine, les casseroles fumantes, les files de boîtes de conserve. La grand-mère aussi avait toujours été de bonne humeur quand elle faisait les conserves, qu'elle assurait la subsistance pour l'hiver. C'était le seul travail domestique auquel prît part la grand-mère, ou plutôt elle le supervisait, ordonnait de temps en temps à la mère de hacher le chou, mais maintenant Zara était assise avec Aliide Truu à la même table, Aliide Truu qui haïssait sa grand-mère. Il faudrait aller droit au but et non attendre le bon moment, qui n'arriverait jamais. Aliide s'était concentrée sur le râpage du raifort.

« Pour la salade d'hiver. Trois cents grammes, la même mesure d'oignon blanc, de pomme et de poivron. Un kilo de tomates, du sel, du sucre et du vinaigre. Pour un pot seulement, et il n'y a même pas besoin de chauffer. Les vitamines se conservent. »

Les doigts de Zara qui débitaient les tomates bougeaient prestement, mais sa langue était de nouveau rigide. Peut-être qu'Aliide se fâcherait aussi contre elle si elle savait qui elle était, elle refuserait de l'aider, et alors où irait-elle ? Comment Zara oserait-elle casser l'ambiance sereine apportée par le souvenir de Vladik ? La grand-mère et Aliide n'avaient pas pu se brouiller à cause de quelques épis, pas sérieusement, quoi qu'en dise Aliide. Qu'est-ce qui s'était réellement passé ici ?

Zara avait surveillé Aliide tout le temps que celle-ci s'éloignait d'elle ou se concentrait sur ses travaux ménagers, la fragilité de la femme et le noir sous ses ongles, la peau pareille à de l'écorce, à travers laquelle les veines bleues se dessinaient sous le hâle. Elle y avait cherché quelque chose de familier, mais la femme qui s'affairait dans cette cuisine ne rappelait nullement la fille de la photo, et encore moins la grand-mère, de sorte que Zara avait focalisé son attention sur la maison. Lorsque Aliide avait le dos tourné, Zara avait touché les pinces pendues au mur et la grande clef rouillée. La clef de la remise ? Elle était accrochée au mur de la chambre à côté du poêle, lorsque la grand-mère avait été ici. Sur le linteau de la porte se trouvait une dent de râteau en bois – faite par le père de la grand-mère ? Un meuble de toilette. Un portemanteau noir, où pendait maintenant la veste d'Aliide. Ceci était-il l'armoire où la grand-mère avait rangé son trousseau ? Ici était le poêle contre lequel elle s'était réchauffée, et derrière l'armoire était fourré un rouet. Était-ce le rouet que la grand-mère avait manipulé ? Là était la roue du rouet de la grand-mère, là la bobine, la pédale et la quenouille du rouet de la grand-mère.

Lorsque Zara était allée chercher des bocaux vides dans le garde-manger, elle avait trouvé une cuve derrière le tank à lait. Elle l'avait palpée. Reniflée. Sur les bords de la cuve, elle avait senti quelque chose de séché. Du levain de pain de seigle ? Était-ce le même levain avec lequel la grand-mère faisait le pain ? Deux jours et demi, comme disait la grand-mère. Deux jours et demi, il fallait laisser la pâte lever, dans la chambre de derrière, sous un torchon, avant qu'elle soit prête à pétrir. Alors une odeur de pain planait dans la chambre de derrière, et le troisième jour on pétrissait la pâte. Et elle avait été pétrie avec le front humide, remuée et malaxée, cette pâte séchée, couverte de poussière, inutilisée depuis des décennies, les jeunes mains de la grand-mère avaient travaillé ce même levain lorsqu'elle vivait encore, heureuse, avec le grand-père. Et de temps en temps il fallait apporter de l'eau à la boulangère, pour qu'elle en humecte ses mains pâteuses. Le four à pain était chauffé avec des bûches de bouleau, et ensuite on y mettait un récipient qui contenait un morceau de viande salée, et dans le four la graisse de la viande suintait dans le récipient et on y trempait du pain frais. Et ce goût ! Cette odeur ! Le seigle du champ même ! Tout cela paraissait merveilleux et triste, et la cuve sembla soudain très proche, comme si Zara avait effleuré la main de sa jeune grand-mère. Quel genre de main avait la grand-mère, quand elle était jeune ? La grand-mère avait-elle pensé à s'enduire les mains de graisse d'oie tous les soirs ? La cour aussi, Zara aurait voulu l'examiner, elle avait proposé à Aliide d'aller lui chercher de l'eau au puits, mais celle-ci avait dit qu'il valait mieux que Zara reste à l'intérieur. Aliide avait raison, mais Zara avait envie d'aller dans la cour. Elle voulait faire le tour de la maison, voir tous les lieux, sentir la terre et l'herbe, elle voulait aller à la remise et jeter un coup d'œil dessous. La grand-mère en avait eu peur, quand elle était jeune, elle imaginait que les esprits des morts habitaient là, qu'ils l'entraîneraient sous la remise et qu'elle ne pourrait plus jamais en ressortir, qu'elle se retrouverait à observer pendant qu'on la cherchait, sa mère qui s'affolait, son père qui courait et les cris qu'on lui lancerait, et elle ne pourrait rien faire, parce que les esprits l'auraient bâillonnée, des esprits avec un goût de céréales moisies. Zara voulait voir si le pommier de la grand-mère était encore debout, il y avait un pommier domestique, près de la remise. À côté de celui-ci, il devait y avoir un pommier sauvage, peut-être qu'elle les reconnaîtrait, même si elle n'avait jamais mangé de pommes sauvages. Et elle voulait voir le quetschier et le prunier, et ces rocailles qui se trouvaient au milieu du champ derrière la remise et où il y avait des serpents, ce qui faisait peur, mais où il y avait aussi des mûres, si bien qu'il fallait toujours aller là-bas. Et les carvis, Aliide en faisait-elle encore pousser au même endroit ?

1991, Berlin

Le prix amer des rêves

Tout d'abord, Pacha expliqua à Zara qu'elle avait une dette envers lui. Quand elle l'aurait réglée, elle pourrait partir – mais d'abord, le paiement ! Et elle ne pourrait payer qu'en travaillant pour Pacha, et en le faisant efficacement, ce travail qui payait bien.

Zara ne comprit pas de quoi elle était en dette. Néanmoins, elle commença à compter combien elle avait payé pour son prêt, combien il lui restait à rembourser, combien de mois, combien de semaines, de jours, d'heures, combien de matins, combien de nuits, combien de douches, de pipes, de clients. Combien de filles elle verrait. De combien de pays. Combien de fois elle se mettrait du rouge à lèvres et combien de fois Nina lui ferait des points de suture. Combien de maladies elle choperait, combien de bleus. Combien de fois sa tête serait enfoncée dans la cuvette des W.-C. et combien de fois elle pourrait être sûre qu'elle se noierait dans le lavabo, la main de fer de Pacha sur la nuque. La marche du temps peut se mesurer à autre chose qu'aux aiguilles, et son calendrier se renouvelait sans cesse, car de nouvelles pénalités tombaient tous les jours.

Elle dansait toujours aussi mal après une semaine d'entraînement.

« Ça fait cent dollars, dit Pacha. Plus cent dollars pour la vidéo.

– Quelle vidéo ?

– Et cent dollars pour ta connerie. À moins que tu croies que tu vas mater ces vidéos gratos ? Elles ont été amenées pour que t'apprennes à danser. Autrement, elles sont à vendre. Tu piges ? »

Et elle pigeait, parce qu'elle ne voulait pas davantage de pénalités, lesquelles de toute façon tomberaient quand même, pour le fait qu'elle apprenait mal, que les clients se plaignaient, qu'elle ne faisait pas les bons gestes. Le décompte du temps recommença à zéro. Combien de jours, combien de matins, combien d'yeux bleus.

Et bien sûr… la nourriture venait avec le travail.

« Mon vieux était à Perm-36. Là-bas non plus on mangeait pas, si on travaillait pas. »

Pacha la félicita et affirma que sa dette était vraiment en train de diminuer significativement. Zara voulait croire au cahier de Pacha, qui avait une couverture plastique bleu foncé qui puait et une marque de qualité de l'Union soviétique. Les chiffres et colonnes à la précision scrupuleuse rendaient les promesses de Pacha d'autant plus crédibles qu'il était assez facile de s'y fier, dès lors qu'on le voulait bien. Et le seul moyen d'aller de l'avant était de s'y fier. L'être humain doit avoir confiance pour s'en sortir, et Zara décida de croire que le cahier de Pacha était son passeport pour la liberté. Une fois qu'elle serait libre, elle se procurerait un nouveau passeport, une nouvelle identité, une nouvelle histoire. Un jour, ça se passerait comme ça. Un jour, elle se reconstruirait.

Les indications dans le cahier, Pacha les faisait avec un stylo à encre, orné d'un corps féminin. Les vêtements de la femme disparaissaient quand on retournait le stylo. Pacha estimait que c'était une trouvaille tellement géniale qu'il avait fait expédier un lot de stylos à ses copains de Moscou. Mais ensuite, une des filles avait eu en main le stylo de Pacha, elle avait essayé de lui crever les yeux avec, et le stylo avait fini en miettes. Après cela, la fille – une Ukrainienne, sans doute – avait disparu, et toutes les filles avaient eu des pénalités, parce qu'on avait abîmé le stylo de Pacha.

Le nouveau fétiche fut désigné lorsqu'un client finlandais offrit à Pacha un stylo Lotto. Le Finlandais savait quelques phrases d'estonien, et ce fut à l'Estonienne Kadri de traduire à Pacha ce que le *Sommi* essayait d'expliquer quant à la signification de Lotto pour les Finlandais.

« *See on väga tähtis. Lotto on meile nagu tulevik.* Les vœux et l'avenir. *Iga mees on Lotossa tasavõrdne.* Au Lotto on est tous égaux et c'est finlandais et c'est super. C'est la démocratie finlandaise par excellence ! »

L'homme rigola – *tulevik !* – et donna une bourrade à Pacha, lequel rigola et ordonna à Kadri de dire au *Sommi* que le stylo serait désormais son nouveau stylo fétiche.

« Demandes-y combien on peut y gagner.

– *Kui palju siin võib võita ?*

– Un million de marks ! Ou plusieurs millions ! On peut y devenir millionnaire ! »

Zara faillit rappeler qu'on jouait au loto aussi en Russie, c'étaient pas les loteries qui manquaient, mais ensuite elle se rendit compte que pour Pacha ça ne représentait pas du tout la même chose. Même s'il pouvait gagner au casino et se faire beaucoup d'argent sur le dos des filles, beaucoup plus qu'avec les petites loteries de la populace, tout cela demandait du travail, et Pacha s'en plaignait tout le temps, comme il devait se décarcasser, tout le temps. En Finlande, n'importe qui pouvait devenir millionnaire et n'importe qui pourrait gagner un million sans travailler, sans héritage, sans rien. Dans les loteries russes on ne pourrait pas gagner un million de marks et n'importe qui ne pourrait pas devenir millionnaire. Sans relations ni argent, on ne pourrait même pas entrer au casino. Qui oserait même essayer ? En Finlande on n'avait qu'à glander sur le canapé le samedi soir devant la télé et attendre qu'apparaisse à l'écran la bonne combinaison de chiffres et on croulait sous les millions.

« Tu te rends compte, même une conne dans ton genre peut gagner des millions, là-bas ! » expliqua Pacha à Zara, et il rit.

Cette idée était si marrante que même Zara se mit à rire. Ils rirent aux éclats.

1991, Berlin

Zara regarde par la fenêtre et la route l'appelle, la démange

Le client portait un anneau à pointes autour de la bite, et encore autre chose, Zara ne se rappelait pas. Elle se rappelait seulement que Katia s'était d'abord fait attacher un gode et Zara un autre, et elle devait baiser Katia en même temps que Katia la baisait, et ensuite Katia tint ouverte la chatte de Zara et l'homme commença à enfoncer son poing à l'intérieur, et ensuite Zara ne se rappelait plus de rien.

Le matin, elle ne pouvait plus se tenir assise ni marcher, seulement rester couchée sur place et fumer des cigarettes Prince. Katia n'était pas là, mais Zara ne pouvait pas poser de questions à son sujet, sinon Pacha ne ferait que se mettre en colère. Derrière la porte, elle entendait Lavrenti dire à Pacha qu'aujourd'hui Zara ne recevrait des hommes que pour les sucer. Pacha n'était pas d'accord. La porte s'ouvrit, Pacha débarqua dans la chambre de Zara et lui ordonna d'enlever sa jupe et d'écarter les jambes.

« Ça ressemble à une chatte en bonne santé, ça ? demanda Lavrenti.

– Putain de business de merde. Amène Nina et dis-lui qu'elle fasse des points de suture. »

Nina arriva, cousit les points, donna des pilules et sortit en emportant son sourire barbouillé au rouge à lèvres rose nacré. Lavrenti et Pacha étaient assis au garde-à-vous derrière la porte et elle entendit Lavrenti parler de roses envoyées à sa femme Vérotchka. C'était bientôt leur anniversaire de mariage, vingt ans, et ils iraient à Helsinki.

« Demande à Vérotchka d'aller aussi à Tallinn, alors. On sera déjà là-bas », s'entendit dire Pacha.

Tallinn ? Zara colla l'oreille à la fente de la porte. Pacha avait-il dit qu'ils seraient à Tallinn ? Quand ? À moins que Zara n'ait mal entendu ? Ou compris de travers ? Non, une chose pareille, on ne peut pas la comprendre de travers. Les hommes parlaient de Tallinn en disant qu'ils seraient là-bas tous les deux, et ils devaient y être bientôt, puisqu'ils parlaient de l'anniversaire de mariage de Lavrenti et du cadeau de Vérotchka et que l'anniversaire de mariage de Lavrenti était bientôt.

L'enseigne lumineuse de la maison d'en face s'épanouissait en trèfle à quatre feuilles, la Prince s'éteignait comme une lanterne et tout était si clair. Zara palpa la photo dans la poche secrète de son soutien-gorge.

La fois suivante où Lavrenti était assis derrière la porte de Zara, celle-ci frappa et l'appela par son nom. Il ouvrit la porte et se tint sur le seuil, les jambes puissamment écartées, un couteau dans une main, un cube de bois à moitié sculpté dans l'autre.

« Quoi encore ?

– Lavroucha. »

Comme les gens sont toujours mieux disposés quand on les appelle par leur prénom, Zara employa celui-ci, et même sous la forme du diminutif affectueux.

« *Lavroucha dorogoï*[1], vous allez aller à Tallinn ?

– Qu'est-ce que t'as entendu ?

– Je parle estonien. Plutôt bien. »

Lavrenti ne dit rien.

« L'estonien, c'est un peu comme le finnois. Et là-bas, il y a beaucoup de clients finlandais. Et comme l'estonien c'est un peu comme le finnois, je pourrais m'occuper des clients estoniens, là-bas, et russes et allemands, comme ici, et puis aussi des Finlandais. »

Lavrenti ne dit rien.

« Lavroucha, les filles racontent qu'il y a vachement de Finlandais, là-bas. Et y a un Finlandais qui est venu ici, il a dit qu'à Tallinn les filles sont mieux et qu'il préfère aller là-bas. Je parlais avec lui en estonien et il comprenait. »

En réalité, le bonhomme parlait un mélange de finnois, d'allemand et d'anglais, mais Lavrenti ne pouvait pas le vérifier. Les chaussettes aux pieds et sans pantalon, le Finlandais avait promené son bide devant la fenêtre en disant : « *Girls in Tallinna are very hot. Natasha, girls in Tallinna. Girls in Russia are also very hot. But girls in Tallinna, Natashas in Tallinna. You should be in Tallinna. You are hot, too. Finnish men like hot Natashas in Tallinna. Come to Tallinna, Natasha.* »

Lavrenti se retira sans dire un mot.

Au bout de plusieurs jours, la porte s'ouvrit à la volée. Pacha donna un coup de pied à Zara sur le flanc.

« Allez. On s'en va. »

1. « Lavroucha chéri ».

Zara s'accroupit dans un coin du lit. Pacha traîna Zara par terre en la tirant par la jambe.

« Mets tes fringues. »

Zara se leva, commença à s'habiller, il fallait aller vite, il fallait aller vite, comme il l'ordonnait. Pacha sortit de la chambre, gueula quelque chose, une fille cria, Zara ne reconnut pas la voix, Pacha frappa, la fille cria plus fort, Pacha frappa une deuxième fois, la fille se tut. Zara enfila un deuxième chemisier, s'assura que la photo était bien dans son soutien-gorge, mit un foulard et une jupe dans la poche de sa veste et remplit la poche intérieure de cigarettes, de poppers et d'antalgiques, ils ne lui en donnaient pas toujours, alors qu'elle en avait besoin. Dans une poche elle mit du maquillage et dans une autre des morceaux de sucre, vu qu'ils ne pensaient pas toujours non plus à lui donner à manger. Et l'insigne de pionnière. Elle l'avait emporté de Vladik, tellement elle avait été fière de le recevoir, et il l'avait accompagnée à travers la succession des clients et des nuits. C'était son talisman contre le mal. Une fois Pacha l'avait vu sur elle, le lui avait arraché avec la main, avait rigolé et le lui avait jeté à la figure.

« Bon, O.K., ça tu peux le garder. »

Pacha avait continué de rire.

« Mais d'abord il faut me remercier. »

Et Zara s'était déshabillée et l'avait remercié.

Pacha avait laissé la porte ouverte. De nouvelles filles s'agglutinaient, que Lavrenti repoussa vers la cour. Là-bas attendait un camion. Le troupeau était barbouillé de sanglots. Le vent soufflait fort, y compris dans la cour intérieure, il sifflait le long du corps de Zara, un vent agréable, elle respirait le gaz d'échappement et le vent. La dernière fois qu'elle s'était trouvée dehors, c'était quand elle avait été amenée ici.

Lavrenti lui fit signe et lui ordonna de monter dans la Ford qui attendait derrière le camion.

« Maintenant on part pour Tallinn. »

Zara sourit à Lavrenti et sauta en voiture. Elle put apercevoir une lueur dans le regard de Lavrenti. Il était étonné. Zara n'avait encore jamais souri à Lavrenti.

Cette fois, Zara fut dispensée de menottes. Ils savaient qu'elle ne partirait pas.

À chaque frontière, il y avait des files d'attente. Après les avoir toisées avec dégoût, Pacha partait arranger la situation et, cela fait, il remontait en voiture, où Lavrenti et Zara attendaient, mettait les gaz, la voiture dépassait la file et franchissait la frontière en trombe, et le voyage continuait. De Varsovie via Kuźnica jusqu'à Grodno, Vilnius et Daugavpils, et tout le temps à pleins gaz. Zara était assise le nez collé à la vitre. L'Estonie approchait, les pins fourmillaient, les laiteries, les usines, les poteaux téléphoniques et les arrêts de bus, les champs, une pommeraie au milieu de laquelle les vaches paissaient. De temps à autre, on faisait de petits arrêts, où Lavrenti pensait à prendre à manger pour Zara dans un kiosque. De Daugavpils, on alla à Sigulda. Là, il fallut s'arrêter, parce que Lavrenti voulait envoyer une carte postale et photographier Sigulda pour Vérotchka. Elle avait des amies qui y étaient allées et qui en avaient rapporté en souvenir des cannes en bois sur lesquelles était pyrogravé, en plus de motifs décoratifs, le mot *Sigulda*. Vérotchka, qui attendait un enfant, n'avait pas pu les accompagner à l'époque, mais les sanatoriums de Sigulda étaient, paraît-il, ravissants. Et la vallée de la Gauja ! Lavrenti demanda le chemin et ordonna à Pacha de faire un détour par le téléphérique de la Gauja.

On gara la voiture loin du guichet, sous les arbres.

« La fille pourrait venir avec nous. »

Zara sursauta et observa Pacha.

« T'es fou ? Allez, vas-y ! Et ne traîne pas !

– Elle n'a nulle part où tenter de s'échapper.

– Bouge-toi ! »

Lavrenti haussa les épaules à l'attention de Zara, comme pour dire que ce n'était que partie remise, et il s'en alla au guichet. Zara regarda s'éloigner le dos de Lavrenti et inhala l'odeur de la Lettonie. Le pays était plein d'emballages de glaces blancs. Les vacances des enfants et les moments en famille, les jupes des épouses de chefs du parti, l'enthousiasme des pionniers et la sueur des sportifs soviétiques y étaient toujours perceptibles. Lavrenti avait raconté que son fils était venu ici pour une compétition comme tous les autres glorieux citoyens soviétiques. Son fils était-il coureur ? Zara devrait commencer à imprimer dans son esprit les paroles de Lavrenti. Cela pourrait lui être utile. Elle devrait amener Lavrenti à avoir confiance en elle, elle pourrait devenir la favorite de Lavrenti.

Pacha resta assis dans la voiture avec Zara en tambourinant des doigts sur le volant, crap crap crap. Les trois bulbes tatoués sur ses majeurs sautillaient. L'année 1970 ondoyait au rythme du tapotement, chaque doigt portait un chiffre bleu terni. Une année de naissance ? Zara ne posa pas de question. Pendant ce temps, Pacha se curait l'oreille. Ses oreilles étaient si petites qu'elles étaient quasiment inexistantes. Zara parcourut la route du regard. Elle n'aurait pas le temps de courir bien loin.

« Les mecs de Perm nous attendent déjà à Tallinn ! »

Crap crap crap.

Pacha était énervé.

« Putain mais qu'est-ce qu'il fout ! »

Crap crap crap.

Pacha prit deux bouteilles de bière tièdes, en ouvrit une et la donna à Zara, qui vida la bouteille goulûment. La route démangeait derrière la fenêtre, mais l'Estonie était proche. Pacha sauta hors de la voiture, laissa la portière ouverte et alluma une Marlboro. Le souffle du vent séchait la sueur. Une famille passa devant, *Turaidas pils* (le château de Turaida), fredonnait le gamin, un murmure de langue lettone, *frizetava* (coiffeur), la femme s'aéra les cheveux qui semblaient pourtant secs, l'homme secoua la tête, *partikas veikals* (épicerie), la femme acquiesça, *cukurs* (sucre), sa voix s'éleva, *piens, maize, apelsinu sula* (lait, pain, jus d'orange), la voix de l'homme se mit en colère, les yeux de la femme tombèrent sur Zara, qui baissa aussitôt les siens et s'appuya au dossier, le regard de la femme se détourna sans remarquer Zara, *es nesaprotu* (je ne comprends pas), la jupe plissée bien repassée flottait légèrement, *siers, degvins* (fromage, eau-de-vie), les orteils de la femme débordaient par terre entre les lanières de la sandale à talon, ils passèrent, les larges hanches se balançant, l'*eau de Cologne* flottant jusqu'à la voiture, la famille ordinaire disparut dans le téléphérique et Zara était toujours assise dans la voiture qui puait l'essence. Non, elle n'aurait pas pu crier, rien.

La route était déserte. Le soleil brûlait les buissons. Un side-car les dépassa en bourdonnant et la route étincela, de nouveau vide. Zara extirpa du Valium de l'intérieur de son soutien-gorge. Lui tireraient-ils dessus en plein jour, si elle partait en courant, ou bien l'arrêteraient-ils autrement ? Bien sûr, ils l'arrêteraient. Une fillette apparut, sur un vélo trop grand. Elle avait des sandales et des chaussettes montantes, et un panier en plastique d'un côté du guidon, un bidon à lait en jouet de l'autre. Zara fixa la fillette. Celle-ci lui fit coucou et sourit. Zara ferma les yeux. Un moustique se promenait sur son front. Elle n'eut pas la force de l'écraser. La portière s'ouvrit en cliquetant. Zara ouvrit les yeux. Lavrenti. Le voyage continua. Pacha conduisit. Lavrenti sortit une bouteille de vodka et du pain, dans lequel il mordait entre deux gorgées. Et il reniflait sur sa manche. Une gorgée de vodka, la manche, une gorgée de vodka, la manche, une gorgée de vodka, la manche.

« Je suis allé jusqu'à Turaida.

– Où ça ?

– À Turaida. On le voyait depuis les remparts.

– Quels remparts ?

– À l'arrivée du téléphérique. Un beau panorama. De là, on voyait l'autre côté de la vallée. Un manoir, et ensuite le château de Turaida, là. »

Pacha monta le volume de la musique.

« Je suis allé là-bas en taxi. Ce manoir était un sanatorium, et de là j'ai pris un taxi pour Turaida.

– Quoi ? C'est pour ça que ça a duré si longtemps, bordel ?

– Le chauffeur de taxi a parlé des roses de Turaida. »

Pacha écrasa l'accélérateur. La vodka et l'émotion mettaient un trémolo dans la voix de Lavrenti. Pacha se mit à chanter avec la musique, sans doute pour ne pas entendre Lavrenti, qui s'appuyait contre l'épaule de Zara. L'alcool dans l'haleine de l'homme avait une odeur froide, mais la voix qui saillait au milieu de celle-ci était lourde de mélancolie et de nostalgie, et soudain Zara eut honte d'avoir reconnu ces sentiments dans la voix de Lavrenti. C'était la voix de son ennemi, pas d'un être humain.

« Là-bas il y avait une tombe, la tombe de la rose de Turaida. Une tombe d'amour fidèle. De jeunes mariés s'en allaient, ils y avaient laissé des roses. La robe blanche de la mariée… Des œillets rouges aussi étaient déposés là. »

La voix de Lavrenti s'interrompit. Il tendit la bouteille de vodka et Zara en prit une gorgée. Il sortit du pain et le lui tendit. Elle mordit une bouchée. Lavrenti s'était ramolli envers elle. Les ramollis ont la perspicacité qui baisse. Elle arriverait peut-être à se faufiler entre les mains de Lavrenti. Mais si elle essayait de s'enfuir maintenant, elle devrait s'en aller ailleurs, pas là où se rendaient Pacha et Lavrenti. Et de toute façon, elle ne pourrait pas.

Pacha ricana. « La rose de Turaida aussi, elle avait les yeux bleus et elle faisait les meilleurs chachliks du monde ? »

La bouteille de Lavrenti percuta l'épaule de Pacha. La voiture oscilla rapidement vers le bord du fossé, vira de l'autre côté de la route, et se rabattit à nouveau.

« T'es fou ! »

Pacha retrouva le contrôle du véhicule, et le trajet continua vers un endroit où dormir, tandis que Pacha pérorait sur ses projets pour Tallinn.

« Et des casinos comme à Vegas. Il faut juste être rapide, être le premier, le loto de Tallinn, les casinos de Tallinn. Tout est possible ! »

Lavrenti but de la vodka à grand bruit, mordit du pain, fixa Zara, et la basse de la stéréo cognait plus encore que les trous dans la chaussée. Pacha rabâchait à propos de son Occident sauvage, car c'était là qu'était Tallinn.

« Vous vous rendez même pas compte, crétins que vous êtes. »

Lavrenti avait les sourcils en bataille.

« Le cœur de Pacha a le blues de la Russie.

– Quoi ? T'es fou ! »

Pacha gifla Lavrenti, Lavrenti Pacha, la voiture était à nouveau en train de virer vers le fossé et Zara essaya de se cacher sous le siège. La voiture vacilla et tangua, la forêt tourbillonnait, les pins noirs, Zara avait peur, un crachat éthylique gicla, la veste en cuir de Pacha puait, les banquettes en similicuir de la Ford, le désodorisant suspendu au rétroviseur, la voiture se balançait, la dispute continuait, jusqu'à ce que ça se calme, et Zara osa alors s'enfoncer dans la somnolence. Elle se réveilla quand Pacha se garait dans la cour d'un homme d'affaires de sa connaissance. Pacha passa la soirée assis avec les types, Lavrenti ordonna à Zara de le suivre dans sa chambre et il lui monta dessus en répétant le nom de Vérotchka.

La nuit, Zara déplaça prudemment la main de Lavrenti de sa poitrine, se faufila hors du lit et appuya sur le loquet de la fenêtre. Il avait l'air de s'ouvrir facilement. La route qui s'apercevait entre les rideaux était une langue épaisse et alléchante. À Tallinn, elle serait peut-être de nouveau dans une même chambre derrière des verrous. Un jour, il fallait bien qu'il en soit autrement.

Le lendemain, on arriva à Valmiera, où Lavrenti acheta à Zara des *prianik*, et d'où l'on se remit en route vers Valga. Pacha et Lavrenti ne parlaient pas entre eux plus que nécessaire. L'Estonie approchait. La route la démangeait et l'appelait, mais l'Estonie était déjà proche. Et elle ne s'échapperait pas, bien sûr, elle ne pourrait pas.

À la frontière de Valga, Pacha sortit de sa poche une carte chiffonnée. Lavrenti la tapota du doigt.

« On ira pas par ce poste frontière. On va le contourner. »

La voiture bringuebala sur la route du village, passa le billot qui bornait la frontière et arriva en Estonie. La main de Lavrenti se reposa sur la cuisse de Zara et soudain elle ressentit le puissant désir de s'envelopper dans le giron de Lavrenti et de dormir. Zara avait tellement de dettes qu'elle n'arrivait même plus à compter. *Un jour.*

La nuit précédente, Lavrenti avait promis que, si Pacha montait un business de casino, Zara pourrait y travailler et qu'elle gagnerait infiniment plus. Elle pourrait tout rembourser.

Un jour.

1992, Tallinn

Pourquoi Zara ne s'est-elle pas tuée plus tôt ?

En fait, c'était un accident.

Elle avait fait plusieurs bonnes vidéos. Ou assez bien réussies pour que Lavrenti s'en passe une tout seul quand Pacha n'était pas là. Lavrenti avait dit que Zara avait les mêmes yeux que Vérotchka, aussi bleus. Pacha soupçonnait que Lavrenti avait un faible pour Zara, et il le taquinait à ce sujet. Lavrenti rougissait. Pacha manquait de mourir de rire.

Plusieurs vidéos étaient même si bonnes que Pacha les apporta à son boss. Le boss s'intéressa à Zara. Il voulut qu'elle vienne le voir.

Le boss portait deux puissantes chevalières et du Kouros. Manifestement, il n'avait pas lavé son organe depuis plusieurs jours, il avait des boulettes blanches sur les poils.

Les talons des chaussures de Zara étaient parcourus de spirales dorées, au-dessus desquelles était nouée une rosette dorée. La pointe fuselée comprimait les orteils. Des papillons argentés scintillaient sur les bas à l'endroit des chevilles.

Le boss mit la vidéo en marche et réclama la même chose qu'à l'écran.

« Tu sais que t'es une salope, toi ?

– Oui.

– Dis-le.

– Je suis une salope et je le reste. J'ai toujours été une salope et j'en serai toujours une.

– Et c'est où son chez-elle, à la salope ?

– À Vladivostok.

– Quoi ?

– Vladivostok.

– C'est là que ça déconne. Le chez-elle de la salope, c'est ici. Le chez-elle de la salope, c'est là où y a son maître et les couilles de son maître. La salope n'a pas d'autre chez-elle et n'en aura pas. Jamais. Dis-le.

– Comme je suis une salope, mon chez-moi est ici, où y a mon maître et les couilles de mon maître.

– Bien. Là c'est presque comme il faut. Encore une fois les derniers mots.

– La salope n'aura jamais d'autre chez-elle.

– Pourquoi elle est encore habillée, la salope ? »

Elle entendit un craquement. Cela devait venir de dehors. Ou de dedans. Le boss ne remarqua rien. Un petit craquement, comme une colonne vertébrale de souris qui se brise, ou une arête de poisson séchée. Le bruit donnait à peu près la même impression que le grincement cartilagineux d'une oreille de cochon sous la dent. Elle commença à se déshabiller. Sa cuisse tirée par les poils trembla comme de la chair de poule. Le slip allemand glissa par terre, ses jolies dentelles élastiques tombèrent en tas comme un ballon de baudruche dégonflé.

Ce fut facile. Elle n'eut même pas le temps de se poser de questions. Elle n'eut le temps de penser à rien. Tout à coup la ceinture se trouva autour du cou du boss et Zara tira de toutes ses forces.

Ce fut la passe la plus facile de toutes.

Comme elle ne pouvait être sûre que l'homme était mort, elle prit l'oreiller et le lui maintint sur le visage pendant dix minutes. Elle regarda l'heure sur l'horloge dorée qui faisait un tic-tac pesant bien connu, à Vladik ils en avaient une pareille, on les fabriquait sans doute à Leningrad. L'homme ne bougea pas une seule fois. Un sacré KO, pour une débutante, bien joué, peut-être qu'elle avait des dispositions naturelles. Cette idée la fit rire, pendant dix minutes elle eut le temps de penser à toutes sortes de choses, elle avait appris à lire lentement et n'avait jamais été capable de faire sa gymnastique matinale en rythme, elle ne se tenait pas aussi droite que la maîtresse l'exigeait, et son salut de pionnier n'était pas aussi énergique que les autres, son uniforme scolaire pendait toujours d'une manière ou d'une autre, alors qu'elle le remontait en permanence. Elle n'avait jamais rien su faire, sauf maintenant. Elle regarda le reflet de son corps dans la vitre obscure, son corps penché sur cet homme corpulent, en train d'appuyer sur le visage de l'homme un oreiller usé par le sommeil. Elle avait tellement dû regarder son propre corps qu'il lui était devenu étranger. Peut-être que ce corps étranger pouvait-il mieux s'adapter à la situation que le sien. C'est peut-être pour ça que ça se passait si facilement. Ou peut-être qu'elle était seulement devenue comme l'un d'eux, un de ceux-là comme avait été cet homme.

Elle alla aux WC et se lava les mains. Elle renfila à la hâte la robe, le soutien-gorge, la culotte et les bas, s'assura que le soutien-gorge recélait toujours la photo et qu'elle avait toujours les calmants, et elle écouta à la porte. Derrière, les hommes du boss jouaient aux cartes, une vidéo tournait, rien ne laissait penser qu'ils aient remarqué quoi que ce fût. Ils ne tarderaient pas à tout voir et entendre – il y avait des micros et des caméras, chez le boss. Mais ils n'avaient pas le droit de surveiller pendant que le boss recevait des filles.

Elle but encore du champagne dans un verre en cristal tchèque et se rendit compte en regardant les fleurs de cristal – on aurait dit des fleurs de seigle – qu'il y avait eu tellement de verres autour d'elle depuis des jours qu'elle aurait pu à tout moment en voler un et s'entailler le cou. Elle aurait pu partir beaucoup plus tôt, si elle avait réellement voulu. Avait-elle donc elle-même voulu rester, avait-elle vraiment voulu renifler des poppers et se prostituer, Pacha n'avait-il fait que la conduire vers le métier qui lui convenait, avait-elle imaginé vouloir partir, cru que tout était atroce ? Avait-elle réellement aimé ça, son cœur était-il un cœur de pute et sa nature une nature de pute ? Peut-être qu'elle faisait maintenant une erreur en se rebellant contre son destin de pute, mais il était vain de penser à cela maintenant.

Elle prit quelques paquets de cigarettes et des allumettes, fouilla les poches du boss, mais n'y trouva pas d'argent, et elle n'avait pas le temps de fouiller davantage.

Le logement était situé au dernier étage, elle passa sur le toit par un escalier de secours branlant, et de là dans l'autre cage d'escalier, évitant ainsi les types aux cheveux en brosse qui gardaient la porte. À travers une odeur de pisse et par l'escalier obscur, jusqu'en bas. Elle trébucha sur une marche brisée, dégringola sur le palier contre une porte revêtue de similicuir, dont la mollesse amortit le choc, elle entendit à l'intérieur un rire d'enfants et *babouchka, babouchka*, en bas elle tomba sur un chat et des boîtes aux lettres déglinguées. La porte extérieure miaula et grinça. Devant, il y avait une voiture noire bien lustrée, qui brillait même dans l'obscurité. Un homme fumait à l'intérieur, sa veste en cuir produisait un crissement étouffé derrière la vitre, dans un martèlement de disco russe. En passant devant la voiture, elle ne regarda pas dans sa direction, comme si ça pouvait empêcher l'homme de la remarquer. Et peut-être que ça marcherait, car l'homme continua de secouer la tête au rythme de la musique.

Elle s'arrêta quand elle eut passé le coin de la rue. Elle se sentait radieuse. Elle était dans un état potable, n'étaient sa robe déchirée, ses bas filés, et qu'elle n'avait pas de chaussures. Une femme qui courait dans la rue sans chaussures resterait dans beaucoup d'esprits, or elle ne devait pas attirer l'attention. Il fallait pourtant courir, elle n'avait pas de temps à perdre. Quelques lampadaires cassés donnaient une lueur glauque, des gens rentraient chez eux. L'obscurité laissait les visages dans le vague. Le quartier lui était complètement inconnu, peut-être qu'elle avait été ici chez un client, peut-être pas, le béton avait l'air partout le même. Elle aboutit à une route plus grande. Un pont la traversait. Un bus passa en pétaradant, son soufflet remuant dans une crasse jaunâtre, mais ses phares étaient si pâles que personne ne l'aurait remarquée – et même si on l'avait remarquée, quelqu'un s'y intéresserait-il avant que Pacha se mette à poser des questions et que la crainte et l'argent fassent ressurgir des souvenirs qu'on ne se rappelait pas réellement ? Il se trouverait quand même toujours quelqu'un qui se rappellerait vraiment. Il n'y avait pas d'obscurité qui n'eût des yeux.

Le bus était suivi par une Moskvitch, qui avait un feu de route allumé, puis une Jigouli passa comme un simple son.

Un abribus surgit de l'obscurité si rapidement qu'elle n'eut pas le temps de réfléchir à le contourner ou à changer de direction, mais fut projetée au milieu du groupe qui attendait à l'arrêt, au milieu des minijupes et des bas blancs des filles de bonne famille qui dégageaient à la fois une odeur d'innocence et d'avortement, leurs ongles rouges griffaient familièrement l'obscurité et l'avenir. Leur nuée se démena tout étonnée quand Zara déboula, les boucles d'oreilles pendantes des mamies et les oreilles ridées oscillaient, et les jeunes hommes qui les entouraient n'eurent pas le temps de mettre un bras protecteur autour des filles que Zara était déjà sortie de la nuée et passait devant un type bourré à l'eau de Cologne, laissant derrière elle un bruissement de sacs plastique, joyeux voiliers portant les filles vers un avenir radieux. Elle retourna entre les immeubles. Un bus éclairé, on ne pouvait pas y monter pieds nus. Quelqu'un pourrait se souvenir d'une femme à bout de souffle sans chaussures. Quelqu'un parlerait. Elle courut le long d'immeubles, le long de fenêtres grillagées de soleils staliniens, le long de balcons à barreaux, traversa des routes désertes et défoncées, le long de structures de béton armé et de poubelles débordantes, le long de sacs de pelmeni jetés dans la rue et devant un magasin, marcha sur un sac de kéfir à moitié vide, continua de courir, courut devant une mamie qui portait un filet d'oignons, devant des enfants avec leurs agrès et un bac à sable qui puait le chat, devant des pouffes solidement accroupies sur le béton, la peau grumelée par l'héroïne et le rimmel, devant un tube de colle et un petit garçon, devant un ricanement mêlé de colle et de morve, tomba sur un kiosque joyeusement ouvert, et elle s'arrêta : elle aperçut des paquets de cigarettes par la fenêtre, devant le kiosque une bande de types aux cheveux en brosse taquinait la vendeuse. Elle changea de direction, ils n'eurent pas le temps de la voir, et elle fit demi-tour, chercha un nouvel itinéraire, laissa les types aux cheveux en brosse, aux jambes écartées et aux cous de taureaux, courut devant un trémoussement et un halètement moite entre les blocs de ciment, sortit des immeubles, sortit du ghetto à cafards et des crépitements d'aiguilles à tricoter, jusqu'à ce qu'elle arrive sur une route encore plus grande. Où aller, maintenant ? La sueur coulait le long de sa nuque, l'étiquette Seppälä de sa robe procurait la sensation d'un coussin mouillé dans le tissu léger, l'obscurité mugissait, la sueur refroidissait. Quelque part à Tallinn il y avait un « Taksopark », elle se rappelait avoir entendu ça, un client lui en avait parlé, là-bas il y avait des taxis, mais quoi ensuite, à quoi ça l'avancerait ? C'étaient les taxis qu'on interrogerait en premier, quant aux voitures, elle ne saurait pas les voler et encore moins les conduire, y avait-il autre chose, une station-service, une où les poids lourds s'arrêtaient, ils devaient bien aller quelque part et elle devait aller quelque part, d'une façon ou d'une autre, si bien que personne ne la remarquerait et hop, en avant, et puis soudain se trouva devant elle un camion arrêté sur le bord de la route. Le moteur tournait, personne n'était assis dans la cabine, la peinture vert foncé se fondait dans le décor, elle grimpa dans la benne, de justesse. Bientôt le chauffeur revint des broussailles en refermant dans un cliquetis la boucle de sa ceinture, grimpa dans le véhicule et appuya à fond sur l'accélérateur.

Elle rampa entre les caisses.

Les lampadaires s'éclairaient à peine eux-mêmes. Puis il n'y en eut plus du tout. Le brouillard commença à se lever. Une baraque « GAI » de la police routière passa rapidement, déserte. Les piquets réflecteurs filaient sur le bas-côté. Quelques BMW passaient dans une pluie de gravillons avec la musique à fond, mais il n'y avait pas de trafic. Le chauffeur s'arrêta une fois dans un endroit qui avait l'air désert et descendit. Zara jeta un œil aux alentours, dans l'obscurité se détachait le mot *Peoleo*. Le chauffeur revint en rotant et on continua le voyage.

De temps à autre, les lumières du véhicule balayaient des poteaux indicateurs branlants, mais Zara ne pouvait en démêler les mots. Elle entrouvrit la bâche sur le côté de la benne, suffisamment pour jeter un œil dehors, et elle remarqua que le véhicule n'avait pas de rétroviseurs. Elle osa donc passer la tête plus franchement à l'extérieur. Le véhicule pouvait être en train de se diriger absolument n'importe où. Voire vers la Russie. Le plus sage était de sauter à terre une fois qu'elle serait arrivée assez loin de Tallinn. Sans doute le chauffeur s'arrêterait-il quelque part, pour pisser ou boire un coup. Et après, quoi ? Elle devrait chercher un nouveau véhicule. Elle ferait du stop. Les voitures qui quittaient Tallinn n'y retourneraient vraisemblablement pas tout de suite, tout ce qui sortait de Tallinn serait temporairement hors d'atteinte de Pacha et de ses hommes. Ou bien était-elle trop optimiste ? Pacha avait des oreilles dans tous les coins et Zara n'était pas bien difficile à identifier. Si elle parvenait à trouver un véhicule qui allait quitter l'Estonie… Mais alors le véhicule devrait passer la frontière, à un moment ou un autre, et d'ici là Pacha aurait déjà un sbire au regard vigilant en train de surveiller et d'interroger à la frontière. Il vaudrait quand même mieux trouver un véhicule qui allait au même endroit que Zara, mais dont le chauffeur serait un genre d'homme que Pacha ne pourrait jamais trouver. Quel genre d'homme cela pourrait être ? Et qui prendrait Zara en stop au milieu de la nuit sur une route nationale obscure ? Aucune personne convenable ne serait même en train de rouler à cette heure, seuls des voleurs et des hommes d'affaires du genre de Pacha. Zara tâta la poche secrète de son soutien-gorge. La photo était toujours à sa place – la photo et les noms du village et de la ferme.

Le camion ralentit. Le chauffeur se gara, et se dirigea vers les broussailles. Zara descendit de la benne et traversa la route pour se précipiter à l'abri des arbres. Le chauffeur revint et continua son voyage. Quand les feux de route eurent disparu, l'obscurité était impénétrable. La forêt murmurait. L'herbe vivait. Un hibou hululait. Zara revint près de la route.

L'aube ne tarderait pas à poindre. Seules quelques Audi étaient passées en trombe avec la stéréo à fond. Par une de leurs fenêtres avait été lancée une bouteille de bière, qui avait atterri tout près de Zara. Elle n'embarquerait pas dans une voiture occidentale, c'étaient toutes des voitures à eux. À quelle distance de Tallinn était-elle maintenant ? Elle avait perdu la notion du temps, dans la benne du camion. L'humidité fraîche engourdissait ses membres et elle se massa les bras et les jambes, remua ses orteils et malaxa ses chevilles l'une après l'autre. Assise, elle avait froid, mais elle n'avait pas la force de se tenir debout. Il faudrait qu'elle arrive avant le point du jour quelque part à l'intérieur, loin des regards. Le mieux serait qu'elle arrive à destination avant le matin, à destination dans ce village, le village de sa grand-mère. Elle devrait contenir sa panique et essayer de conserver la même sérénité qui s'était répandue en elle quand, accroupie dans la benne au milieu des caisses, elle s'était rendu compte que, même si le camion n'allait pas au village de sa grand-mère, elle irait, elle.

Au loin Zara perçut un bruit de voiture, qui approchait plus lentement qu'une voiture occidentale. Un seul des deux feux de route fonctionnait, et bien que Zara ne vît pas la voiture ni le conducteur, elle était sur la route avant d'avoir eu le temps de réfléchir et se planta au milieu de la chaussée. Un faisceau pâle éclaira ses jambes boueuses. Zara ne céda pas le passage, car elle était sûre que la Jigouli aurait accéléré aussitôt pour continuer sa route. Le conducteur passa la tête par la fenêtre. Un vieil homme. Au bout d'un fume-cigarette pendu au coin des lèvres brûlait un mégot.

« Pourriez-vous me conduire en ville ? » demanda Zara. Ses mots estoniens étaient gourds. L'homme ne répondit pas, et Zara s'affola, enchaîna en disant qu'elle s'était disputée avec son mari, qu'il l'avait jetée de la voiture, et qu'elle se retrouvait ici au milieu de nulle part. Son mari n'était pas un bon mari, il ne reviendrait sûrement pas la chercher, et elle ne voudrait même pas que son mari revienne, car il était méchant.

Le chauffeur prit le fume-cigarette dans sa main, détacha le mégot, le jeta sur la route, dit qu'il allait vers Risti et tendit le bras pour ouvrir la portière. Zara bondit à l'intérieur. L'homme fixa une nouvelle cigarette à son fume-cigarette. Zara leva son bras sur sa poitrine et serra ses cuisses ensemble. La voiture s'ébranla. Entre-temps, Zara réussit à saisir des mots sur les poteaux indicateurs : Turba, Ellamaa.

« Pourquoi aller en direction de Risti ? » demanda l'homme.

Zara fut embarrassée et inventa qu'elle allait chez ses parents. L'homme ne questionna pas davantage, mais elle continua en expliquant que son mari ne viendrait pas chez ses parents et qu'elle ne voulait pas voir son mari. De sa main droite, l'homme ramassa un sac à côté du levier de vitesses et le tendit à Zara. Elle prit le sac. Le chocolat Arachis fondit dans sa bouche et la cacahuète croustilla.

« Tu aurais pu rester à attendre une voiture jusqu'au matin », dit l'homme. Il était allé rendre visite à sa fille malade et il avait dû la conduire à l'hôpital en pleine nuit. Il fallait qu'il arrive chez lui avant l'heure de la traite. « T'es une fille de chez qui ?

– Rüütel.

– Rüütel ? De quel coin ? »

Zara prit peur. Que fallait-il répondre à cela ? Le vieillard connaissait visiblement tout le voisinage, et si Zara inventait des noms, l'homme commencerait à parler dans les villages d'une traînée inconnue qui avait un accent russe et disait des trucs bizarres. Zara sanglota. L'homme tendit un mouchoir élimé avant que Zara ait eut le temps de se mettre à pleurer et il ne l'interrogea pas davantage.

« Peut-être qu'il vaudrait mieux qu'on aille d'abord chez moi. Tes parents vont s'effrayer, si leur fille arrive dans cet état à la maison et à cette heure. »

L'homme roula jusque chez lui à Risti. Zara descendit de la Jigouli en serrant contre son flanc la carte qu'elle avait volée dans la voiture. Elle aurait pu demander à l'homme s'il connaissait Aliide Truu, mais elle n'aurait jamais osé aborder le sujet. L'homme se souviendrait de ses questions et pourrait conduire ses poursuivants jusqu'à Aliide Truu, et du même coup jusqu'à Zara. À l'intérieur, l'homme versa à Zara un verre de lait, mit sur la table du pain et des saucisses pour enfants, et ordonna à Zara de dormir après le repas.

« Après la traite du matin, on t'amènera chez toi. Ce n'est que dans quelques heures. »

L'homme laissa un plaid à Zara et se retira dans la chambre. Quand il eut commencé à ronfler, Zara se leva, tâtonna jusqu'au frigo bourdonnant, sur lequel elle attrapa la lampe de poche qu'elle avait repérée en coupant la saucisse. La lampe de poche fonctionnait. Zara déploya la carte sur le sol de la cuisine. Risti n'était pas loin de son objectif. Jusqu'à Koluvere, ça faisait une trotte, mais c'était faisable. L'horloge sur le frigo indiquait trois heures. Zara trouva à côté de la porte extérieure de grandes bottes d'homme en caoutchouc, et de petites pantoufles de femme, qu'elle mit à ses pieds. Trouverait-elle encore une veste quelque part ? Où l'homme rangeait-il ses vêtements d'extérieur ? Il y eut un bruit dans la chambre, Zara devait partir. Elle ouvrit la fenêtre de la cuisine, elle n'avait pas la clef de la porte extérieure, et elle sortit. Elle avait encore un goût étrange dans la bouche. Sa mâchoire s'était arrêtée dès la première bouchée, et l'homme avait ri en disant qu'elle devait être de ces gens qui n'aiment pas le carvi. Les petits-enfants de l'homme n'aimaient pas non plus. Il lui avait proposé aussi un autre pain, mais elle avait choisi le carvi. Bientôt l'homme se réveillerait et remarquerait que la traînée avait volé sa carte et sa lampe de poche, et emporté aussi les pantoufles. Zara n'était pas fière.

1992, Estonie occidentale

Zara cherche une route aux saules pleureurs particulièrement nombreux

La carte n'était pas claire, mais la gare de Risti ne fut pas difficile à trouver. De là, Zara prit la direction de la route qu'elle présumait conduire à Koluvere. Elle partit au pas de course, il ne fallait pas s'attarder près des fermes, même sans lumière aux fenêtres. Les chiens aboyaient de ferme en ferme, un jappement l'accompagna jusqu'à ce qu'elle débouche sur la route de Koluvere. Zara ralentit, pour avoir encore la force d'arriver à destination, mais elle avait quand même les pieds en feu. D'après la carte, le trajet représentait peut-être dix kilomètres. Entre-temps, Zara s'arrêta et fuma une cigarette. Elle avait piqué une boîte d'allumettes à une vieille dame. Sur le couvercle de la boîte souriait un bonhomme dessiné, dont le chapeau rappelait un haut-de-forme, même s'il ne se distinguait pas dans l'obscurité. La forêt respirait et toussotait autour de Zara, la sueur lui donnait chaud et froid, et à chaque arrêt Zara sentait sur sa nuque le souffle de la princesse morte de Koluvere. Augusta, elle s'appelait, la grand-mère lui avait parlé de la princesse Augusta, qui était allée de Risti au château

de Koluvere avec les yeux à bout de larmes et s'était tuée. Dans la chambre du drame, il faisait toujours plus froid que dans les autres pièces, et au long des murs suintaient les larmes d'Augusta. Les nuages noirs voguaient comme des navires de guerre, le clair de lune éblouissait. L'humidité pénétrait à travers les pantoufles de Zara, de temps à autre elle s'imaginait entendre un bruit de voiture et se précipitait dans la forêt, enfonçait ses pantoufles dans le fossé, les bardanes lui griffaient la peau. Il n'y avait aucune bifurcation sur la route, mais les pensées de Zara se dispersaient et s'entremêlaient, s'éclaircissaient et s'obscurcissaient. Elle tentait de sentir dans l'air une éventuelle odeur marécageuse. Quelque part, tout près, il devait y avoir un marais. À quoi ressemblaient les marais estoniens ? Finirait-elle par trouver la bonne ferme ? Qui donc habiterait dans cette ferme ? Cette ferme existait-elle, au moins ? Et sinon, que ferait-elle ? Sa grand-mère avait raconté que beaucoup de rumeurs avaient couru sur la mort d'Augusta. Peut-être ne s'agissait-il pas d'un suicide. Peut-être que la princesse avait été assassinée. Le médecin avait affirmé que la princesse était morte d'une hémophilie héréditaire, mais personne n'y croyait car, peu avant la mort de la princesse, un épouvantable cri de femme avait retenti au château, et ce cri avait pétrifié les paysans dans les champs, les vaches s'étaient enfuies, les poules n'avaient plus pondu pendant une semaine
Zara accéléra, des étincelles dans les plantes des pieds, les poumons gonflés à bloc. Les uns disaient que l'impératrice était devenue jalouse de la belle princesse et qu'elle avait envoyé celle-ci dans la campagne d'Estonie. Les autres étaient d'avis que la princesse avait été emmenée en sécurité dans le château de Koluvere, à l'abri d'un fou. Toujours est-il que la princesse était morte en captivité, en hurlant de malheur. La carte était déjà sortie de la tête de Zara, même si elle était

simple et même si elle avait essayé de bien l'imprimer dans son esprit. Ou elle était si simple qu'il n'y avait rien de spécial à y mémoriser, mais quand même elle lui sortit de la tête. Pourquoi personne n'avait aidé la princesse, pourquoi personne n'avait laissé la princesse sortir du château, alors que ses pleurs étaient connus de tous ? Aide-moi, Augusta, aide-moi à trouver mon chemin. Aide-moi, Augusta, martelait la tête de Zara, et les visages d'Augusta, d'Aliide et de la grand-mère se mêlaient dans son esprit en une seule et même figure, et elle n'osait pas regarder à droite ni à gauche, car les arbres de la forêt bougeaient, tendaient leurs bras vers elle. Augusta la voulait-elle pour compagne dans les marais, quelque part où elle errait ? Les joues de Zara commencèrent à récolter la brume du matin qui se formait, elle devrait courir encore plus vite, il fallait qu'elle arrive à destination avant le matin, autrement tout le village la verrait. Il faudrait qu'elle trouve une histoire à débiter aux occupants actuels de la maison de la grand-mère. Et puis il faudrait chercher Aliide Truu, peut-être que les habitants de la maison pourraient l'aider. Pour Aliide aussi il allait falloir trouver une histoire, mais la seule histoire qu'elle arrivait à rassembler dans sa tête était celle de la princesse Augusta, l'histoire d'une femme folle et sanglotante, peut-être qu'elle-même était folle aussi, car qui d'autre qu'une folle irait courir dans des forêts inconnues vers une ferme dont elle avait seulement entendu parler et dont l'existence même n'était pas sûre. Un champ. Une ferme. Elle passa devant en courant. Une autre ferme. Un village. Des chiens. L'aboiement se propagea d'une ferme à l'autre. Les remises, les maisons, les étables et les trous de la route mitraillaient sa rétine en déphasage avec son pouls, entre-temps elle essaya de traverser le fossé, mais s'accrocha aux barbelés et aux ronces, se débattit pour retourner sur la route, l'odeur humide du calcaire, des trous et des flaques sur la route, il faudrait courir plus vite que les chiens n'aboyaient. La brume du matin lui collait à la peau, la vapeur aux membranes des yeux, la nuit écartait ses rideaux, les contours d'un village irréel vacillaient autour d'elle. Sur la route qui menait à cette ferme, il y avait beaucoup de saules pleureurs. Les saules pleureurs y étaient particulièrement nombreux. Et à l'entrée de la route, il y avait un gros bloc de pierre. Le portail de cette ferme serait-il le commencement de l'histoire de Zara, d'une nouvelle histoire ?

Quatrième partie

La libération pour un autre monde apparu entre-temps

Paul-Eerik Rummo

octobre 1949

Pour une Estonie libre !

Je relis les lettres d'Ingel encore et encore. Elles me manquent. L'existence s'est un peu détendue maintenant que je sais que tout va bien pour elles là-bas au loin. Il en arrive beaucoup, des lettres. La dernière fois que des gens ont été déportés en Sibérie, les lettres n'arrivaient qu'une ou deux fois par an, et les nouvelles n'étaient pas bonnes.

On aurait dû couper le bois pour les tonneaux. Maintenant ce serait le bon moment, bientôt la vieille lune va décroître et alors il sera trop tard. Quand pourrai-je faire les nouveaux tonneaux pour ma ferme ? Quand pourrai-je chanter à nouveau ? Ma gorge aura bientôt oublié cette fonction.

Ça sent la pleine lune, je n'arrive pas à dormir. Il faut dire à Aliide que c'est le bon moment pour faire le bois de chauffage. Celui qui est abattu à la pleine lune sèche bien. Son mari, lui, ne comprend rien à ces choses-là, il s'y connaît autant en travaux agricoles que Liide en travaux manuels. Il m'est venu un trou à une chaussette faite par Ingel et Liide l'a reprisée. Je ne peux plus rien en faire, de cette chaussette.

Si seulement j'avais du jus de mûres sauvages préparé par Ingel.

Truman devrait déjà être arrivé.

J'aurais envie de donner des coups de pied dans le mur, mais je ne peux pas.

Hans fils d'Eerik Pekk, paysan estonien

1992, Estonie occidentale

Comment fait-on pour voler dans le noir ?

Les oignons dans la casserole s'étaient ramollis comme il faut, Aliide ajouta le sucre, le sel et le vinaigre. Le raifort avait fait venir les larmes aux yeux à Aliide et Zara, et Aliide ouvrit la porte pour aérer. Zara décida d'essayer de poser une question sans détour. Peut-être que ce serait bien de commencer par Martin, plutôt que par la grand-mère. Mais elle n'eut pas le loisir de se livrer à de plus amples réflexions, car une voiture qui approchait fit se raidir les deux femmes.

« Vous attendez des visiteurs ?

– Non. C'est une voiture noire.

– Bon Dieu, ça y est, ils arrivent. »

Aliide claqua la porte du four et la verrouilla. Puis elle se hâta de crocheter la porte du garde-manger et couvrit les fenêtres avec les rideaux.

« Ils s'en iront, quand ils constateront qu'il n'y a personne ici.

– Non.

– Bien sûr que si. Qu'est-ce qu'ils feraient là à attendre dans la cour, s'ils voient qu'il n'y a personne à la maison ? Et personne ne t'a vue arriver, si ?

– Non.

– Eh bien. Tu resteras à l'intérieur encore demain. Des fois qu'ils feraient la ronde dans la région. Mais quelle ronde ils pourraient bien faire ici, dans un village à moitié vide ? »

Zara secoua vigoureusement la tête. Les hommes seraient sûrs qu'elle était ici, s'ils remarquaient que la maison était vide. Ils s'imagineraient qu'elle s'y était cachée, ils forceraient le verrou, ils fouilleraient la maison de fond en comble et ils la trouveraient…

« Ils vous feront du mal !

– Calme-toi, Zara, calme-toi. Maintenant, tu fais ce qu'on te dit. »

Aliide avait l'air décidée compte tenu de sa fragilité, en même temps plus jeune et plus vieille, ses pas vers l'armoire étaient quotidiens, ses mains saisissaient le coin de l'armoire d'un mouvement machinal.

« Viens m'aider. »

Elles unirent leurs forces pour tirer l'armoire de devant le cagibi, dont Aliide ouvrit la porte à la volée.

Après avoir poussé la fille hésitante dans le cagibi, Aliide posa la main sur sa poitrine. Ça battait la chamade, là-dedans. Elle ne réussit pas à vider une chope d'eau, mais elle put boire un peu, éponger son visage avec un mouchoir et nouer un foulard sur sa tête. Ses cheveux avaient tellement transpiré qu'ils paraîtraient suspects s'ils n'étaient pas couverts, les hommes pourraient imaginer qu'Aliide suait de peur. Si tant est que les visiteurs soient à la poursuite de Zara. Et si la voiture était aux garçons qui jetaient des pierres et chantaient des chansons derrière la fenêtre d'Aliide ? S'ils avaient décidé de faire une dernière sortie chez Aliide et de donner libre cours à leur colère ?

On entendit la voiture approcher de la cour prudemment, le conducteur avait sans doute remarqué les fondrières.

Dans le cagibi, Zara tendit les bras de chaque côté, ses doigts touchaient le mur de part et d'autre. Ça sentait la terre. Une terre humide. Des murs humides. Un air renfermé, raréfié, où se mêlaient le moisi et la rouille. Voilà où elle était. S'ils faisaient quelque chose à Aliide, elle ne pourrait peut-être plus jamais sortir. Crierait-elle qu'elle était ici, alors ? Non, elle ne crierait pas. Elle resterait ici et ne pourrait jamais raconter à sa grand-mère comment c'était ici à présent. Pourquoi le temps arrivait-il déjà à terme ? Elle aurait dû être plus ferme, un peu comme Pacha. Pacha ferait raconter n'importe quoi à Aliide. Pacha battrait Aliide et Aliide chanterait. Peut-être que Zara aussi aurait dû faire appel à des méthodes de ce genre, alors elle aurait pu savoir pourquoi Aliide en voulait tant à la grand-mère, pourquoi la mère affirmait qu'elle n'avait pas de tante. Si Aliide avait été moins amicale avec Zara, si elle ne lui avait pas servi de café du percolateur ni fait couler un bain, Zara aurait pu être plus méchante. Cela faisait si longtemps que quelqu'un ne l'avait traitée ainsi. Cela avait fait de Zara une chiffe molle, alors qu'elle aurait dû être dure, se rappeler comment c'était encore il n'y avait pas si longtemps et agir en conséquence.

Zara colla l'oreille à la fente de la porte. Bientôt ils frapperaient à la porte. Aliide comptait-elle les laisser entrer ?

Aliide ouvrit les rideaux, déploya le journal sur la table et prépara une tasse de café à côté, tout à fait comme si elle avait été en train de lire *La gazette de Nelli** et de prendre son petit déjeuner, en toute tranquillité. Restait-il quelque trace de la fille dans la cuisine ? Non, aucune. Aliide n'avait même pas eu le temps de mettre le couvert pour deux. Tant qu'à venir, qu'ils viennent tous, les sbires de la mafia, les soldats, les rouges et les blancs, les Russes, les Allemands et les Estoniens, n'importe qui, Aliide s'en tirerait bien. Elle s'en était toujours tirée jusque-là.

Ses mains ne tremblaient pas. Le tremblement continuel auquel elle était sujette depuis la nuit à la mairie avait cessé lorsque son corps était devenu suffisamment vieux. Tellement vieux que personne ne se donnerait plus la peine de faire comme à la mairie. Et comme Talvi était ailleurs, elle n'avait plus personne pour qui s'inquiéter. Le poignet d'Aliide eut une secousse. Si, dans le cagibi, maintenant, elle avait encore quelqu'un pour qui se faire du souci. Avec une chair ferme et une peau lisse, et une odeur de petite fille. Et tout aussi farouche. Est-ce qu'elle avait eu l'air comme ça, alors ? Est-ce qu'elle avait ramené de la même façon ses bras devant sa poitrine, sursauté pour un rien, son regard avait-il réagi aussi farouchement à chaque son brusque ? Son ventre, à nouveau, se tordit d'aversion pour la fille.

La voiture sembla s'arrêter au bord du champ. De la voiture sortirent deux hommes inconnus, ce n'étaient pas des garçons du village, ni des garçons du tout. De quoi s'occupaient-ils ? Ils admiraient le paysage ? Ils toisaient peut-être la forêt, allumaient des cigarettes avec des gestes posés. Comme jadis. Les hommes à bottes de cuir chromé étaient toujours posés, au premier abord. L'épaule d'Aliide eut une secousse. Elle posa l'autre main dessus. Le foulard était humide sur les tempes.

On frappa à la porte. C'étaient des coups impérieux. Des coups comme en donne un homme décidé.

Sur le fourneau, la salade de tomates et d'oignons remua. La râpe dans l'assiette. Une tomate à moitié émincée. Aliide plaça la tomate et le couteau au milieu des tranches et prit la râpe à la main. Tout dans la cuisine donnait l'impression que la mise en conserve était en cours, et elle avait reconstitué à la hâte la pause café sur la table. On cogna à nouveau à la porte. Aliide posa l'assiette de raifort du côté de la table où se trouvait le tiroir, avec le Walther de Hans à l'intérieur, elle inspira à pleins poumons de l'air saturé de raifort, une brûlure se répandit, ses yeux se mouillèrent, elle les essuya et ouvrit la porte. Les gonds grincèrent, les rideaux volèrent, le vent pénétra à travers la blouse d'Aliide, elle sentit dans ses doigts le métal de la poignée de la porte. Dans la cour brillait un soleil tranchant. L'homme salua. Derrière lui se tenait un autre homme, plus âgé, qui salua aussi, et Aliide sentit l'odeur de l'officier du KGB mêlée à celle du raifort. L'odeur venait en bouffée comme d'une cave qui sent le renfermé, et rendait amer l'air extérieur qui pénétrait en elle. Aliide respira par la bouche. Elle connaissait ce genre de types. Les types avec ce genre de maintien, qui savent comment on punit une femme, et qui sont venus chercher une femme à punir. Le maintien arrogant de ce genre de types, qui sourient de toutes leurs dents en or, le costume près du corps et les épaulettes tendues, et qui savent que l'autre ne peut s'opposer à rien de ce qu'ils veulent. Le maintien de ce genre de types qui portent ce genre de bottes avec lesquelles on peut écraser n'importe quoi.

Le cadet voulait entrer. Aliide alla s'asseoir du côté de la table où elle avait mis l'assiette de raifort, et elle posa la râpe dans l'assiette, la main gauche ouverte sur la toile cirée, la droite sur ses genoux. De là, ce serait un court trajet jusqu'au tiroir.

L'homme s'assit sans y être invité et demanda de l'eau. Le KGB ne vint pas dans la cuisine, mais était visiblement parti faire le tour de la ferme. Aliide lui conseilla d'en prendre lui-même dans le seau à eau, dans la cour on en avait de la fraîche avec le puits.

« Ici il y a de la bonne eau et un puits profond », dit Aliide.

L'homme se leva et but d'un trait une chope d'eau. Le raifort lui fit aussi venir les larmes aux yeux et il cligna, ses mouvements devenaient plus hargneux. Aliide était anxieuse, le muscle du cœur se tendait, mais l'homme bavardait de choses et d'autres, déambulait nonchalamment dans la cuisine, il s'arrêta à la porte de la chambre et l'ouvrit à la volée. La porte heurta le mur, le mur fléchit. Les bottes de débarquement répandaient de la boue par terre. L'homme marcha sur le seuil, mais n'alla pas plus loin, il revint dans la cuisine, claqua des talons à côté du frigo et parcourut du regard les papiers qui étaient dessus, marcha vers le buffet, où il souleva des objets sur les étagères, des couvercles de bocaux, tripota une tasse à café, un flacon de shampooing finlandais et le savon Imperial Leather, puis alluma une cigarette, une Marlboro, et raconta qu'il était de la police.

« Pacha Alexandrovitch Popov, se présenta-t-il en tendant à Aliide sa carte d'identité.

– Les papiers volés, c'est monnaie courante, dit Aliide en repoussant la carte aussitôt.

– En effet, rit Pacha. La méfiance est parfois salutaire. Mais vous feriez mieux de m'écouter, maintenant. Pour votre sécurité.

– Il n'y a rien à voler, là.

– Une fille étrangère a-t-elle été aperçue par ici ? »

Aliide nia et se lamenta sur le calme de la région. L'homme renifla et cligna des yeux en les frottant pour en exprimer les larmes. Le raifort brûlait. Aliide répondit au regard de l'homme, elle ne l'évita pas, ne l'éviterait pas. Il avait les paupières inférieures qui rougissaient, de la chassie s'accumulait dans les coins des yeux d'Aliide, qui continuait de regarder fixement, jusqu'à ce que l'homme aille ouvrir la porte. Le vent s'engouffra à l'intérieur. L'épaule d'Aliide eut une secousse. L'homme se tint un instant dans l'embrasure, le visage vers la cour, la veste en cuir bombée par le courant d'air, et il se tourna avec des yeux calmés et froids, prit dans sa poche une liasse de photos et les posa sur la table.

« Cette fille a-t-elle été aperçue ? Elle est recherchée. »

Zara n'osait pas bouger. Les voix portaient mal dans le cagibi, mais elles portaient quand même. Elle avait entendu Aliide parler russe en ouvrant la porte, saluer, poliment. Pacha avait dit qu'ils avaient roulé à n'en plus finir et que ça leur avait donné soif, et il avait poursuivi en bavardant de choses et d'autres. Les voix s'étaient éloignées, rapprochées, puis Aliide avait demandé : « Il aime les jardins, votre ami ? » Pacha n'avait pas compris. Aliide avait expliqué qu'elle voyait par la fenêtre l'ami de Pacha qui se promenait dans son jardin. Évidemment, Lavrenti examinait déjà la ferme. Ce devait être Lavrenti. Ou bien Pacha serait-il venu avec quelqu'un d'autre ? Sans doute pas. Pacha avait justifié le comportement de Lavrenti par le fait que son ami était un peu simplet, ce n'était pas la peine d'y faire attention. Aliide préférait tout de même que l'ami ne piétine pas ses platebandes de fleurs avec ses bottes.

« Pas de souci, il aime les jardins. »

La voix de Pacha était soudain très proche. Zara se crispa.

« Alors, est-ce qu'une fille étrangère a été vue dans les parages ? »

Zara retint son souffle. La poussière s'accrochait à sa gorge sèche. Il ne fallait pas tousser, surtout pas. Aliide répondit que la région était tranquille, les étrangers se remarquaient tout de suite. Pacha répéta sa question. Aliide s'étonna de son entêtement. Une fille jeune ? Une jeune étrangère ? Pourquoi diable ? Les mots de Pacha étaient indistincts. Il parlait de cheveux blonds. Aliide répondit d'une voix nette. Non, elle n'avait pas vu ici de fille blonde. Pacha avait sur lui une photo de la fille. Quelle photo ? Pacha allait-il faire le tour du monde en exhibant une photo de Zara ? Quel genre de photo ? La voix de Pacha se rapprocha et Zara eut peur que son pouls s'entende à travers le mur. Pacha avait l'ouïe si fine.

« Quelque chose vous fait penser que cette fille se trouve par ici ? »

Apparemment, Pacha se déplaça plus loin. Le mur ne laissait plus passer que des sons épars.

« Regardez… »

Pacha ne présentait quand même pas ces photos-là ? Mais quelles autres photos montrerait-il, sinon celles-là ? Et quand Aliide les verrait…

Soudain Zara fit un rot. Dans sa bouche remonta un goût de sperme. Elle serra les lèvres rapidement. Est-ce que ça s'était entendu dans la cuisine ? Non, la conversation de Pacha et d'Aliide continuait à travers le papier peint en un marmonnement uniforme. Zara s'attendit à entendre Aliide pousser un cri d'épouvante, car elle n'aurait pu réagir autrement avec ces photos sous les yeux. Pacha les avait-il déjà étalées sur la table, lentement, une à la fois, ou bien tendait-il d'un coup toute la liasse à Aliide ? Non, il les empilerait sûrement sur la nappe comme une réussite, il obligerait Aliide à regarder. Aliide les scruterait et verrait les mimiques que Pacha avait enseignées à Zara, la bouche ouverte, la langue tendue et toutes ces pines. Alors Aliide parlerait d'elle, bien sûr qu'elle finirait par parler, il fallait bien qu'elle raconte, parce qu'une fois qu'elle aurait vu les photos elle haïrait Zara. Elle la verrait comme une ordure et elle voudrait la jeter dehors, voilà ce qui allait arriver, sûrement cela arriverait, bientôt Pacha ouvrirait la porte, debout en contre-jour, il éclaterait de rire et ce serait la fin.

Zara se recroquevilla au fond du cagibi, collée au mur, et elle attendit. L'obscurité luisait, ses cheveux rasés avaient repoussé dru. Aliide avait vu les photos. L'humiliation démangeait Zara et tiraillait sa peau comme si elle était couverte de plaies qui se tendaient en cicatrisant. La porte ne tarderait pas à s'ouvrir. Il fallait fermer les yeux profondément dans leurs orbites, se concentrer pour reconduire l'homme dehors, elle était une étoile, une oreille dans la tête de Lénine, un poil dans les moustaches de Lénine, dans des moustaches en carton sur un poster en carton, elle était un coin dans le cadre du poster, un ornement arraché du cadre dans le coin de la pièce. Elle était de la poussière de craie à la surface d'un tableau noir, en sécurité dans une salle de classe, elle était le bout de bois d'une baguette…

Les photos étaient tirées sur du papier photo occidental, elles avaient un brillant occidental, le rouge à lèvres brillant de Zara luisait sur la toile cirée mate. Les faux cils se déployaient en corolle sur les contours des yeux barbouillés de nacre bleu clair. Elle avait de gros boutons roses, mais par ailleurs sa peau semblait sèche et fine. Les mailles du col pendaient comme si on avait tiré dessus.

« Je ne l'ai jamais vue », dit Aliide.

L'homme ne se laissa pas démonter. Il poursuivit, et ses mots tambourinaient comme les bottes d'un grand homme.

« Le monde entier la recherche en ce moment.

– Ah bon. Je n'ai rien entendu, pourtant la radio est toujours allumée.

– L'objectif est de s'occuper de l'affaire en silence. L'inciter à sortir. Moins elle imagine qu'on la recherche, moins elle se méfiera.

– Ah bon.

– Cette femme est une dangereuse criminelle.

– Dangereuse ?

– Elle a fait de grosses bêtises.

– Grosses comment ?

– Cette femme a tué son amant dans son propre lit. Et avec on ne peut plus de sang-froid. »

Le KGB rentra de la cour, vint se placer dans le dos du plus jeune, et extirpa d'autres photos de la poche de sa veste en cuir. Celles-ci furent empilées sur la table par-dessus les photos de Zara.

« Voici le corps. S'il vous plaît, regardez-les et réfléchissez à nouveau si vous avez vu cette femme.

– Je ne l'ai jamais vue.

– S'il vous plaît, regardez les photos.

– Ce n'est pas nécessaire. J'en ai déjà vu, des corps.

– La fille a l'air tout innocente, mais ce qu'elle a fait à son amant… Il était très attaché à elle, et elle l'a étouffé sans aucune raison, elle a pressé un oreiller sur sa bouche, quand il dormait. Tenez, vous habitez seule, non ? Vous dormez en toute tranquillité, d'un sommeil savoureux, et vous ne vous réveillez plus jamais. N'importe quelle nuit. Alors que vous ne pouvez même pas le voir venir et que vous êtes complètement sans défense. »

La main d'Aliide était passée sous le bord de la toile cirée. Ses doigts se courbèrent autour de la poignée du tiroir, prêts à l'ouvrir tout doucement. Il faudrait mettre le pistolet à portée de main sur la chaise. Le raifort cuisait en une purée blanche devant Aliide et estompait l'odeur de sueur du Russe. L'homme qui se faisait appeler Popov s'appuya à la table et regarda Aliide.

« C'est bon, répondit-elle. Je vous appellerai, si elle vient ici.

– Nous avons des raisons de croire qu'elle viendra.

– Pourquoi viendrait-elle précisément ici ?

– Elle est de votre famille.

– Vous en avez de bonnes, s'exclama Aliide avec un rire cristallin qui résonna sur la tasse à café.

– La grand-mère de la fille habite à Vladivostok et elle s'appelle Ingel Pekk. Votre sœur. Et le plus important, dans tout ça, c'est que la fille parle estonien, elle l'a appris par votre sœur. »

Ingel ? Pourquoi l'homme parlait-il d'Ingel ?

« Je n'ai pas de sœur.

– D'après les papiers, si.

– Je ne sais pas pourquoi vous êtes venus ici inventer ces histoires, mais...

– Il se trouve que cette femme, Zara Pekk, a commis son meurtre dans ce pays et, à ce que nous savons, elle n'a pas d'autres contacts ici. Il est certain qu'elle viendra ici, dans sa famille perdue de vue depuis longtemps. Elle imaginera que vous n'êtes pas au courant – à la radio et dans les journaux, il n'y a rien eu sur le meurtre – et elle viendra ici. »

Pekk ? Le nom de famille de la fille était Pekk ?

« Je n'ai pas de sœur », répéta Aliide. Ses doigts s'étaient redressés, la main retombée sur les genoux. Ingel était en vie.

Pacha renversa la chaise d'un coup de pied. « Où est la fille ?

– Je n'ai vu aucune fille ! »

Le vent froufrouta au-dessus du poêle dans les brins de menthe séchée. Le courant d'air agita les soucis sur les journaux. Les rideaux se balancèrent. L'homme se caressa le crâne et baissa la voix. « Vous comprenez sûrement la gravité du crime commis par cette femme, Zara Pekk. Appelez-nous. Pour votre bien. Quand elle viendra. Bonne journée. »

À la porte, l'homme s'arrêta. « Zara Pekk habitait chez sa grand-mère jusqu'à ce qu'elle parte travailler à l'Ouest. Sur le lieu du crime, elle a oublié son passeport, son portefeuille et son argent. Elle a besoin de quelqu'un pour l'aider. Vous êtes sa seule issue. »

Impuissante, Zara s'était effondrée sur le sol du cagibi.

Les murs haletaient, le sol respirait, les planches crachaient de l'humidité. Le papier peint grésillait.

Sur sa joue, elle sentit des pattes de mouches. Comment faisaient-elles pour voler dans le noir ?

À présent, Aliide était au courant.

1949, ESTONIE OCCIDENTALE

Aliide écrit des lettres et de bonnes nouvelles

Il n'y avait pas de nouvelles d'Ingel et, pour tempérer l'inquiétude de Hans, Aliide se mit à écrire des lettres au nom d'Ingel. Elle ne supportait pas les questions quotidiennes de Hans, est-ce qu'on avait des nouvelles d'Ingel, est-ce qu'on avait reçu des lettres, et Hans qui essayait de deviner ce que faisait Ingel à tout moment. Aliide connaissait les phrases typiques de sa sœur et sa façon de raconter, elle n'eut pas de mal à imiter son écriture. Elle raconta qu'elle avait trouvé un messager fiable, et elle écrivait dans la lettre qu'il était permis de recevoir des colis. Hans se réjouit et Aliide présenta tout ce qu'elle réussit à se procurer dans ses paquets bien remplis, grâce auxquels tout irait bien pour Ingel. Puis Hans décréta qu'elle aussi pourrait joindre ses salutations. Des blablas dont Ingel verrait qu'ils n'étaient pas de lui.

« Va chercher un rameau du saule qui est devant l'église. On le mettra aussi dans le paquet. C'est sous ce saule que nous nous sommes rencontrés la première fois.

– Elle se souvient de ça, Ingel ?
– Évidemment. »
Aliide alla cueillir un rameau du saule le plus proche.
« Ça ira, comme ça ?
– Celui de l'église ?
– Oui. »
Hans pressa son visage contre les feuilles de saule.
« Quelle odeur merveilleuse !
– Ça sent rien du tout, le saule.
– Et un rameau de sapin, aussi. »
Hans n'expliqua pas pourquoi il tenait tant à ce rameau de sapin. Et Aliide ne voulait pas le savoir.
« Quelqu'un d'autre a eu des nouvelles d'Ingel ? demanda Hans.
– Sûrement pas.
– Tu as demandé ?
– Tu es fou ? Je ne peux pas courir les villages à demander des nouvelles d'Ingel !
– À quelqu'un de confiance. Peut-être qu'elle a écrit.
– Je ne sais pas, et je ne demanderai pas !
– Personne n'osera rien te raconter, si tu ne demandes pas. Comme tu es la femme d'un salaud de rouge. Si tu demandais, on ne penserait pas que…
– Hans, essaye un peu de comprendre. Je ne prononcerai jamais le nom d'Ingel à voix haute en dehors de cette maison. Jamais. »
Hans disparut dans son cagibi. Il ne s'était pas rasé la barbe depuis des semaines.

Aliide commença à écrire de bonnes nouvelles.
Quelles bonnes nouvelles oserait-elle écrire ?

D'abord, elle écrivit que Linda avait commencé l'école et que ça se passait bien. Que dans sa classe il y avait beaucoup d'autres Estoniennes.

Hans sourit.

Puis Aliide écrivit qu'elle avait trouvé un travail de cuisinière et que par conséquent elles avaient toujours à manger.

Hans soupira de soulagement.

Aliide continua en expliquant que grâce à ce travail de cuisinière elle pouvait facilement aider les autres. Qu'au kolkhoze étaient arrivés des gens dont la lèvre inférieure se mettait à trembler dès qu'ils entendaient parler du travail d'Ingel, des gens dont les yeux se mouillaient quand ils comprenaient qu'elle touchait du pain tous les jours.

Hans fronça les sourcils.

C'était mal écrit. Ça faisait ressortir la pénurie de nourriture.

Dans la lettre suivante, Aliide écrivit que personne n'était rationné en pain. Que les quotas de nourriture avaient disparu.

Hans était rassuré. Hans était rassuré pour Ingel.

Aliide essayait de ne pas y penser et alluma une *papirossa*, ce qui chassa de la cuisine l'odeur de l'étranger avant le retour de Martin.

1992, Estonie occidentale

Aliide empêche le sucrier de tomber

Le bruit de la voiture s'éloigna. La porte du cagibi se mit à battre. L'armoire qui était devant s'ébranla, la vaisselle sur l'armoire tinta, l'anse de la tasse à café d'Ingel heurta le sucrier en verre d'Aliide, il fut secoué, le sucre accumulé sur le côté du sucrier retomba en avalanche. Aliide s'arrêta devant l'armoire, les coups de pied étaient ceux d'une jeune personne, énergiques et vains. Aliide alluma la radio VEF. Les coups de pied redoublèrent d'intensité. Elle mit la radio plus fort.

« Pacha n'est pas de la police ! Et c'est pas mon mari ! Ne croyez rien de ce qu'il a dit ! Laissez-moi sortir ! »

Aliide se racla la gorge. Son larynx avait l'air éparpillé, mais en fait elle n'était pas sûre de ses sensations. Une partie d'elle était retournée des décennies en arrière, dans la cour du bureau du kolkhoze, au moment où toute la force de ses jambes avait fondu dans le sable. À présent, en dessous, il n'y avait que le sol en ciment de la cuisine. De là se propageait le givre dans ses plantes de pied et dans ses os, ça devait faire la même sensation à Arkhangelsk, dans les camps. Moins quarante degrés, une nappe de brouillard à la surface de l'eau, l'humidité qui pénétrait jusqu'à la moelle, les cils et les lèvres givrés, les troncs d'arbres comme des cadavres dans la chaîne de tri des grumes, ceux qui travaillaient dans la chaîne avec de l'eau jusqu'à la taille, un brouillard perpétuel, un froid perpétuel, la perpétuité. Quelqu'un avait chuchoté à ce sujet sur la place. Cela n'était pas destiné à ses oreilles, mais ses oreilles s'étaient développées au fil des années, aussi grandes et perçantes que celles d'un animal, et elle avait voulu en entendre plus. Derrière les rides des locuteurs, les yeux étaient si sombres que les pupilles ne se distinguaient pas de l'iris, et ces yeux avaient regardé fixement vers elle, comme si les locuteurs s'étaient rendu compte qu'elle écoutait. C'était en 1955, la réhabilitation battait son plein.

La porte du cagibi était frappée avec les poings et les pieds.

Le brouillard au-dessus du sol en ciment se dissipa.

Était-elle venue pour se venger ?

Était-elle envoyée par Ingel ?

Aliide alla rattraper sur l'armoire le sucrier qui était sur le point de tomber.

1950, Estonie occidentale

Hans sent un goût de moustiques dans sa bouche

Aliide remarqua une vibration tandis qu'elle nettoyait la chambre froide, la vaisselle se mit à tinter, le pot de miel cliqueta contre le bois, la tasse laissée sur le bord du buffet tomba par terre et se brisa. C'était celle de Martin, il y avait des éclats le long du sol, et les caoutchoucs d'Aliide produisirent un crissement lorsqu'elle marcha sur l'anse de la tasse de Martin. Le hurlement de Hans continuait. Aliide essaya de réfléchir. Si Hans avait perdu la raison, oserait-elle aller au grenier et ouvrir la porte ? Allait-elle se faire agresser par Hans ? Il se précipiterait dehors, courrait dans les villages, se ferait arrêter et raconterait tout ? Ou bien quelqu'un était-il allé dans l'étable, quelqu'un était-il monté au grenier ?

Aliide recracha la salive noircie par le charbon et se rinça la bouche un instant avec de l'eau, puis se lécha les lèvres et alla à l'étable. Le plafond tremblait, l'échelle oscillait, la lanterne suspendue au plafond était sur le point de tomber. Aliide gravit l'échelle jusqu'au grenier. Les balles de foin tremblaient.

« Hans ? »

Le hurlement cessa un instant.

« Laisse-moi sortir !

– Il s'est passé quelque chose ?

– Laisse-moi sortir ! Je sais que Martin n'est pas à la maison.

– Je ne peux pas ouvrir si tu ne me dis pas d'abord ce qu'il y a. »

Silence.

« Liide chérie. »

Aliide ouvrit la porte. Hans sortit en chancelant. Il dégoulinait de sueur, ses habits étaient mouillés et sa jambe nue contusionnée.

« Ingel a des ennuis.

– Quoi ? Où tu es allé pêcher ça ?

– J'ai fait un rêve.

– Un rêve ?

– Ingel avait un bol à la main, on y versait de la soupe et une nuée de moustiques s'y engouffrait avant que la soupe atteigne le bol. J'ai senti leur goût dans ma bouche, leur goût de sang chaud et sucré. Et puis Ingel était ailleurs, dans la pièce il y avait de la vapeur, et Ingel commençait à enlever sa veste et la veste était pleine de poux, tellement pleine qu'on ne distinguait plus le tissu.

– Hans, c'était un cauchemar.

– Non ! Je l'ai vu ! Ingel a essayé de me parler ! Sa bouche s'entrouvrait et elle me regardait droit dans les yeux et essayait d'ouvrir la bouche davantage, j'ai essayé de comprendre. Puis je me suis réveillé. Avant d'avoir pu entendre. J'ai toujours le goût des moustiques dans la bouche et j'ai senti tous les poux sur ma peau.

– Hans, Ingel a écrit que tout allait bien, tu te rappelles ?

– J'ai essayé de me rendormir, pour comprendre ce qu'Ingel essayait de me dire, mais les poux me grattaient.

– Tu n'as pas de poux ! »

C'est alors qu'Aliide remarqua que la nuque, les bras et le visage de Hans étaient pleins d'égratignures sanguinolentes et les bouts des doigts étaient rouges.

« Hans, écoute-moi. Tu ne peux plus avoir ce genre de crises, tu comprends ? Tu mets tout le monde en danger.

– C'était Ingel !

– C'était un cauchemar.

– Une vision !

– C'était un cauchemar. Maintenant, on se calme.

– Il faut sortir Ingel de là.

– Tout va bien pour Ingel. Elle reviendra, mais d'ici là il faut que tu restes caché calmement. Qu'est-ce qu'elle penserait, Ingel, si elle venait maintenant et te voyait comme ça ? Hans, tu veux vraiment qu'elle retrouve le même Hans avec lequel elle s'est mariée, non ? Ingel ne veut pas d'un fou ! »

Aliide prit la main de Hans dans la sienne et serra. Les doigts de l'homme reposèrent flasques et glacés dans sa prise. Aliide hésita un instant, mais enroula ensuite son bras autour de Hans. Petit à petit, les muscles de Hans se détendirent, son pouls s'apaisa, et puis… il posa ses mains sur les épaules d'Aliide.

« Pardon.

– C'est rien.

– Liide, ça ne peut pas continuer.

– J'ai trouvé quelque chose. Tout à fait sûr. »

Les bras de Hans serrèrent ses épaules.

Son corps semblait celui qu'il fallait, ses bras étaient de bons bras.

Aliide aurait donné n'importe quoi, à cet instant, pour l'emmener dans la chambre, sur le lit comme il se doit, lui enlever ses vêtements imprégnés de sueur froide et lécher l'odeur d'épouvante qui suintait des pores de Hans.

Aliide avait toujours fait confiance à Hans, auparavant, mais à présent elle ne pouvait plus être sûre de rien. Et si Hans se remettait à avoir des visions ? Lorsque Martin serait à la maison, en plus ? Et même si Martin était au travail pendant la journée, n'importe qui du village pourrait passer. Et si Hans n'acceptait pas de rentrer au grenier, à ce moment-là, s'il faisait du vacarme ou se ruait dehors, peut-être droit dans les bras des types du NKVD ?

Aliide prépara un petit balluchon et le cacha dans le vestibule derrière les autres affaires, celles auxquelles Martin ne touchait jamais, du lin et d'autres trucs de bonnes femmes. Elle aurait le temps de l'attraper en sortant par la porte. Non, ils n'emporteraient rien d'autre. À moins que Hans ne fasse une crise juste au moment où Aliide se trouverait dans la chambre et Martin dans la cuisine. Alors Aliide serait obligée de déguerpir par la fenêtre de la chambre. Il faudrait peut-être préparer un autre balluchon de ce côté-là. Mais quand bien même elle aurait un balluchon avec elle, à quoi ça l'avancerait ? Hans pourrait tirer sur Martin dès que celui-ci ouvrirait la porte du cagibi, mais est-ce que ça résoudrait les problèmes ? Et s'il y avait des visiteurs, au même moment ? Même si Aliide décidait de s'échapper, elle ne tarderait pas à se faire arrêter, et on l'embarquerait pour l'interroger. Si Martin l'apprenait, il serait le premier à jeter Aliide dans les mains des tchékistes, cela ne faisait aucun doute, et ces types iraient inventer que Hans était l'amant d'Aliide, et ils voudraient savoir où et quand et comment. Peut-être qu'elle devrait leur faire un dessin, peut-être qu'elle devrait leur montrer, peut-être qu'elle devrait se déshabiller pour leur montrer. Ça les intéresserait, que la femme de Martin ait eu un amant fasciste, et Aliide devrait tout raconter sur son amant fasciste, et comme elle était la femme de Martin, elle devrait comparer ce qu'elle faisait avec son amant fasciste et avec celui qui était un camarade irréprochable. Lequel était le meilleur, lequel le plus fort ? Comment ça se fait sucer, un salaud de fasciste ? Et ils se tiendraient tous en rond autour d'elle, la bite tendue, prêts à la punir, prêts à la redresser, prêts à extirper de son corps la moindre semence laissée par le fasciste.

Peut-être même que Martin voudrait interroger sa femme en personne… pour montrer à ses amis qu'il n'avait rien à voir avec cette affaire. Il le prouverait en l'interrogeant d'une main ferme et la ferait brûler avec toute la force du mari trompé. Et même si Aliide racontait tout, ils ne la croiraient pas, mais continueraient et continueraient et finiraient par appeler Volli. Qu'est-ce qu'elle avait dit, déjà, la femme de Volli ? Que Volli était si bon à son travail, elle était si fière de son mari. Quand des bandits étaient interrogés et qu'on n'arrivait pas à obtenir des aveux, on allait chercher Volli. Les aveux se pointaient avant le lever du soleil. Voilà comme il était efficace, Volli. Voilà comme il était compétent. Il n'y avait pas de meilleur serviteur que Volli dans notre grande patrie.

« Je suis si fière de Volli », avait soufflé sa femme, avec la même ferveur que lorsque Aliide l'avait jadis entendue parler de Dieu. Cette fois-là, les mots avaient fleuri de sa bouche en petites auras, sa bouche étincelait d'or. D'or gagné par Volli.

« Le meilleur mari au monde. »

Aliide observait Hans, ses yeux et ses gestes. La barbe cachait beaucoup, mais autrement il était comme avant, le même Hans, et puis ça recommença.

« Ingel m'est apparue la nuit dernière. »

Hans était tout à fait calme.

« Alors tu as toujours des cauchemars ?

– Comme peux-tu traiter Ingel de cauchemar ? » La voix de Hans changea soudain. Il lui jeta un regard mauvais, il se cabra, et ses mains se posèrent sur la table. Ses poings étaient serrés.

« Qu'est-ce qu'elle a dit, Ingel ? »

Les poings de Hans se détendirent.

Aliide devrait être prudente dans ses mots.

« Elle a appelé mon nom. Rien d'autre. Elle était au milieu du brouillard ou de vapeur. Derrière elle, il y avait des gens entassés autour d'un poêle, très serrés, tellement près du poêle que les vêtements de quelqu'un ont pris feu. Ou peut-être qu'il y avait des vêtements mis à sécher près du poêle, et qu'ils ont pris feu. Je ne sais pas, je n'ai pas bien vu. Ingel était devant. Elle ne faisait pas du tout attention aux gens qui criaient derrière elle. J'ai senti une odeur de brûlé. Ingel ne s'en souciait pas, elle regardait seulement droit vers moi et disait mon nom. Puis la vapeur s'est répandue à nouveau autour d'elle, on ne voyait plus que la tête, et elle scrutait toujours, sans discontinuer, et puis la vapeur s'est dissipée à nouveau et Ingel se tenait au milieu d'un dortoir pouilleux. Il y avait des lits sur tous les murs et dans celui à côté d'Ingel était couché un homme qui se tripotait. De l'autre côté d'elle, il y avait un homme sur une femme et Ingel se tenait au milieu et des gens lui passaient devant. Ingel regardait seulement droit vers moi et soupirait encore mon nom. Ingel veut raconter quelque chose.

– Et quoi donc ?

– Tu n'as donc vraiment aucune émotion ? »

Aliide était mal à l'aise. Exactement comme si Ingel était présente, dans cette pièce. Aliide suivit le regard de Hans, qui se déplaça sur le papier peint derrière elle. Elle se défendit de se retourner.

« Ingel n'a rien à craindre. Tu as lu ses lettres. »

Hans fixait toujours au-delà d'Aliide.

« Peut-être qu'elle ne peut pas tout raconter, dans les lettres.

– Bon Dieu, Hans !

– Ne t'énerve pas, Liide, ma chérie. Ce n'est que notre Ingel. Ingel veut nous voir et nous parler. »

Il fallait se procurer pour Hans un passeport le plus vite possible. Hans retrouvait ses esprits. Mais s'il parvenait à partir, qu'est-ce qu'elle ferait encore ici, Aliide ? Pourquoi ne pas partir aussi, prendre le risque et partir ? Le projet d'Aliide pourrait les amener à se faire tuer tous les deux, mais y avait-il encore une alternative ?

Dans la cour, les corneilles criaient comme des folles.

1992, Estonie occidentale

Zara trouve des fleurs mortes dans le cagibi

Zara avait beau coller son oreille à la fente de la porte, la cuisine restait muette. Même la radio était éteinte, seule la douleur causait des élancements dans son crâne. Elle avait fini par se faire mal à la tête en se cognant le front à la porte, c'était idiot. Ce n'était pas ça qui inciterait Aliide à lui ouvrir. Pacha et Lavrenti reviendraient, c'était clair. Mais reviendraient-ils jusqu'à l'intérieur ? Les hommes obligeraient Aliide à raconter. Peut-être qu'Aliide raconterait de son plein gré. Peut-être qu'Aliide demanderait à Pacha une récompense, avec laquelle elle pourrait labourer son champ. Aliide s'était plainte que maintenant que l'eau-de-vie n'était plus rationnée, elle n'avait pas de quoi payer les rares hommes aptes au travail qu'on trouvait encore. Zara ne pouvait pas essayer de deviner les activités d'Aliide. Dans la poche de la blouse pesaient une pomme et quelques petits glands que Zara avait mis de côté en souvenir pour sa grand-mère, des semences d'Estonie. Arriverait-elle jamais à les lui apporter ?

Elle se mit debout. Bien que l'air sentît le renfermé, il se renouvelait quand même quelque part. Dans un coin, il y avait des paniers et une couverture, il y avait juste assez de place pour qu'elle puisse bouger. Zara n'osait pas explorer le cagibi avec ses mains, elle le fouilla d'abord avec un pied, donna un petit coup dans les paniers, quelque chose tinta derrière. Zara attira l'objet vers elle avec le pied. C'était une assiette. À côté des paniers, il y avait du papier, des journaux. Un vase. Celui-ci contenait des fleurs séchées, et il était surmonté d'une étroite étagère. Sur l'étagère, un bougeoir avec un bout de chandelle. Au-dessus de l'étagère, il y avait un clou et, au clou, un cadre ou un miroir. Les doigts de Zara balayèrent l'étagère, son pouce atteignit le support, derrière le support était enfoncé du papier, un coin de cahier. À quoi il servait, ce cagibi ? Pourquoi y avait-il une armoire devant ?

1992, ESTONIE OCCIDENTALE

Aliide commence presque à apprécier la fille

Aliide alla à côté du cagibi et passa les doigts sur l'armoire, puis sur le mur à côté, et elle déplaça l'armoire, doucement, centimètre par centimètre. Elle entendit craquer sa colonne vertébrale, cliqueter ses articulations. Elle sentait tout son squelette, comme si le sens du toucher s'était transféré dans ses os et que sa peau était devenue insensible.

De sa famille. Une fille russe. Une fille qui avait l'air russe. Sa famille donnait naissance à des Russes, maintenant. Non seulement des petites pionnières comme Talvi, non seulement des petites filles avec des nœuds plus gros que la tête et des jupes courtes, mais carrément des Russes, des Russes qui venaient ici pour une vie meilleure, pour salir et vouloir et exiger, des Russes qui étaient absolument comme toutes les autres Russes. Linda n'aurait pas dû faire d'enfants. Aliide non plus. Personne n'aurait dû en faire, dans leur famille. Elles auraient dû se contenter de vivre leur propre vie jusqu'au bout.

Aliide se redressa, laissa l'armoire, versa de la vodka dans un verre et se la jeta dans la gorge, renifla sur sa manche.

Comme les Russes. Aliide ne savait pas encore comment agir et que faire. Il lui vint au nez une odeur de bouleau, elle sentit l'eau de bouleau avec laquelle Ingel se lavait le corps et les cheveux, l'épais parfum de bouleau qui flottait toujours dans l'air lorsque Ingel défaisait ses tresses. Le second verre d'eau-de-vie n'effaça pas l'arôme de bouleau, Aliide était écœurée. Ses pensées s'obscurcissaient de nouveau, elles commençaient à rebondir à l'intérieur du crâne comme dans un espace vide, retrouvaient le calme un instant, mais se remettaient à rebondir. Aliide se rendit compte qu'elle ne se représentait plus la fille autrement que comme « la fille », son nom lui avait singulièrement échappé, elle ne pouvait plus l'employer. La peur de la fille avait été authentique. La fuite devait être authentique. Les mafieux étaient authentiques. Ils ne s'intéressaient pas à elle, mais à la fille. Peut-être que son histoire de mafieux était vraie, peut-être que c'était le destin qui l'avait envoyée à Tallinn, elle avait tué son client et s'était enfuie, et elle ne connaissait pas d'autre endroit où se réfugier. C'était une histoire crédible. Peut-être que la fille ne voulait rien. Peut-être que la fille ne savait ni ne voulait rien d'autre que s'échapper. Peut-être en était-il ainsi. Oui, Aliide savait ce que c'était, quand on voulait seulement s'évader. Martin avait voulu faire de la politique, mais Aliide jamais, même si elle avait marché de front avec Martin. Peut-être que l'histoire de la fille était aussi simple que ça. Mais il fallait se débarrasser d'elle, Aliide ne voulait pas que la mafia revienne ici. Que devrait-elle donc faire ? Peut-être qu'elle ne devrait rien faire du tout.

Si personne n'attendait la fille, il suffisait de reboucher les trous d'aération.

Le cerveau d'Aliide se gonfla. Les rideaux se soulevaient frénétiquement, les anneaux cliquetaient, le tissu claquait. Le craquement du feu avait disparu, le tic-tac de l'horloge était couvert par le vent. Tout se répétait. Même si le rouble avait été remplacé par des couronnes, si les avions militaires lui volaient moins au-dessus de la tête et si les voix des femmes d'officiers avaient baissé d'un ton, même si les haut-parleurs sur la tour du Grand Hermann jouaient tous les jours le chant d'indépendance, il venait toujours de nouvelles bottes de cuir chromé, toujours de nouvelles bottes, semblables ou différentes, mais qui avaient la même façon de marcher sur la gorge. Dans la forêt, les tranchées s'étaient refermées, les douilles ternies, les blockhaus écroulés, les morts à la guerre s'étaient décomposés, mais les événements déjà vus se répétaient.

Aliide avait envie d'aller se reposer, de poser sa tête lourde sur l'oreiller. La porte du cagibi était à sa droite, la fille derrière s'était tue. Aliide retira du fourneau la casserole de tomates et d'oignons et la posa par terre, il faudrait la mettre en conserve encore chaude, mais cela paraissait une tâche insurmontable, les pierres des boucles d'oreilles pesaient lourd, le vacarme des corneilles l'agressait jusqu'à l'intérieur. Elle continua de mettre en pot le raifort, versa du vinaigre par-dessus et vissa le couvercle à fond. Les oignons blancs qui attendaient d'être émincés et les tomates, elle les laissa en plan, se lava encore les mains dans la vieille eau, les essuya au pan de son tablier, et elle sortit s'asseoir sous les bouleaux, sur le banc devant lequel elle avait planté les glaïeuls, des fleurs russes. Le chahut des corneilles se poursuivait plus loin dans les saules pleureurs.

La fille était meilleure menteuse qu'Aliide l'avait jamais été. Une virtuose.

Elle avait presque commencé à s'attacher à la fille.

La petite-fille de Hans.

La fille avait le nez de Hans.

Qu'est-ce qu'il aurait voulu qu'elle fasse, Hans ? Qu'elle prenne soin de la fille, comme il avait voulu qu'elle prenne soin d'Ingel ?

1950, Estonie occidentale

Pourquoi Hans ne peut-il pas aimer Aliide ?

Le regard de Hans se tourna vers l'intérieur. Les nuits où il pouvait rester plus longtemps dans la cuisine parce que Martin travaillait dehors, il se plongeait dans la lecture des journaux ou jouait avec Pelmi. De temps à autre, il portait vers Aliide un regard rusé, puis il appuyait le menton sur la poitrine et enroulait les bras autour de lui comme s'il avait voulu protéger quelque chose à l'intérieur de lui. Dans sa barbe pendouillaient des brins de paille, il ne se donnait plus la peine de les enlever. Aliide faisait du bruit avec les bocaux, se concentrait sur l'élaboration de ses élixirs, essayait de faire boire à Hans convenablement les infusions qu'elle lui avait préparées, elle en faisait mijoter du matin au soir, mais Hans ne s'en souciait pas, et Aliide essayait de ne pas s'énerver, elle tordait son torchon, grattait le feu dans le poêle, bricolait et s'affairait, faisait la lessive et préparait tellement de nourriture pour les poules qu'après avoir vidé leur mangeoire les poules dodelinaient de la tête pendant une journée entière.

Hans ne racontait plus ses visions. Peut-être que l'attitude d'Aliide l'avait irrité ou qu'il craignait qu'Aliide leur fût une menace, comment savoir. Aliide cherchait une façon d'aborder ce sujet, mais elle ne trouva pas. Comment va Ingel ? Ingel s'est-elle montrée ? Tu fais encore de ces cauchemars ? Non, rien ne convenait. Et comment savoir quelle serait la réaction de Hans à une question mal posée ?

Il fallait que Hans puisse sortir d'ici avant l'hiver prochain. En hiver, Aliide ne pourrait pas s'échapper par la fenêtre de la chambre, elle laisserait des traces dans la neige. Elle pourrait voler un passeport vierge à la milice, mais saurait-elle le remplir de telle sorte que le résultat ait l'air vrai ? Fallait-il qu'elle cherche quelqu'un qui sache où trouver ça ? À quoi ça ressemblerait, si la femme de l'organisateur du parti était appréhendée dans la forêt, dans un blockhaus de bandits, en train de chercher un faussaire ? Ou si des bruits se mettaient à courir, comme quoi elle faisait la tournée des villages en demandant où trouver le type le plus qualifié pour établir un passeport ? Non, le passeport, il fallait le prendre à quelqu'un de bien vivant. Ou aider quelqu'un à perdre son passeport.

« Hans, si je t'obtiens un passeport…

– Si ? Tu as promis.

– Tu feras tout comme je dirai, et tu iras là où je te dirai ?

– Oui !

– À Tallinn on a besoin d'ouvriers partout. Et les usines ont leurs propres foyers. Je peux difficilement t'obtenir un logement individuel, la pénurie est tellement énorme, mais une place dans un foyer, oui. Les chemins de fer, les chantiers navals, il y a l'embarras du choix. Si j'apporte au concierge et au directeur du foyer un cochon du kolkhoze, ils ne poseront même pas de questions sur toi. Et je viendrai te rendre visite à Tallinn. Tu te rends compte, on pourrait aller se promener dans les parcs, sur le rivage et tout ! Au cinéma ! Imagine un peu, tu pourras te promener là-bas comme n'importe quel homme libre ! Sortir, voir des gens…

– Je tomberai quand même sur des connaissances.

– Personne ne te reconnaîtra avec cette barbe.

– Les gens se reconnaissent à des choses moins prévisibles : la position de la nuque, la démarche.

– Hans, ça fait des années que personne ne t'a vu. Personne d'autre. Hans, dis-moi maintenant que tout ça a l'air magnifique.

– Tout cela a l'air magnifique. »

Hans regarda la chaise d'Ingel.

Comme si Hans lui avait fait un clin d'œil.

Aliide attrapa sa blouse au portemanteau et s'en alla dans l'étable. Elle ne quitta pas des yeux le manche de la fourche quand Hans arriva dans l'étable après elle pour monter au grenier. Une sueur salée coulait sur ses cils, elle avait un goût de paille dans la bouche. Aliide remplit la charrette à fumier à coups de fourche puis monta remettre les balles de foin à leur place devant le cagibi. Tandis qu'elle se démenait, son dos craqua à nouveau. Qu'est-ce qu'elle avait fait, déjà, Leida Haamer, quand son fils s'était mis à envahir ses rêves ? Le garçon avait été encerclé dans un blockhaus et il avait essayé de s'échapper, il avait couru dehors sans ses bottes. Et c'est sans ses bottes qu'il avait été enterré. Toutes les nuits, Leida faisait le même rêve, où son fils se plaignait d'avoir froid aux pieds. Maria Kreel lui avait conseillé d'aller chercher des bottes, à la pointure du garçon, et la veille des funérailles au village, Leida devait apporter les bottes dans le cercueil du garçon et y joindre une étiquette avec le nom de son fils. Les cauchemars avaient cessé quand Leida avait mis les bottes avec l'étiquette dans la tombe. Mais Ingel était en vie, comment s'y prendre avec les vivants ? Ou bien ces apparitions signifiaient-elles qu'Ingel n'était plus en vie ?

Ce soir-là, Aliide enfonça dans la cheminée le morceau de la couverture de noces d'Ingel qu'elle avait mis de côté, en espérant qu'il produirait assez de fumée.

1992, ESTONIE OCCIDENTALE

Qu'est-ce qu'elle avait dit d'Aliide à la fille, Ingel ?

Le soir avait assombri la cuisine et Aliide était assise à sa place, sur sa chaise. Ingel avait-elle mis la fille au courant ? Sûrement pas. Ou bien Linda ? Non. Sûrement pas. Ce serait encore plus fou. Mais la fille avait menti. Quelle aide cette fille pouvait-elle attendre d'une famille qui ne savait pas qu'elle en était ? Ou bien avait-elle eu au départ l'intention de raconter, et changé d'avis ensuite ? Ingel savait-elle que la fille était ici ? Et la photo, la fille avait-elle menti à ce sujet aussi, la fille l'avait-elle apportée avec elle, l'avait-elle reçue d'Ingel ?

Un coucou chanta. L'horloge fit tic-tac. Le champignon de thé dans le bocal avait l'air de la surveiller, même s'il faisait penser à un polypore jeté dans de l'eau brune plutôt qu'à un animal. Sur le sol de la chambre s'entendait un grattement, comme les griffes de Hiisu. Les mafieux risquaient de revenir. Ils entreraient par effraction, si elle ne leur ouvrait pas. Ils mettraient le feu à la maison. Ou bien, qui sait, ils en avaient peut-être quand même après sa forêt. Peut-être que la fille s'était rendu compte que sa famille aurait bientôt une forêt et qu'elle voulait la faire vendre à la Finlande. Peut-être que la fille avait chargé les mafieux de régler l'affaire, mais le business avait mal tourné. Était-ce Ingel qui avait envoyé la fille régler cette affaire de terres ? Peut-être que la fille était naïve et qu'elle avait imaginé récupérer sa part du gâteau par l'intermédiaire des mafieux, mais elle avait fini par se rendre compte que ces types prendraient tout. Tout était possible. Dans ce pays, tout était à partager, à présent.

Il fallait rester calme. Elle allait se lever de sa chaise, allumer la lumière dans la cuisine et fermer les rideaux, verrouiller la porte et elle se dirigerait vers le cagibi, qu'elle ouvrirait pour laisser sortir la fille. Ce ne serait pas si compliqué. Aliide était beaucoup plus tranquille qu'elle aurait pu imaginer l'être dans une situation pareille. Son cœur ne s'était pas arrêté, le cours de ses pensées vagabondait, mais sans être démesurément chamboulé. Elle était en possession de son bon sens, même si elle venait d'entendre qu'Ingel était en vie. Si tant est que les mafieux aient dit la vérité.

Qu'est-ce qu'elle avait raconté sur elle à la fille, Ingel ?

Russe ou non, la fille avait le menton de Hans.

Et elle était agile à couper les tomates, adroite à nettoyer les baies.

1951, Estonie occidentale

Un passeport, ça se met dans la poche intérieure

Lorsque les projectionnistes revinrent au village, Aliide dit à Martin qu'elle voulait l'accompagner. Martin se réjouit – la dernière fois, Aliide s'était fait porter pâle, prétextant son asthme.

« Tu m'emmèneras danser, après ?

– Bien sûr que je ferai danser mon petit champignon ! »

Dans la salle il faisait chaud, Aliide choisit deux places sous une fenêtre entrebâillée. On entendait le ronflement du groupe électrogène. Aliide essaya d'observer les piliers de bar qui étaient venus au rendez-vous : y en avait-il beaucoup, lequel était un bon pigeon, lequel Aliide aiderait-elle aujourd'hui à perdre son passeport ? Sur l'écran, une parade de 1er Mai faisait marcher des gens heureux, la direction du Kremlin était rassemblée sur le toit du Mausolée pour saluer les gens, lesquels saluaient en retour. Peut-être Koka Heino ? Un homme simple, il avait eu des papiers à Seevald depuis longtemps, ainsi qu'une petite pension d'invalide. Le documentaire s'était terminé et le film artistique *La génération des vainqueurs* commença. Ou bien Kalle Rumvolt ? Non, Kalle faisait partie du kolkhoze, et le domicile figurait sur le passeport. Aliide ne savait pas, n'arrivait pas à décider et, en fin de compte, elle n'était pas vraiment au courant de qui avait besoin de quel papier et de qui serait confronté à quels genres de contrôles à Tallinn. Peut-être qu'ils appelleraient quand même ici, malgré les jambons et les miels, pour poser des questions sur son mari. Sans le tampon du nouveau domicile… ça ne marcherait pas, d'aucune façon. Hans ne pourrait pas aller se procurer un tampon à leur milice, en aucun cas. Complètement folle, cette idée-là. Ah bon, tu t'en vas ? Pourquoi ? Où ça ? Ne serait-ce que si Hans se mettait à remplir ces formulaires pour Kalle Rumvolt, et a fortiori s'il y avait là-bas quelqu'un qui connaissait Hans. Le projet était raté d'avance et Aliide était aussi idiote que cette truie de trayeuse qui léchait des yeux le projectionniste et qui, au fond de la salle, ajustait coquettement sa coiffure avec ses gros bras, dont la chair flasque battait au rythme du cœur sur le projectionniste.

On aurait besoin d'un passeport de Tallinn.

Le film se termina et on ouvrit le bal. Grouillement et fourmillement, ça puait l'alcool quelque part. La trayeuse qui essayait de hurler de rire était toujours en train d'aguicher le projectionniste. Aliide avait le souffle lourd, ses projets foireux lui donnaient envie de pleurer. Elle dit à Martin qu'elle voulait rentrer à la maison et elle sortit en louvoyant. Dans la cour, elle s'arrêta pour reprendre son souffle, et c'est alors que cela se produisit. Un incendie. Elle entendit Martin crier des directives, les gens déferlèrent dehors. La panique. Martin essayait de mettre de l'ordre dans ce chaos, et le projectionniste fut bousculé, toussotant, droit devant Aliide.

Le projectionniste venait de Tallinn.

Le projectionniste était en bras de chemise.

Le projectionniste avait enlevé sa veste de laine avant le début du spectacle, pour rouler ses manches sous le regard admiratif de la trayeuse. Où donc un voyageur comme un projectionniste garderait-il son passeport, si ce n'est dans la poche cachée de sa veste ?

Aliide se rua à l'intérieur.

1992, ESTONIE OCCIDENTALE

La fille a le menton de Hans

L'armoire était lourde, plus lourde que les fois précéden es. Il fallut tirer la fille évanouie par les pieds pour la faire sortir. Ses ongles étaient en lambeaux et le bout de ses doigts en sang, elle allait avoir des bleus au front.

« Qu'est-ce que tu es venue faire ici ? » La question tapait dans la poitrine d'Aliide, mais elle ne la laissa pas sortir. À vrai dire, elle ne voulait même pas savoir. Les types seraient bientôt ici, il fallait que la fille soit réveillée. Le menton de son grand-père tout craché. Elle vida une chope d'eau sur la fille. Celle-ci se recroquevilla en position fœtale, puis elle s'assit d'un bond.

« Ma grand-mère voudrait des graines, des graines estoniennes. Des gueules-de-lion. »

Il faudrait abattre la fille.

L'arme de Hans était toujours cachée dans le tiroir de la table.

« C'était une coïncidence. Vraiment ! J'étais en Estonie et je me suis rappelé que j'avais de la famille ici. Ma grand-mère avait mentionné le nom du village. Et quand je me suis rendu compte que j'avais de la famille ici, j'ai compris que comme ça je pourrais peut-être m'échapper, puisque dans ce pays il y avait au moins une personne qui pourrait m'aider. Le nom d'Aliide était le seul que je connaissais. Je ne savais même pas si Aliide était ici, mais je n'ai rien trouvé d'autre. C'est Pacha qui m'a emmenée en Estonie. »

Ou peut-être qu'il faudrait l'attirer dans le cagibi, ou l'obliger à y retourner, et l'y laisser.

Ou la donner aux mafieux. Rendre aux Russes ce qui appartient aux Russes.

« Je n'avais pas le choix ! Et ce qu'il faisait aux filles... et comment il le faisait... si vous aviez vu comme il... Ils filmaient tout et disaient qu'ils enverraient ces vidéos à la maison et à Sacha, à tout le monde, si j'essayais de m'échapper. Ils l'ont sûrement déjà fait, à l'heure qu'il est.

– C'est qui, Sacha ?

– Mon copain. Enfin, mon ex. J'aurais pas dû tuer le boss. Maintenant tout le monde à la maison va savoir, et je ne pourrai jamais rentrer là-bas.

– Tu ne pourras plus jamais regarder Sacha dans les yeux.

– Non.

– Ni personne d'autre.

– Non.

– Et tu ne pourras jamais savoir si les gens que tu croises dans la rue les ont vues. On te regardera, c'est tout, et tu ne pourras jamais savoir si on te reconnaît. Ils rigoleront et ils regarderont dans ta direction, et toi, tu ne pourras pas savoir si c'est de toi qu'ils parlent. »

Aliide ferma la bouche. Qu'est-ce qu'elle racontait là ? La fille la regardait.

« Fais du café », dit Aliide. Elle ouvrit la porte extérieure et la claqua derrière elle.

1951, Estonie occidentale

Aliide s'enduit les mains de graisse d'oie

« Ants fils d'Andres Makarov, Hans se répétait son nouveau nom. Et je n'ai qu'à m'enregistrer au foyer et aller travailler ?

– Exactement.

– Tu es une femme merveilleuse.

– Question d'organisation. Ça m'a coûté un cochon. Et quelques pots de miel. »

Aliide donna à Hans une pile de journaux communistes et lui ordonna de les lire dans le train en allant à Tallinn.

« Et ensuite, garde-les bien en vue dans ton logement. »

Hans posa les journaux et s'essuya les mains sur son pantalon.

« Hans, il faut que tu sois crédible ! Et il faut que tu ailles aux réunions et que tu participes !

– J'en serai bien incapable.

– Un peu que tu en seras capable ! Je t'amènerai là-bas à cheval, tu te cacheras parmi les marchandises à vendre, comme ça personne au village ne s'étonnera de voir un inconnu dans un chariot. Et ensuite tu n'auras qu'à sauter dans le train. Je viendrai te voir et je te tiendrai au courant des nouvelles. »

Hans acquiesça.

Aliide se remit vite au fourneau. Elle n'avait pas parlé à Hans des projets qu'elle avait commencé à ourdir après l'obtention du passeport de Hans. Elle se séparerait de Martin et elle démissionnerait du kolkhoze, en disant qu'elle irait à l'école et qu'elle se trouverait un bon travail, et en promettant de revenir. Tout le monde, alors, voterait sans aucun doute en faveur de son départ, car le kolkhoze avait besoin de travailleurs instruits. C'était une raison suffisante pour qu'on la libère de cet esclavage appelé kolkhoze. Puis elle s'orienterait par exemple vers la peinture en bâtiment ou bien vers les chemins de fer, là-bas il y avait même un foyer, et en même temps elle suivrait des cours du soir, tous les employeurs encourageaient les travailleurs à étudier, et alors elle vivrait près de Hans, et ils iraient se promener, au cinéma, et tout le reste, et ce serait merveilleux, ils ne rencontreraient pas de connaissances dans la rue, les chiens n'aboieraient pas de tous côtés, tout serait neuf et l'odeur d'Ingel ne flotterait nulle part. Hans verrait enfin la femme merveilleuse qu'était réellement sa Liide. Et quels miracles ne ferait pas une vie complètement nouvelle, quand la seule promesse d'un passeport avait déjà rendu à Hans sa lucidité ? Bien sûr, Aliide ne savait pas comment il réagirait au fait que les rues de Tallinn fourmillaient de Russes, que vraisemblablement la moitié des ouvriers de l'usine parlaient russe, mais une fois que Hans aurait goûté au vent et au ciel, la perspective de les perdre ne serait-elle pas si douloureuse qu'il supporterait bien les Russes, qu'il accepterait ces petites concessions ?

Au fond de la penderie, dans la chambre, attendaient les chaussures neuves d'Aliide. Les anciennes, elle les avait laissées dans le train de Tallinn, les nouvelles avaient des talons, de sorte que dans les galoches elle n'aurait plus besoin d'utiliser des cales en bois pour combler les cavités conçues pour les talons.

Ils venaient de rentrer de chez le vétérinaire. Martin avait apporté au médecin une bouteille d'eau-de-vie, celui-ci lui avait donné des papiers, sur la base desquels l'usine de saucisses prendrait sa vache qui était malade depuis longtemps et qui était morte le matin même. Aliide enleva son écharpe et alluma la lampe de la cuisine.

Par terre, il y avait du sang.

« Mon mari prendrait-il un verre d'eau-de-vie en apéritif ? »

Martin accepta avec plaisir. Il prit le magazine *La voix du peuple**.

Aliide versa à Martin une dose plus copieuse que d'ordinaire. Elle ne mit pas dans le verre les potions de Maria Kreel, mais prit la poudre qu'elle avait chipée dans le gousset de Martin. Une fois, il lui avait montré cette poudre : elle provenait des types du NKVD et n'avait aucun goût. La nuit, Aliide avait remplacé le contenu du rouleau de papier par de la farine, et elle mélangeait à présent tout le contenu du paquet dans le verre.

« Mon petit champignon devine toujours ce que veut son mari », s'exclama Martin en prenant le verre. Il le but d'un seul trait et avala du pain de seigle par-dessus. Aliide alla faire la vaisselle. Le journal de Martin tomba sur la table.

« Déjà fatigué ?

– Euh, oui, je commence à me sentir flapi.

– C'est que tu as eu une longue journée. »

Martin se leva, chancela du côté de la chambre et s'effondra sur le lit. La paille du matelas froufrouta. Le sommier du lit grinça. Aliide alla voir, tapota Martin – pas le moindre mouvement. Elle le laissa étendu là avec les bottes aux pieds, retourna dans la cuisine et ferma les rideaux, et elle s'enduisit les mains de graisse d'oie.

« Y a quelqu'un ?

– Liide… »

La voix venait de l'arrière-cuisine, du coin de la chambre, derrière le panier de pommes de terre.

Aliide écarta les marchandises, aida Hans à avancer. Il avait l'épaule ensanglantée. Elle ouvrit son manteau.

« Tu es allé dans la forêt, pas vrai ?

– Liide…

– Pas à Tallinn.

– J'étais obligé.

– Tu avais promis. »

Aliide alla chercher de l'alcool et de la gaze pour désinfecter la plaie.

« Tu t'es fait attraper ?

– Non.

– Vraiment ?

– Liide, ne te fâche pas. »

Hans grimaça. Ils étaient encerclés. L'embuscade était parfaite. Ils lui étaient tombés dessus, mais il s'était enfui.

« Tous les autres se sont fait attraper ?

– Je sais pas.

– Tu as parlé de moi à quelqu'un, dans la forêt ?

– Non.

– Dans la forêt, il y a beaucoup d'agents du NKVD. Je le sais, Martin me l'a raconté. Ici aussi, il y en a un qui est venu, avant de partir chercher quelqu'un pour infiltrer le groupe. Ils ont de l'eau-de-vie empoisonnée. Tu as peut-être parlé sans le savoir.

– Je n'ai bu d'alcool avec personne. »

Aliide examina l'épaule de Hans. Les mains d'Aliide devinrent rouges. Il était hors de question de faire appel à un médecin.

« Hans, je vais chercher Maria Kreel. »

Hans la suivit du regard et sourit.

« Ingel est ici. Ingel va s'occuper de moi. »

La bouteille d'alcool tomba des mains d'Aliide. Les éclats de verre et l'alcool se répandirent sur le plancher. Elle s'essuya le front, ça sentait le sang et l'alcool, la rage rugissait en elle, ses genoux fléchirent. Elle ouvrit la bouche, mais elle ne sut pas former de phrases, il ne sortit que des sifflements et grincements indistincts, ses oreilles se verrouillèrent. Elle chercha à tâtons l'appui d'une chaise, s'y agrippa, jusqu'à ce qu'elle reprenne son souffle, et quand elle l'eut repris, Hans s'était évanoui, maintenant Aliide n'avait plus qu'à se modérer, gérer la situation, elle savait gérer toutes les situations imaginables. D'abord, il fallait emmener Hans dans le cagibi, puis elle irait chez Kreel. Aliide attrapa Hans sous les bras. Quelque chose dépassait de la poche de son manteau. Un cahier. Aliide lâcha Hans et s'empara du cahier.

20 mai 1950

Pour une Estonie libre !

Je ne sais que penser. Je lis la dernière lettre d'Ingel. Je l'ai reçue aujourd'hui, deux jours après la précédente. Ingel écrit qu'elle se rappelle les saules de son pays, et tout particulièrement celui-là. Cela m'a d'abord fait beaucoup sourire. Il serait bon que j'essaye d'y repenser jusqu'à la prochaine lettre, à ce saule. Peut-être que j'y repenserais en même temps qu'Ingel. Puis je me suis rendu compte de ce qui n'allait pas. La lettre d'Ingel a l'air d'avoir été manipulée et lue. Mais alors pourquoi l'enveloppe est-elle plus propre ? La dernière fois que des gens ont été déportés et que des lettres ont commencé à arriver, elles n'avaient pas d'enveloppes. J'espère que c'est un des messagers qui a mis la lettre dans une enveloppe, mais mon cœur a du mal à y croire.

Je compare l'écriture des lettres à l'écriture de la bible de famille. Sur la page de titre, Ingel a écrit la date de naissance et le nom de Linda. L'écriture n'est pas la même.

Liide m'a apporté une bouteille d'eau-de-vie. Je ne veux pas la voir.

Je n'ose pas déchirer ces lettres, mais ce n'est pas l'envie qui m'en manque. Liide pourrait me poser des questions sur les lettres, et alors qu'est-ce que je lui dirais ? Qu'est-ce que je pourrais lui demander, quand elle me donne seulement envie de la battre ?

Hans fils d'Eerik Pekk, paysan estonien

20 septembre 1951

Pour une Estonie libre !

Liide a tout arrangé. Elle m'a fait faire un passeport. Je le feuillette ici et je n'en reviens pas qu'il soit vrai. Mais il l'est. Ensuite, je suis allé promettre à Liide que je n'irais pas dans la forêt, mais à Tallinn, dans un foyer. Liide m'a fait mémoriser l'adresse et m'a donné beaucoup d'indications.

Je n'irai pas à Tallinn. Là-bas, il n'y a pas de champs ni de forêts, quel genre d'homme je pourrais bien être à Tallinn ?

Des fois j'aurais envie de pointer mon Walther sur Liide.

Ma tête est complètement claire depuis longtemps. Si seulement je voyais encore Linda.

Ingel aurait mis plus de sel, dans sa sauce.

Hans fils d'Eerik Pekk, paysan estonien

1951, Estonie occidentale

Aliide embrasse Hans et nettoie le sang sur le sol de la cuisine

Aliide se rendit compte qu'elle criait, mais elle s'en fichait. Elle balança la cuvette par terre, jeta aussi un flacon de parfum Moscou Rouge, renversa une pile de patrons du magazine *Femme soviétique**. Elle ne s'en servirait pas pour se coudre une robe à la mode de Tallinn, elle ne se promènerait jamais au bras de Hans à la porte Viru, insouciante parce qu'ils ne tomberaient pas sur des connaissances, belle parce que les passants ne la reconnaîtraient pas. Elle ne ferait jamais rien avec Hans de ce qu'elle avait rêvé les dernières années à côté des ronflements de Martin. Hans avait promis ! Aliide cria jusqu'à ce que sa voix ne sorte plus. Quelle importance, même si Martin se réveillait, quelle importance pour quoi qui quand, quelle importance encore, tout était réduit en miettes. Tous ces efforts ! Toute cette énergie ! Le recouvrement des paiements des ménages sans enfants ! Tout ce travail démesuré et les nuits sans sommeil et la vie atrophiée par la peur quotidienne, la peau nauséabonde de Martin, ses hochements de tête sans fin, ses mensonges sans fin, ses nuits blanches dans le lit de Martin, l'histoire sans fin, les dessous-de-bras écrasés de peur de la robe en bemberg, les mains poilues du dentiste, les yeux vitreux de Linda après cette nuit-là, les lampes et les bottes militaires, elle aurait tout pardonné, elle aurait tout oublié pour ne fût-ce qu'une journée dans un parc de Tallinn avec Hans. C'était pour cela qu'elle avait pris soin de sa peau, pour cela qu'elle s'était nettoyé le visage au Pavot Rouge, pour cela qu'elle avait pensé à s'enduire les mains de graisse d'oie plusieurs fois par jour. Pour qu'elle n'ait pas l'air d'une paysanne. On ne les aurait plus jamais interrogés une seule fois, ils auraient pu vivre en paix et cela n'avait aucune valeur aux yeux de Hans ! Elle n'avait demandé qu'un petit moment avec lui dans un parc. Elle l'avait nourri et habillé, elle avait chauffé l'eau du bain, avait pris un nouveau chien par sécurité, apporté les journaux, s'était procuré du pain et du beurre et du lait fermenté, avait reprisé les chaussettes de Hans, préparé des médicaments et de l'eau-de-vie et écrit des lettres, elle avait tout fait pour qu'il se sente bien. Hans lui avait-il demandé une seule fois comment elle allait ? Hans s'était-il jamais soucié d'elle ? Elle avait été prête à passer l'éponge, à tout laisser faire, elle avait été prête à lui pardonner toute la honte qu'elle endossait à cause de lui. Et que faisait Hans ? Il mentait !

Hans n'avait jamais eu la moindre intention de se promener avec Aliide dans les parcs de Tallinn.

Et puis ces lettres…

Hans avait perdu connaissance. Aliide lui piétina l'épaule, mais il ne broncha pas.

Aliide alla vérifier l'état de Martin. Toujours dans la même position. Non, il n'avait pas pu se réveiller entre-temps. Aliide avait laissé un seau vide à côté de la botte de Martin au cas où il se réveillerait. Le bruit l'aurait avertie. Le seau était exactement à l'endroit où elle l'avait laissé, à une main de distance de la commode.

Aliide retourna dans la cuisine et vérifia l'état de Hans, prit dans sa poche la boîte de cigarettes, ses trois lions étaient estompés, et elle alluma une *papirossa.* L'air pénétra dans ses poumons à lourdes bouffées, la fumée la fit tousser, mais elle clarifiait un peu la situation.

Elle se lava les mains.

Elle jeta l'eau rouge dans le seau à ordures.

Elle prit de la valériane et s'assit pour fumer une deuxième *papirossa.*

Elle alla auprès de Hans.

Elle prit dans le buffet un remède de sa fabrication contre les insomnies et elle ouvrit la bouche de Hans.

Hans se réveilla en sursautant et en toussant. Une partie du contenu de la bouteille se renversa par terre.

« Ça va te faire du bien », chuchota Aliide.

Hans ouvrit les yeux sans regarder Aliide et avala.

Aliide lui posa la tête sur sa poitrine et attendit.

Aliide alla chercher de la corde, attacha les mains et les pieds de Hans et le traîna dans le cagibi, jeta le journal de Hans par-dessus, prit sur l'étagère du cagibi la tasse d'Ingel et la mit dans la poche de son tablier.

Elle couvrit Hans.

Elle l'embrassa sur la bouche.

Elle ferma la porte.

Elle ferma la porte avec de la colle.

Elle colmata les trous d'aération.

Elle ramena l'armoire devant la porte et alla nettoyer le sang sur le sol de la cuisine.

17 août 1950

Pour une Estonie libre !

Mais quand Ingel et moi ne serons plus ici, comment Liide se débrouillera avec Martin, si c'est vrai, ce dont je doute. Pour Liide ça pourrait mal tourner et je ne le lui souhaite quand même pas. Liide comprend-elle seulement que si le frère de Martin a dit vrai, le destin de Martin peut être le même ? J'ai essayé de demander à Liide si Martin avait parlé de son frère, elle a dû me prendre pour un fou que je lui pose des questions pareilles. Liide croit tout ce que dit Martin. Soi-disant, Martin est tellement amoureux d'elle qu'il ne lui mentirait jamais.

J'ai demandé conseil à Ingel, quand Ingel est venue ici, mais Ingel a seulement secoué la tête, elle n'a rien su dire ou peut-être qu'elle n'a pas voulu. J'ai dit à Ingel que je sais bien que Liide a d'autres raisons de ne pas vouloir me laisser aller dans la chambre, à part que ça ferait un trajet plus long jusqu'au grenier si des visiteurs arrivaient. Je lui ai jeté un coup d'œil une fois que Pelmi s'est mis à aboyer, elle m'a ordonné de m'éclipser au grenier et elle est allée dans la cour, c'était le marchand de chiffons qui arrivait à cheval. Mais en épiant dans la chambre, j'ai aperçu un plat à tarte sur la commode. C'était le même qu'avait Theodor Kruus, je m'en souviens très bien, il en était tellement fier. Je me suis approché pour vérifier, et dans ce plat à tarte se trouvaient des boucles d'oreilles, qui avaient des pierres serties dans de l'or. Et un miroir aussi avait fait son entrée ici, un miroir grand comme une fenêtre.

Ma tête fait mal en permanence, et de temps en temps j'ai l'impression qu'elle se fend en deux. Ingel a apporté de la poudre contre les maux de tête. Il y a encore un pot à moitié plein de viande salée, et un peu d'eau dans le bidon. Ingel en rapportera, si Aliide ne le fait pas.

Hans fils d'Eerik Pekk, paysan estonien

1992, Estonie occidentale

Une forêt majestueuse, la forêt estonienne d'Aliide

Zara venait d'empoigner le percolateur lorsqu'elle entendit une voiture dans la cour. Elle se précipita à la fenêtre et entrouvrit le rideau. Les portières de la voiture noire s'ouvrirent. Le crâne de Pacha en surgit. De l'autre côté sortit Lavrenti, plus lentement. Comme à contrecœur. Aliide alla se tenir au milieu de la cour, appuyée à sa canne, rectifiant le nœud de son foulard sous le menton, tirant un peu son épaule en arrière.

Il n'y avait pas le temps de réfléchir. Zara courut dans la chambre de derrière et tourna les attaches de fer de la fenêtre. Elles se soulevèrent et se baissèrent lourdement. Elle tira sur la poignée et le cadre s'ébranla. Une araignée se réfugia sous le papier peint. Zara ouvrit aussi la fenêtre extérieure. Les toiles d'araignées se déchirèrent et des mouches mortes tombèrent d'entre les cadres. Elle se trouva face au crépuscule et au chant des criquets. La photo de la grand-mère. Elle avait oublié la photo. Elle retourna précipitamment dans la cuisine, la photo n'était pas sur la table, où Aliide avait-elle pu la mettre ? Non, Zara ne voyait pas, elle retourna en courant dans la chambre de derrière, sauta par la fenêtre au milieu de la platebande de pivoines. Quelques tiges se cassèrent, heureusement pas plus. Peut-être que Lavrenti ne remarquerait pas les traces. Zara repoussa à l'intérieur les rideaux de dentelle qui flottaient dehors, referma la fenêtre et courut ensuite dans le jardin, passa devant le pommier domestique, devant le pommier sauvage, les ruches d'abeilles, le quetschier et le prunier. Ses jambes connaissaient déjà le chemin. Un pied nu s'enfonça dans un trou de taupe. Devrait-elle prendre la route par où elle était venue, le long des saules pleureurs, ou valait-il mieux couper à travers champs ?

Zara tourna au coin du jardin pour apercevoir la cour principale. La BMW de Pacha obstruait tout le portail. On ne voyait ni n'entendait personne. Où étaient-ils passés ? Lavrenti ne tarderait pas à venir inspecter le jardin. Zara s'agrippa au grillage de la clôture et passa par-dessus. Le métal grinça. Zara se raidit sur place, mais elle n'entendit rien. Les traces des pneus de la voiture de Pacha se distinguaient sur la route broussailleuse derrière la clôture. Elle se faufila vers la maison, prête à courir à tout moment, et quand elle fut arrivée assez près elle vit entre les bouleaux et les mailles de la clôture, dans la lumière jaune de la fenêtre de la cuisine, Aliide qui coupait du pain. Puis Aliide prit des assiettes dans la cuvette où la vaisselle séchait, et les apporta sur la table, se tourna du côté du buffet, où elle s'affaira, revint à table avec un pot à lait à la main, de l'époque de l'Estonie, comme elle disait. Pacha, assis, bavardait en fourrant quelque chose dans sa bouche – de la compote de pomme, à en juger par la couleur du pot. Lavrenti regardait le plafond et soufflait la fumée en jouant à l'orienter avec sa bouche vers le haut et vers le bas. L'expression d'Aliide, Zara n'arrivait pas à la déchiffrer, elle était tellement ordinaire, comme si c'était sa petite-fille qui venait au village et qu'elle ne faisait là que servir des tartines, dans son rôle de grand-mère. Aliide riait. Et Pacha… il plaisantait avec elle. Puis Pacha demanda encore quelque chose et Aliide alla chercher un panier dans le garde-manger. Il contenait des outils. Non, ça ne pouvait pas être vrai, Pacha se mettait à réparer le frigo !

Zara s'agrippa à un bouleau pour ne pas perdre l'équilibre, et sa tête battait. Aliide avait-elle l'intention de la dénoncer ? Était-ce ce qu'il fallait comprendre à cet étrange spectacle ? Avait-elle l'intention de vendre Zara ? Pacha lui avait-il donné de l'argent ? Zara avait-elle le temps d'y réfléchir ? Elle devrait partir et malgré cela elle ne pouvait pas. Les criquets stridulaient et la nuit s'approfondissait, les petits animaux couraient dans l'herbe et les lumières s'allumaient dans les fermes lointaines. Dans un coin de l'étable s'entendit un grattement, le grattement se déplaça sur sa peau, sa peau fit entendre un grattement et dans sa tête grinçait mollement le portail cassé. Que faisait Aliide ?

Après avoir pris un repas à n'en plus finir et réparé le frigo, Pacha se leva et Lavrenti le suivit. Ils avaient l'air de prendre congé d'Aliide. La lumière de la cour s'alluma, la porte s'ouvrit. Tous trois sortirent, Aliide resta debout sur les marches. Les hommes éteignirent leurs cigarettes et Pacha regarda la forêt tandis que Lavrenti marchait vers le banc de la cour. Zara recula.

« Une forêt majestueuse, que vous avez là.

– N'est-ce pas. La forêt estonienne. Ma forêt. »

Un coup de feu.

Le corps de Pacha s'affaissa au pied des marches.

Un second coup de feu.

Lavrenti gisait par terre.

Aliide les avait atteints tous deux à la tête.

Zara ferma les yeux et les rouvrit. Aliide fouillait les poches des hommes, prenait les armes, les portefeuilles et un petit rouleau de papier.

Zara savait que c'étaient des dollars roulés en liasse.

Les bottes de Lavrenti brillaient toujours. Des bottes militaires.

Dès qu'elle entendit le bris du verre et du bois, Zara se rappela l'objet qu'elle avait emporté du cagibi. Elle avait serré trop fort le cadre de bouleau ; de sa poche sortirent des éclats de verre et des morceaux de bois enduits d'une peinture sombre. Ce n'était pas un miroir, contrairement à ce qu'elle avait cru dans le cagibi. C'était un sous-verre. À la lueur de la lune, elle ne voyait pas bien, mais au milieu des fragments apparut la photo d'un jeune homme en uniforme militaire. Au dos de la photo, on pouvait lire : « Hans Pekk 06-08-1929. »

Zara avait glissé le cadre dans le cahier trouvé dans le cagibi. Elle en secoua les fragments soigneusement – dans un coin du cahier, il y avait le même nom, Hans Pekk.

15 août 1950

Pour une Estonie libre !

Je me suis aussi posé des questions sur le fait que Martin soit toujours à la campagne, alors qu'il est censé être cul et chemise avec le parti. Il ne devrait pas être une grosse légume à Tallinn, depuis le temps ? En tout cas, à entendre Liide, j'ai cru comprendre qu'ils sont déjà tous haut placés. Comment ne s'en étonne-t-elle pas ? Ou bien c'est juste qu'elle ne veut pas me dire qu'ils vont partir à Tallinn ? J'essaye encore de poser des questions sur le frère de Martin, mais Liide devient toujours bizarre quand je me mets à parler de Martin. On dirait que je l'accuse de quelque chose de mal, qu'elle cherche une échappatoire. C'est pas facile de lui parler.

La viande salée me donne soif. Si seulement j'avais de la bière brassée par Ingel.

Jour et nuit ne se distinguent pas, ici. Le lever de soleil sur les champs me manque. J'écoute le gazouillis des oiseaux et j'ai la nostalgie de mes filles.

Un seul de mes amis est-il encore en vie ?

Hans fils d'Eerik Pekk, paysan estonien

1992, Estonie occidentale

Aliide met sous pli son livret de recettes et commence à faire le lit

Les feux arrière de la voiture s'éloignèrent. La fille avait été tellement exaltée qu'elle s'était laissé pousser dans le taxi facilement, non sans protester en marmonnant. Aliide lui avait fait remarquer que quelqu'un viendrait sûrement bientôt à la recherche de Pacha et Lavrenti, l'urgence n'avait pas disparu. La fille ferait mieux d'arriver au port avant qu'on commence à s'étonner de la disparition de ces types.

Si la fille s'en sortait, elle raconterait à Ingel que les terres perdues depuis longtemps les attendaient ici. Ingel et Linda obtiendraient la citoyenneté estonienne, voire une pension ; après le passeport, les terres. Ingel viendrait, et Aliide ne pourrait plus l'en empêcher. Et pourquoi la fille ne s'en sortirait-elle pas, son passeport avait même été retrouvé dans la poche de Pacha, et avec une liasse de dollars elle pourrait se payer beaucoup plus que le taxi pour Tallinn, même un visa express, pas besoin de chercher des camions dans le port. Les yeux de la fille s'étaient révulsés comme un cheval ombrageux, mais oui elle s'en sortirait. Le chauffeur de taxi avait eu droit à un tel paquet de billets qu'il ne poserait aucune question pendant le trajet.

La fille aussi, en tant que descendante d'Ingel et de Linda, obtiendrait un passeport estonien. Elle ne serait plus jamais obligée de retourner en Russie. Aurait-elle dû dire ça à la fille ? Peut-être. Peut-être que la fille s'en rendrait compte toute seule ?

Aliide alla dans la chambre et prit du papier et un stylo. Elle allait écrire une lettre à Ingel. Comme quoi tous les documents nécessaires à la récupération des terres se trouvaient chez le notaire, qu'Ingel et Linda n'avaient plus qu'à venir ; la cave était pleine de confitures et de conserves, faites selon leurs bonnes vieilles recettes. Finalement, elle y était devenue tout à fait compétente, même si Ingel n'avait jamais cru à son aptitude à cuisiner. On lui avait même fait des compliments.

Par la porte de la chambre arrière, elle apercevait les bottes de Pacha et Lavrenti.

Les garçons étaient-ils déjà en train de venir, ceux qui chantaient des chansons ? Savaient-ils déjà qu'Aliide était maintenant toute seule ?

Les fils d'Aino pourraient bien aller chercher de l'essence. Aliide leur donnerait tout l'alcool qu'elle trouverait dans l'armoire et tout ce qu'ils pourraient vouloir à la ferme. Qu'ils prennent tout.

Son livret de recettes, elle le mit dans l'enveloppe.

Elle posterait la lettre demain, achèterait l'essence et en arroserait la maison. Après cela, elle n'aurait plus qu'à arracher les lattes du cagibi, elle en aurait sûrement la force. Puis elle irait s'étendre à côté de Hans, chez elle à côté de Hans. Elle aurait le temps de le faire avant les garçons – ou bien comptaient-ils le faire cette nuit même ?

Cinquième partie

25 août 1950

Pour une Estonie libre !

J'ai rencontré un type, dans la forêt. C'était le frère du mari de Liide, le frère de Martin. Il était complètement dérangé. Communiste. Je l'ai étranglé.

Il a été avec Hans Pöögelmann à New York. Là-bas, il a organisé des activités communistes et publié le journal *Nouveau Monde**. Un de ces types-là. C'était difficile de comprendre quelque chose à ses paroles, sa tête battait tellement que ses paroles étaient un simple bégaiement et entre-temps la voix disparaissait complètement, seule sa bave giclait. D'abord, j'ai cru que c'était un animal des bois, quand il est passé devant mon blockhaus. Il ne s'était pas rendu compte, bien sûr, que mon blockhaus était là, sa jambe s'est prise dans un fil d'alarme et j'ai réalisé qu'il y avait quelqu'un. Je ne suis pas sorti tout de suite le chercher. Ce n'est que la nuit venue que je suis allé voir s'il restait des traces. Il avait mangé les myrtilles près de là, et pas comme l'aurait fait un animal. C'est comme ça que j'ai deviné que ça devait bel et bien être un humain. Mais il savait être tellement silencieux que je n'ai rien remarqué jusqu'à ce qu'il me tombe dans les jambes. C'était une bête sauvage. Avec des yeux de bête, mais il n'avait pas de forces et je l'ai maîtrisé rapidement, je me suis assis sur sa poitrine et je lui ai demandé : « C'est quel homme que t'es ? » D'abord il a hurlé et j'ai dû lui tenir la bouche fermée, et puis il s'est calmé. J'avais un peu de corde avec moi et je lui ai ligoté les mains par sécurité. Il n'avait pas d'arme, je l'ai vérifié tout de suite. Il a réussi à bégayer qu'il s'appelait Konstantin Truu. Moi de lui demander s'il était de la famille d'Aliide Truu. Oui. Je n'ai pas relevé le fait qu'en somme on se retrouvait en famille, parce que je ne me considérerai jamais de la famille de ces cocos. J'ai juste dit qu'au village Martin Truu était un type connu, et Konstantin a été submergé de joie, à moins que ce soit de la peur : vu sa conduite, on ne pouvait pas être sûr. En tout cas, il était exalté. Il s'est mis à parler d'un épouvantable malentendu, qu'il fallait avertir Staline. Je soupçonnais que son bégaiement était une mise en scène. Dans les forêts traînent toutes sortes de gens, on ne peut se fier à personne. Konstantin demandait de l'aide, et de la nourriture. À l'origine, il devait être du genre dandy, pas du genre à se débrouiller dans la forêt. Des gens de toutes sortes étaient envoyés là par le NKVD pour traquer les fils de l'Estonie. Mais j'ai écouté son histoire jusqu'au bout. Je me disais que peut-être ce Konstantin était bien un agent, mais qu'il s'était égaré dans la forêt et que de sa bouche pourrait sortir une autre bribe de vérité.

Konstantin était revenu ici avec Pöögelmann, après quoi il était allé travailler en Union soviétique. Puis il était rentré en Estonie avec un ami, lequel avait été abattu à la frontière, mais Konstantin avait pu arriver en vie à Tallinn. Là, il avait collaboré avec les communistes, mais ensuite ils avaient voulu l'envoyer en Sibérie. Konstantin s'était échappé et il était arrivé dans la forêt. Il ne savait pas en quelle année on était, il voulait juste écrire à Staline qu'il fallait dissiper ce malentendu. Puis je l'ai étranglé. Il m'avait vu en vie, alors que j'étais censé être mort.

J'ai fouillé ses poches. Elles contenaient des lettres. Des lettres de Martin à son frère à New York. Je les ai emportées et je les ai lues. Je comptais les donner à Liide, mais je ne l'ai pas fait. Inutile de l'effrayer davantage. Je les cache ici sous les planches au même endroit où je garde mon cahier. Il n'est pas souhaitable que quelqu'un les trouve. Pour ce genre de lettres, on atterrit directement en Sibérie, même si elles ont été envoyées dans les années 30. Qu'est-ce que Martin a dû faire pour qu'il n'ait pas déjà été emmené ? Le sait-il, au moins, que son frère est revenu en Estonie ?

Hans fils d'Eerik Pekk, paysan estonien

1946, Estonie occidentale

Top secret
Ex. n° 2
Rapport sur l'activité du clandestin TRUU Martin fils d'Albert en République socialiste soviétique d'Estonie.

TRUU, Martin fils d'Albert, né en 1910 à Narva, estonien, bachelier. Clandestin depuis 1944.

TRUU, Konstantin fils d'Albert, né en 1899 à Narva, estonien, bachelier. Situation inconnue.

L'agent « *Corneille** », qui a infiltré le groupuscule d'espions illégal clandestin Avenir, a découvert que l'illégal TRUU Martin est caché dans le logement de la citoyenne MÄGISTE Milja à Tallinn. Selon les communiqués de l'agent « *Corneille** », le groupuscule d'espions est en contact permanent avec les agents des services de renseignement étrangers. Le frère de l'illégal TRUU Martin, TRUU Konstantin, a été à New York, où il a toujours des contacts. La localisation actuelle de TRUU Konstantin est inconnue ; à New York, il a travaillé avec les communistes estoniens expatriés et comme rédacteur du journal *Nouveau Monde**.

On préconise l'arrestation de l'illégal TRUU Martin avec l'aide de l'agent « *Corneille** ». On estime possible que l'illégal TRUU Martin soit légalisé, dans la mesure où celui-ci consentirait à coopérer.

1946, Estonie occidentale

Top secret

Ex. n° 2

Rapport sur les mesures avec lesquelles a été examinée la qualité de TRUU Martin pour être recruté comme agent en République socialiste soviétique d'Estonie.

Nous avons examiné les intérêts de TRUU Martin à l'endroit de son frère TRUU Konstantin, supposé résider en Amérique.

Nous avons examiné la fiabilité de TRUU Martin avec l'aide des agents expérimentés « Paul » et « *Marteau** ». TRUU n'a encore exprimé aucun intérêt à l'endroit d'un voyage à l'étranger et n'a pas exprimé d'opinions antisoviétiques.

Afin que nous découvrions si TRUU Martin, sous surveillance, avait des intérêts à établir des liens illégaux avec l'étranger ou s'il est déjà un agent des services d'espionnage d'Amérique, nous avons procédé aux opérations suivantes :

Nous avons organisé une rencontre informelle des agents « Paul » et « *Marteau** » avec TRUU Martin. L'agent « Paul » a raconté à TRUU Martin qu'il allait à Moscou, où il rencontrerait sa sœur. L'agent « Paul » a raconté que sa sœur travaillait à l'ambassade de Suède à Moscou. TRUU Martin n'a montré aucune sorte d'intérêt à l'endroit d'une visite. Nous avons aussi envoyé réellement l'agent « Paul » à Moscou, et quand celui-ci est revenu, il a rencontré TRUU Martin à nouveau et a raconté sa visite en détail. TRUU Martin n'a encore montré aucun intérêt à l'endroit du récit de l'agent « Paul ».

Il incombait à l'agent « Paul » de mentionner explicitement qu'il était toujours en contact actif avec sa sœur et, à travers certains détails, il devait faire comprendre à TRUU Martin qu'il serait possible, par son intermédiaire, d'avoir un contact illégal avec l'étranger. TRUU Martin n'a pas saisi l'information tendue.

L'agent « Paul » a aussi réussi à rester seul dans le logement de TRUU Martin, mais il n'y a pas trouvé d'émetteurs ou de microfilms. Il n'a pas trouvé non plus de lettres du frère, le papier buvard qui était sur la table portait toutefois les initiales A.V., qui pourraient désigner Vari Astra, la sœur résidant en Amérique de la défunte épouse de TRUU Konstantin.

Il reste à examiner si l'objet de la surveillance a tendance à recueillir des renseignements secrets pour l'étranger. Le cas échéant, on lui fournira des renseignements « secrets » à des fins de désinformation.

L'objet de la surveillance dissimule soigneusement le fait que son frère se trouve à l'étranger, et affirme que celui-ci est mort, alors qu'il est en relation épistolaire avec son frère, ainsi qu'il a été prouvé. Ce contact illégal fait de TRUU Martin un objet non fiable, mais le recrutement et la légalisation de TRUU Martin sont tout de même préconisés. Grâce à ses anciens contacts, TRUU Martin a la connaissance requise pour identifier de nombreux illégaux.

Il reste encore à examiner si, pour sa correspondance, il utilise aussi des contacts étrangers.

Enfin, il restera à examiner si TRUU Martin cherche à entrer en contact avec des marins voyageant vers l'étranger, par lesquels il pourrait envoyer des lettres illégales à son frère. L'agent « *Marteau** » réalise l'opération, parce qu'il a des relations confidentielles avec TRUU Martin.

1946, Estonie occidentale

Top secret

Ex. n° 2

Rapport sur l'activité visant à localiser les criminels d'État en République socialiste soviétique d'Estonie.

Comme la majorité des criminels d'État que nous traquons se sont enfuis à l'étranger, on les recherche en collaboration avec le contrôle postal secret. Sans cet appui, nous ne pourrions pas être suffisamment efficaces. Localiser ces criminels d'État est rendu difficile par le fait que les criminels d'État se mettent en correspondance épistolaire, par l'intermédiaire de nombreuses adresses différentes, vraisemblablement pour se protéger, avec des parents vivant en République socialiste soviétique d'Estonie. De ces adresses mensongères, les lettres sont réexpédiées aux parents des criminels d'État. Une partie des criminels d'État gardent contact avec leurs familles directement, sans intermédiaire, mais en envoyant leurs lettres au nom de jeune fille de leur femme.

À cause de ces circonstances, nous avons élaboré des dispositifs à l'aide desquels nous avons compris les relations familiales de nombreux criminels d'État, ainsi que d'autres relations intimes. Nous avons aussi décodé, à travers les opérations réalisées avec le contrôle postal secret, les noms de jeune fille des épouses des criminels d'État, ainsi que les noms usuels et diminutifs affectueux des criminels d'État.

Bien que nous obtenions des résultats encourageants, la localisation des criminels d'État présente encore de graves faiblesses. Il est extrêmement long de localiser les criminels d'État qui, selon nos renseignements, résident sur le territoire de l'Union soviétique, mais sans informations plus précises.

Il est indispensable de recueillir continuellement et activement des informations concernant l'identification des criminels d'État.

L'agent « X » s'est montré utile dans les opérations tournées vers l'Amérique car, à cause de son frère TRUU Konstantin, il a beaucoup d'informations importantes nécessaires pour identifier les criminels d'État expatriés en Amérique.

Parce que les criminels d'États recherchés peuvent se dissimuler dans des objets dont le contrôle à l'embauche est faible, nous avons noyauté de nouveaux agents pour les grands projets de construction et les centres d'industrie forestière. Le mieux sera d'envoyer l'agent « X » au kolkhoze de la Victoire car, selon nos renseignements, quelques criminels d'État d'Amérique rentrés en République socialiste soviétique d'Estonie essayent de s'y cacher.

1946, Estonie occidentale

Top secret
Ex. n° 2
Rapport sur l'avancement de la localisation des criminels d'État en République socialiste soviétique d'Estonie.

L'agent « X » n'a pas progressé dans la localisation des rapatriés d'Amérique. À la place, l'agent « X » a réussi à créer un lien solide avec une personne qu'il considère comme une recrue potentielle. La cousine de la personne est en Suède et essaye manifestement de recevoir de République socialiste soviétique d'Estonie des matériaux antisoviétiques pour la presse américaine.

1946, Estonie occidentale

Top secret

Ex. n° 2

Rapport sur l'activité visant à localiser les nationalistes clandestins en République socialiste soviétique d'Estonie.

On propose à l'agent « X » des missions plus actives dans une opération visant à liquider les bandits nationalistes à Haapsalu et dans les environs. Les bandits nationalistes sont à l'œuvre dans la région et nous avons essayé de créer un réseau d'agents avec l'aide duquel nous réussirons à les arrêter. L'agent « X » est convaincu que, dans l'hypothèse où il y aurait dans la région des criminels rentrés d'Amérique, il les aurait déjà rencontrés. L'agent « X » présume qu'ils ont changé de lieu de résidence. À cause de cela, les ressources de l'agent « X » feraient mieux d'être employées dans l'opération de liquidation des bandits nationalistes.

1946, Estonie occidentale

Top secret

Ex. n° 2

Rapport sur les grandes lignes de l'activité en République socialiste soviétique d'Estonie.

Nous avons mené notre activité en mettant l'accent sur l'amélioration du travail avec les agents en activité et la construction d'instruments grâce auxquels nous pourrons compléter notre réseau d'agents par de nouveaux recrutements. Nous avons l'intention d'aller les chercher parmi les gens qui connaissent bien la vie locale de la région et qui ont la possibilité d'identifier les gens de la région qui ont des projets de dénonciation. Les agents qui connaissent leur région ont aussi la possibilité de nous informer spontanément sur les nouvelles personnes dangereuses qui arrivent dans la région.

Comme résultat de l'amélioration du travail des agents, nous avons commencé à recevoir davantage de signalements sur les personnes suspectes des régions. Au cours du dernier mois, nous en avons reçu plus de dix ; l'année dernière, nous en avions reçu soixante au total.

Selon l'analyse de nos agents, ceux qui ont le plus de projets de dénonciation vers la République socialiste soviétique d'Estonie, en plus des personnes rapatriées, ce sont des personnes qui ont de la famille ou des contacts proches à l'étranger, de même que des personnes qui ont été accusées auparavant d'activité contre-révolutionnaire. En outre, les jeunes qui se trouvent dans des groupes d'éléments politiquement instables méritent d'être surveillés attentivement.

Parmi les criminels d'État retrouvés, nous en avons arrêté six, dont quatre étaient clandestins, deux armés. Un a été tué à l'occasion d'une opération militaire des tchékistes.

Au cours de l'année, les citoyens de l'Union soviétique ont présenté 120 dénonciations, dont neuf étaient anonymes. Les déclarations se répartissaient comme suit : sur des personnes suspectes et hostiles à la République socialiste soviétique d'Estonie, sur des opinions et déclarations d'un élément hostile, ainsi que sur des criminels d'État cachés.

Toutes les déclarations ont été contrôlées et examinées attentivement. Pour vérifier les faits dénoncés dans les déclarations, des outils ont été construits en urgence, avec pour but d'empêcher ces personnes de trahir leur patrie.

1946, Estonie occidentale

Top secret
Ex. n° 2
Rapport sur la déclaration de KOSE Eha fille de Mati.

Le 1er mars, nous avons reçu la déclaration de la citoyenne KOSE Eha fille de Mati.

Dans son communiqué, elle a raconté que son ex-fiancé, PEKK Hans fils d'Eerik, a agi dans l'organisation Omakaitse et présentait des opinions antisoviétiques à l'époque de l'occupation allemande. KOSE Eha a rencontré son ex-fiancé une seule fois après la rupture des fiançailles, lorsque PEKK Hans a exprimé à KOSE Eha ses opinions antisoviétiques. PEKK Hans a notamment insinué que seuls les prisonniers construisaient en Sibérie. Les liens entre KOSE Eha et PEKK Hans ont cessé quand PEKK Hans s'est fiancé avec TAMM Ingel fille de Richard. Plus tard, PEKK Hans s'est marié avec TAMM Ingel et serait mort en 1945.

Sur la base du communiqué, de nombreux témoins ont été interrogés, qui ont confirmé que PEKK Hans appartenait à l'organisation susmentionnée. L'un des témoins, TOOMINGAS Anton, a raconté qu'une personne qui ressemblait à PEKK Hans avait pris part à des actes terroristes en 1945. TOOMINGAS Anton a raconté avoir entendu qu'une personne qui ressemblait à PEKK Hans avait fait partie d'un groupe de bandits qui avait attaqué des membres du comité exécutif. Dans ce combat, un bandit resté non identifié avait tué au pistolet le chef du comité exécutif SIREL Jaan. Il est possible que le même genre de groupe ait aussi pris part au vol du véhicule de la beurrerie d'Uue-Antsla. Cependant, aucun homme répondant au signalement de PEKK Hans n'avait été vu dans la région de Võru.

Afin de pouvoir clarifier les agissements de PEKK Hans du temps de l'occupation allemande, nous avons instauré pour PEKK Hans une cellule d'agissement. Elle a notamment pour missions d'enquêter sur la mort prétendue de PEKK Hans et de rechercher des témoins qui puissent parler d'une éventuelle participation de PEKK Hans à des homicides de citoyens de l'Union soviétique.

1946, Estonie occidentale

Top secret

Ex. n° 2

Rapport sur l'activité de l'agent « X » en République socialiste soviétique d'Estonie.

Selon le communiqué de l'agent « Joot », l'activité de l'agent « X » au kolkhoze Victoire a été exemplaire et il n'y a aucune raison de douter de la compétence de l'agent « X » pour la catégorie des agents recrutés parmi les légalisés. L'agent « X » a recruté deux nouveaux agents, « Helmar » et « *Groseille** », dans l'entourage des nationalistes clandestins ou frères de la forêt (notamment SOOP Jaan). « Helmar » a des relations étroites avec LAURI Vambola, qui approvisionne les nationalistes clandestins, et qui a raconté qu'il a caché des armes dans son jardin, mais LAURI n'a pas encore consenti à indiquer un emplacement plus précis.

On suggère d'accorder à l'agent « X » la somme de deux cents roubles afin qu'il puisse les donner à l'agent « Helmar ». « Helmar » et « *Groseille** » ne savent pas où se trouvent les nationalistes qui appartiennent à leur entourage, ils ne sont pas allés au domicile des membres de leur famille. À l'aide d'une subvention, « Helmar » pense pouvoir arranger une rencontre avec le nationaliste SOOP Jaan.

1947, Estonie occidentale

Top secret

Ex. n° 2

Rapport sur l'activité de l'agent « X » pour liquider les nationalistes clandestins en République socialiste soviétique d'Estonie.

PEKK, Ingel fille de Richard. Née en 1920. Estonienne. Mariée à l'illégal PEKK Hans fils d'Eerik.

TAMM, Aliide fille de Richard. Née en 1925. Estonienne. Sœur de PEKK Ingel fille de Richard.

Selon les communiqués de l'agent « X », l'agent « Helmar » a réussi à rencontrer le nationaliste clandestin SOOP Jaan dans la forêt d'où SOOP a l'intention de sortir pour passer l'hiver dans les greniers de l'écurie de LAURI Vambola. Il n'y a aucun renseignement sur la localisation du blockhaus de SOOP dans la forêt. Cependant, l'agent « Helmar » a raconté avoir vu PEKK Hans, qu'on croyait mort, sur la colline. L'agent « Helmar » est presque certain qu'il s'agissait de PEKK Hans. Au rendez-vous, il a demandé à SOOP si celui-ci avait amené au rendez-vous quelqu'un pour monter la garde. Le nationaliste SOOP Jaan a nié en faisant l'étonné. L'agent « Helmar » a dit avoir vu sur la colline un homme qui ressemblait absolument à PEKK Hans, ce qui n'avait fait qu'étonner encore davantage le bandit SOOP. Le clandestin SOOP a dit que PEKK était mort et qu'il en était absolument certain. L'agent « Helmar » ne croit pas les paroles du bandit SOOP.

On préconise que les membres de la famille du nationaliste PEKK Hans, PEKK Ingel et la sœur de celle-ci, TAMM Aliide, soient emmenées pour être interrogées à nouveau. Le dernier interrogatoire n'a pas donné de résultats.

1947, Estonie occidentale

Top secret
Ex. n° 2
Rapport sur l'interrogatoire de TAMM Aliide fille de Richard.

Les agents « X », « *Corneille** » et « *Renard** » ont assisté à l'interrogatoire de TAMM Aliide après que celle-ci a été prise en flagrant délit en train d'apporter de la nourriture aux bandits. L'objet interrogé a nié avoir commis cet acte illégal, elle est restée sur sa position et croit que PEKK Hans est mort en 1944. L'objet interrogé n'a donné aucun nouveau renseignement qui pourrait aider dans l'opération d'arrestation du nationaliste PEKK Hans. Les agents « X », « *Corneille** » et « *Renard** » connaissent l'objet interrogé depuis longtemps, mais ils ne savent pas avec certitude si elle ment ou non.

1947, Estonie occidentale

Top secret

Ex. n° 2

Rapport sur les mesures prises pour liquider le nationaliste PEKK Hans fils d'Eerik.

PEKK, Hans fils d'Eerik, né en 1913 à Lihula. Appartenait à l'organisation Omakaitse. Clandestin depuis 1943. A aidé les occupants allemands. Donné pour mort en 1945.

Selon l'agent « X », tout le village paraît croire que le nationaliste PEKK Hans a été tué en 1945. Un témoin oculaire de l'incident, le nationaliste RISTLA Hendrik, a été liquidé au début de l'année. L'incident n'a pas eu d'autre témoin oculaire. Selon les dires de RISTLA, lui et PEKK Hans, après les années passées au front, étaient en train de rentrer chez eux en chariot à cheval, lorsqu'ils furent soudain attaqués sur la route de la forêt. PEKK Hans fut abattu, mais RISTLA, seulement blessé, réussit à s'enfuir. Selon RISTLA, on avait voulu les dévaliser. Quand les hommes du village, le lendemain, arrivèrent sur les lieux, le chariot vidé était là, mais le corps de PEKK Hans ne fut pas retrouvé. Le cheval aussi avait disparu. RISTLA, selon ses dires, n'a pas reconnu les hommes qui avaient surgi de la forêt. Ce genre de choses s'est déjà produit dans la région, aussi les villageois n'ont-ils pas tenu l'incident pour invraisemblable. RISTLA a raconté l'incident ouvertement et son histoire n'a jamais changé.

RISTLA avait déjà été auditionné, mais pas au sujet de l'affaire de PEKK Hans.

Du temps de l'occupation allemande, RISTLA agissait activement en faveur des Allemands, et il a continué ensuite à se livrer à une série d'actes contre-révolutionnaires contre la patrie. Bien que nous ayons essayé de l'empêcher de trahir sa patrie, nous n'avons pas réussi dans notre tâche – RISTLA a continué son activité terroriste illégale jusqu'à sa mort.

Le bandit SOOP Jaan a été arrêté sur la base des renseignements fournis par l'agent « Helmar » et, dans les interrogatoires, SOOP a reconnu avoir eu affaire au nationaliste PEKK Hans pendant qu'il se cachait dans la forêt. SOOP a raconté que PEKK avait propagé des opinions antisoviétiques, qu'il avait volé de l'argent pour le donner aux koulaks. En outre, PEKK a menacé de tirer au pistolet de sang-froid sur tous les communistes à la moindre occasion. À ce qu'on sait, PEKK Hans a aussi un fusil.

L'épouse du bandit PEKK, PEKK Ingel, et la belle-sœur du bandit, TAMM Aliide, ont été emmenées pour un interrogatoire tripartite, mais elles ont nié à plusieurs reprises savoir quoi que ce soit des agissements du nationaliste PEKK et ne croient pas que celui-ci soit en vie. La fille de PEKK Ingel et de PEKK Hans, PEKK Linda, a également été emmenée pour être interrogée, mais les renseignements obtenus de l'objet ne divergeaient pas de ceux obtenus de PEKK Ingel et de TAMM Aliide.

Cependant, l'agent « X » n'a pas été convaincu que les femmes aient dit la vérité. Selon l'agent « X », l'agent « Helmar » est sûr que PEKK Ingel et TAMM Aliide aident des bandits. « Helmar » a fait la connaissance de KUUM Peeter, qui a aidé SOOP Jaan, et proposé l'aide médicale dont il avait besoin pour les blessés dans la forêt. L'aide des bandits KUUM Peeter l'a invité à aller chez TAMM Aliide en lui disant qu'on y obtenait aussi de quoi se remplir le ventre.

On préconise que la ferme de PEKK Ingel et TAMM Aliide soit placée sous surveillance vingt-quatre heures sur vingt-quatre. Il faut contrôler aussi les femmes qui viennent à la ferme. Une partie des illégaux s'habillent en femmes quand ils viennent dans les fermes.

1948, Estonie occidentale

Top secret

Ex. n° 2

Rapport sur les mesures prises par l'agent « X » pour liquider les nationalistes clandestins en République socialiste soviétique d'Estonie.

L'agent « X » a réussi à créer un lien étroit avec un membre de la famille du nationaliste PEKK Hans, que l'on affirme être en vie, et a recommandé le recrutement de celle-ci comme agent. Le recrutement a été réalisé par l'agent « *Marteau** » ; pour l'agent « X », le fait que l'agent « *Mouche** » soit une de ses proches relations ne permettait pas l'opération de recrutement. Il vaut mieux que l'agent « X » continue de surveiller le mode d'agissement de l'agent « *Mouche** », dans la mesure où celle-ci n'est pas au courant des missions de l'agent « X » ni de leur nature. Le contact de l'agent « *Mouche** », désormais, sera l'agent « *Marteau** ».

Il est connu que l'agent « *Mouche** » était en relation étroite avec les Allemands pendant l'occupation, les soldats allemands lui rendaient souvent visite à son domicile. Selon l'agent « X », pourtant, elle n'était pas tentée de collaborer avec eux et n'a pas essayé de reprendre contact avec eux après l'occupation. Par conséquent, selon l'agent « X », elle serait un excellent agent pour l'opération où nous nous efforçons de rechercher les personnes qui étaient en contact étroit avec les Allemands. Une partie d'entre eux ont été recrutés dans les organes de contre-espionnage allemands. En raison de son domicile qui se trouve près de la forêt et de ses relations de parenté, l'agent « *Mouche** » est aussi au fait des mouvements des bandits nationalistes. En raison de son travail comme perceptrice des paiements, elle fait aussi activement le tour des fermes et se trouve ainsi dans une position particulièrement favorable pour observer les signes suspects.

L'agent « *Mouche** » a suivi d'extrêmement près et vingt-quatre heures sur vingt-quatre la vie de PEKK Ingel et de la fille de celle-ci, PEKK Linda, et elle est certaine que le bandit PEKK est mort, mais elle a raconté que l'épouse du bandit PEKK Ingel avait conservé chez elle des matériaux nationalistes (un drapeau estonien, des journaux, des livres) et qu'elle avait aidé les bandits en leur apportant de la nourriture et en cachant des aliments secs dans la forêt. PEKK Linda a montré de l'intérêt à l'endroit d'organisations nationalistes pour la jeunesse. PEKK Ingel a continué son activité de haute trahison depuis des années.

On préconise l'arrestation de PEKK Ingel, collaboratrice des illégaux.

1949, Estonie occidentale

Top secret

Ex. n° 2

Rapport sur l'avancement de l'opération visant à liquider le nationaliste PEKK Hans fils d'Eerik.

Après l'arrestation de PEKK Ingel, épouse ou veuve du nationaliste PEKK Hans, et de la fille de celle-ci, PEKK Linda, nous n'avons pas reçu davantage de signalements de PEKK Hans. L'agent « *Mouche** » a examiné les conversations et les nouvelles de la famille PEKK, mais personne n'a rien entendu sur Hans. Cependant, l'agent « *Mouche** » a retrouvé la piste de KALVET Asta, qui a organisé avec PEKK Linda une association nationaliste pour la jeunesse. La particularité de ce groupement, c'est que les jeunes y sont des filles. Ce genre d'activité qui vise à trahir la patrie, nous ne l'avons rencontré en général que parmi les garçons socialement instables. Il faut mener une enquête pour voir si cette tendance préoccupante est en croissance, ou s'il s'agit d'un cas isolé.

Maintenant que les aides des bandits PEKK Ingel et PEKK Linda ne peuvent pas préparer de nourriture ou d'autre aide au présumé vivant PEKK Hans, nous espérions que celui-ci voudrait se légaliser, ou bien qu'il se livrerait à des actes terroristes visibles, des vols et ce genre de choses. Pourtant, il n'en est rien.

1950, Estonie occidentale

Top secret

Ex. n° 2

Rapport sur l'avancement de l'opération visant à liquider le nationaliste PEKK Hans fils d'Eerik.

L'agent « *Mouche** » a rassemblé des signalements d'activité nationaliste dans la région. Nous les avons examinés attentivement et avons essayé de localiser les objets qui propageaient des opinions antisoviétiques.

L'agent « *Mouche** » a également recensé les personnes auprès desquelles le nationaliste présumé mort PEKK Hans pourrait chercher secours. Cependant, rien n'indique que PEKK Hans ait fait cela. Nous avons aussi pris contact avec des parents lointains et des membres de la famille de PEKK Hans, les avons appelés chez nous et leur avons raconté que, dans le cas où PEKK Hans prendrait contact avec eux, ils devaient nous en informer immédiatement. Nous avons aussi raconté aux parents et membres de la famille qu'il était envisageable de proposer une légalisation pour PEKK Hans. Les parents et membres de la famille ont cependant réagi à notre proposition avec méfiance.

1951, Estonie occidentale

Top secret
Ex. n° 2
Rapport sur l'achèvement de l'opération visant à liquider PEKK Hans fils d'Eerik.

Selon les informations obtenues par l'agent « *Mouche** », nous avons arrêté les nationalistes ARRO Vello et HEIMAN Raimond. Nous suggérons de mettre fin à l'opération qui visait à localiser le clandestin PEKK Hans. Nous n'avons reçu aucun nouveau signalement qui indiquerait que PEKK Hans soit en vie et qu'il continue des activités clandestines. L'agent « X » est muté sur d'autres opérations, qui visent à localiser les ennemis de l'État. L'agent « *Mouche** » continuera de récolter les signalements des nationalistes.

5 octobre 1951

Pour une Estonie libre !

Encore une nuit ici. Avec Ingel on s'est dit qu'on va chercher Linda. Avec l'aide d'Ingel, on y arrivera bien, même si ça doit prendre du temps.

Je ne suis pas encore libre, mais je le serai bientôt, et mon cœur est léger comme une hirondelle.

Bientôt tous les trois nous serons réunis.

Hans fils d'Eerik Pekk, paysan estonien

Chronologie

v. 9500 av. J.-C.

Fonte des glaces : apparition d'une toundra et des premiers habitants du nord-ouest de l'Estonie.

v. 4000 av. J.-C.

Adoucissement du climat : apparition de forêts et établissement de populations fenniques dans la région.

XIIe siècle

Début du commerce hanséatique.

XIIIe siècle

Conquête et christianisation de l'actuelle Estonie par les chevaliers Porte-Glaive. L'affrontement des croisés catholiques et de l'armée orthodoxe d'Alexandre Nevski sur le lac Peipsi fixe la frontière entre les zones d'influence germanique (à l'ouest) et russe (à l'est).

XVe siècle

Début du servage.

XVIᵉ siècle
Réforme luthérienne.

XVIIᵉ siècle
Tout le territoire de l'actuelle Estonie passe sous domination suédoise.

L'Estonie dans l'Empire russe (1710-1917)

Début du XVIIIᵉ siècle
À l'issue de la « Guerre du Nord » entre la Suède et la Russie, l'Estonie passe sous domination russe.

De Catherine II à Alexandre II
1788. Mort de la princesse Augusta de Brunswick-Wolfenbüttel, au château de Koluvere.
Abolition du servage (dès les années 1810).
Essor de la langue estonienne dans la presse, dans le monde des sciences et des lettres.
1857. Première édition de *Kalevipoeg*.

Sous Alexandre III et Nicolas II
1885. Début de la russification des institutions.
1917. Révolution russe.

Guerre d'indépendance (1918-1920)

1918. Proclamation d'indépendance. Adoption du drapeau bleu-noir-blanc et introduction du mark estonien.
Occupation allemande (février-novembre).
Offensive de l'Armée rouge : début de la guerre d'indépendance (ou « guerre de libération »).
1920 (février). Traité de paix de Tartu entre la *République d'Estonie* et la Russie bolchevique.

La République d'Estonie (1920-1940)

1920 (juin). Adoption de la constitution de la République d'Estonie.

1921. Entrée de l'Estonie à la Société des Nations.
Interdiction du parti communiste en Estonie.

1928. Le mark est remplacé par la couronne estonienne.

Fin 1939. Conformément au protocole secret du pacte germano-soviétique, pendant que l'Allemagne envahit la Pologne, l'Armée rouge pénètre en Estonie, et les germanophones sont « rapatriés » vers l'Empire allemand.

Première occupation soviétique (1940-1941)

1940 (printemps). L'Estonie est incorporée à l'URSS sous le nom de *République socialiste soviétique d'Estonie.* Le drapeau national est interdit.

1941. Déportations massives vers la Sibérie.

Occupation allemande (1941-1944)

1941 (juillet). L'Allemagne viole le pacte germano-soviétique et occupe toute l'Estonie.

Extermination de la communauté juive.

Seconde occupation soviétique (1944-1991)

1944. L'Armée rouge repousse les nazis et se déploie à nouveau dans toute l'Estonie. Émigration massive. Mouvements de résistance (« frères de la forêt »).

1945. Début d'une immigration massive en provenance de l'URSS.

1949. Nouvelle vague de déportations en Sibérie.

1949-1952. Collectivisation des campagnes.

1953. Nikita Khrouchtchev succède à Staline. Début du « dégel ».

1956-1960. Retour des déportés.

1985. Début de la perestroïka.

1987-1988. Début de la « Révolution chantante » : par des chansons patriotiques et des rassemblements pacifiques, les Estoniens (et les Baltes) dénoncent l'annexion de 1940. Le Soviet suprême proclame la souveraineté de l'Estonie.

1989 (24 février). Le drapeau bleu-noir-blanc, redevenu officiel, est hissé à Tallinn.

1989 (23 août). Grande chaîne humaine à travers les trois États baltes, à l'occasion des cinquante ans du pacte germano-soviétique.

1990. Le régime soviétique est déclaré illégal depuis 1940, et le nom de l'État souverain redevient *République d'Estonie.*

Restauration de la République d'Estonie (1991)

1991. L'indépendance est rétablie le 19 août, et l'URSS la reconnaît le 6 septembre. L'Estonie entre à l'ONU.

1992 (juin). Restauration de la couronne estonienne. Adoption d'une nouvelle constitution.

1994 (août). Les dernières troupes russes quittent l'Estonie.

LA COSMOPOLITE
(Collection créée par André Bay)
(Extrait du catalogue)

Kôbô ABÉ	*La femme des sables*
	La face d'un autre
	L'homme-boîte
Vassilis ALEXAKIS	*Talgo*
Jorge AMADO	*Tieta d'Agreste*
	La bataille du Petit Trianon
	Le vieux marin
	Dona Flor et ses deux maris
	Cacao
	Les deux morts de Quinquin-La-Flotte
Maria Àngels ANGLADA	*Le violon d'Auschwitz*
	Le cahier d'Aram
Reinaldo ARENAS	*L'assaut*
Sawako ARIOYOSHI	*Kae ou les deux rivales*
	Les années du crépuscule
James BALDWIN	*Si Beale Street pouvait parler*
	Harlem Quartet
Herman BANG	*Tine*

	Maison blanche. Maison grise
Julian BARNES	*Le perroquet de Flaubert*
	Le soleil en face
Mario BELLATIN	*Salon de beauté*
Karen BLIXEN	*Sept contes gothiques*
Ivan BOUNINE	*Le monsieur de San Francisco*
André BRINK	*Un turbulent silence*
	Une saison blanche et sèche
	Les droits du désir
Louis BROMFIELD	*La mousson*
Ron BUTLIN	*Appartenance*
Karel CAPEK	*La vie et l'œuvre du compositeur Foltyn*
Raymond CARVER	*Les vitamines du bonheur* suivi de *Tais-toi, je t'en prie* et *Parlez-moi d'amour*
Gabriele D'ANNUNZIO	*Terre vierge*
Kathryn DAVIS	*À la lisière du monde*
	Aux enfers
Federico DE ROBERTO	*Les princes de Francalanza*
Lyubko DERESH	*Culte*
Anita DESAI	*Un héritage exorbitant*
Tove DITLEVSEN	*Printemps précoce*
Monika FAGERHOLM	*La fille américaine*
Lygia FAGUNDES TELLES	*Les pensionnaires*
Kjartan FLØGSTAD	*Grand Manila*
Tomomi FUJIWARA	*Le conducteur de métro*
Horst Wolframm GEISZLER	*Cher Augustin*
Alberto GERCHUNOFF	*Les gauchos juifs*
Robert GRAVES	*King Jesus*
Wendy GUERRA	*Tout le monde s'en va*
	Mère Cuba
Farjallah HAÏK	*L'envers de Caïn*
	Joumana

Mark HELPRIN	*Conte d'hiver*
Hermann HESSE	*Demian*
E.T.A. HOFFMANN	*Les élixirs du diable*
Yasushi INOUÉ	*Le fusil de chasse et autres récits*, édition intégrale des nouvelles de l'auteur publiées dans la Cosmopolite
	Histoire de ma mère
	Les dimanches de Monsieur Ushioda
	Paroi de glace
	Au bord du lac
	Le faussaire
	Combat de taureaux
	Le Maître de thé
	Pluie d'orage
Jens Peter JACOBSEN	*Niels Lyhne*
Henry JAMES	*L'autel des morts* suivi de *Dans la cage*
	Le regard aux aguets
Tania JAMES	*L'Atlas des inconnus*
Eyvind JOHNSON	*Le roman d'Olof*
Ismaïl KADARÉ	*La ville sans enseignes*
Yoram KANIUK	*Adam ressuscité*
	Confessions d'un bon Arabe
Jack KEROUAC	*Maggie Cassidy*
Ken KESEY	*Vol au-dessus d'un nid de coucou*
Pär LAGERKVIST	*Le nain*
	Le bourreau
	Barabbas
Selma LAGERLÖF	*L'anneau du pêcheur*
	Jérusalem en terre sainte
	L'empereur du Portugal
Eduardo LAGO	*Appelle-moi Brooklyn*
	Voleur de cartes

D.H. LAWRENCE — *Île mon île*
Sinclair LEWIS — *Babbitt*
LUXUN — *Le journal d'un fou*
Thomas MANN — *Tonio Kröger*
La mort à Venise
Katherine MANSFIELD — *Nouvelles*
Lettres
Cahier de notes
Trude MARSTEIN — *Faire le bien*
Predrag MATVEJEVITCH — *Entre asile et exil*
Carson MCCULLERS — *Le cœur est un chasseur solitaire* suivi de *Écrivains, écriture et autres propos*
Le cœur hypothéqué
Frankie Addams
La ballade du café triste
L'horloge sans aiguilles
Reflets dans un œil d'or
Gustav MEYRINK — *Le Golem*
Henry MILLER — *Tropique du Capricorne*
Un dimanche après la guerre
Entretiens de Paris
Virage à 80
Tropique du Cancer suivi de *Tropique du Capricorne*
Henry MILLER / Anaïs NIN — *Correspondance passionnée*
Antonio MONDA — *Le goût amer de la justice*
Vladimir NABOKOV — *Don Quichotte*
Austen, Dickens, Flaubert, Stevenson
Proust, Kafka, Joyce
Gogol, Tourgueniev, Dostoïevski
Tolstoï, Tchekhov, Gorki
Nigel NICHOLSON — *Portrait d'un mariage*

Anaïs NIN	*Les miroirs dans le jardin*
	Les chambres du cœur
	Une espionne dans la maison de l'amour
	Henry et June
Joyce Carol OATES	*Eux*
	Bellefleur
	Blonde
	Confessions d'un gang de filles
	Nous étions les Mulvaney
	La Fille tatouée
	La légende de Bloodsmoor
Kenzaburo OÉ	*Une affaire personnelle*
Sofi OKSANEN	*Purge*
OLIVIA	*Olivia par Olivia*
O. HENRY	*New York tic-tac*
Robert PENN WARREN	*La grande forêt*
Jia PINGWA	*La capitale déchue*
Ruth PRAWER JHABVALA	*La vie comme à Delhi*
Lucía PUENZO	*L'enfant poisson*
Thomas ROSENBOOM	*Le danseur de tango*
Arthur SCHNITZLER	*Madame Béate et son fils*
	La ronde
	Mademoiselle Else
	La pénombre des âmes
	Vienne au crépuscule
	Mourir
	L'étrangère
Mihail SEBASTIAN	*Journal 1935-1944*
Isaac Bashevis SINGER	*Le magicien de Lublin*
	Shosha
	Le blasphémateur
	Yentl et autres nouvelles
	L'esclave

	Le beau monsieur de Cracovie
	Un jeune homme à la recherche de l'amour
	Le manoir
	Le domaine
	La couronne de plumes et autres nouvelles
	Satan à Goray
Muriel SPARK	*Le pisseur de copie*
Saša STANIŠIĆ	*Le soldat et le gramophone*
Sara STRIDSBERG	*La faculté des rêves*
Junichiro TANIZAKI	*Deux amours cruelles*
Rupert THOMSON	*L'église de Monsieur Eiffel*
Carl Frode TILLER	*Encerclement*
Léon TOLSTOÏ	*La mort d'Ivan Ilitch* suivi de *Maître et serviteur*
Ivan TOURGUENIEV	*L'abandonnée*
	Dimitri Roudine
	L'exécution de Troppmann et autres récits
B. TRAVEN	*Le visiteur du soir*
Magdalena TULLI	*Le défaut*
Anne TYLER	*Toujours partir*
	À la recherche de Caleb
	Le voyageur malgré lui
	Le déjeuner de la nostalgie
	Le compas de Noé
Fred UHLMAN	*La lettre de Conrad*
	Il fait beau à Paris aujourd'hui
Sigrid UNDSET	*Olav Audunssøn*
	Kristin Lavransdatter
	Vigdis la farouche
	Printemps
Birgit VANDERBEKE	*Le dîner de moules*

Ernst Emil WIECHERT	*La servante du passeur*
Oscar WILDE	*Intentions*
	De profundis
	Nouvelles fantastiques
	Le procès d'Oscar Wilde
Christa WOLF	*Scènes d'été*
	Incident
	Trois histoires invraisemblables
	Cassandre
	Médée
	Aucun lieu. Nulle part
	Trame d'enfance
Virginia WOOLF	*La chambre de Jacob*
	Au phare
	Journal d'adolescence
	Journal intégral (1915-1941)
	Instants de vie
	Orlando
Kikou YAMATA	*Masako*
	La dame de beauté
Stefan ZWEIG	*Nietzsche*
	Vingt-quatre heures de la vie d'une femme
	Le joueur d'échecs
	La confusion des sentiments
	Amok
	Lettre d'une inconnue

Pour l'éditeur, le principe est d'utiliser des papiers composés de fibres naturelles, renouvelables, recyclables et fabriquées à partir de bois issus de forêts qui adoptent un système d'aménagement durable.

En outre, l'éditeur attend de ses fournisseurs de papier qu'ils s'inscrivent dans une démarche de certification environnementale reconnue.

Cet ouvrage a été composé
par PCA à Rezé (Loire-Atlantique)

Impression réalisée
par CPI BRODARD ET TAUPIN
La Flèche (Sarthe)
pour le compte des Éditions Stock
31, rue de Fleurus, 75006 Paris
en octobre 2010

Imprimé en France

Dépôt légal : octobre 2010
N° d'édition : 11 – N° d'impression : 60615
54-08-6240/3